de Bibliotheek
Breda
Teteringen

Tamara McKinley

Morgenrood

Oorspronkelijke titel: *Morning Glory*

De Kern, een imprint van Uitgeverij De Fontein, Utrecht
Vertaling: Hans Verbeek
Omslagontwerp: Oranje Vormgevers
Omslagillustratie © Shutterstock.com
Auteursfoto omslag © Jerry Bauer
Opmaak binnenwerk: V3-Services, Baarn
ISBN 978 90 325 1294 1
ISBN e-book 978 90 325 1339 9
NUR 302

www.dekern.nl

Proloog

Golf van Savannah, 1951

Annie Somerville tilde Lily op en plantte haar stevig op haar heup. Er waren niet veel dingen die Annie nog angst aanjoegen, want het leven in de Australische regio Gulf Country vereiste moed en vasthoudendheid, maar die ochtend was het anders.

Het gebrul van de Spitfire verscheurde de stilte van de vroege ochtend terwijl hij over de zanderige startbaan denderde en het luchtruim koos. Met hun hand boven hun ogen tegen het stof dat werd opgeworpen volgden Annie en haar twee jaar oude dochter de Spitfire tot hij verdween in het grote, donkere hart van de enorme wolk die zich bij dageraad had gevormd.

Deze wolk strekte zich uit van de noordelijke tot de zuidelijke horizon en legde een schaduw op de uitgestrekte savanne terwijl hij om zijn lengteas rolde, als een eeuwige, nooit brekende golf. De kruin glinsterde en schitterde door de ijskristallen die hij had meegenomen op zijn tocht over de Golf van Carpentaria.

Hij was afschrikwekkend in zijn schoonheid en Annie verstevigde haar greep op het kind terwijl ze geluidloos biddend en met bonzend hart dat voortjagende monster afzocht naar een teken van de Spitfire.

En daar was hij – een nietig vlekje dat die golf bereed, duikend, draaiend en kerend als een stuk speelgoed, racend over de kruin van de golf, zonder acht te slaan op het gevaar.

In gedachten werd Annie meegevoerd naar de cockpit waar ze haar echtgenoot voor zich zag terwijl hij lachte van pure vreugde omdat hij een langgekoesterde wens in vervulling zag gaan. Hoe kon hij ook maar vermoeden hoe bang ze was en hoe hulpeloos? Want de in de strijd gehavende Spitfire en de dappere, onbezonnen man die hem vloog waren voor de machtige Morning Glory niet meer dan een pluisje in de wind.

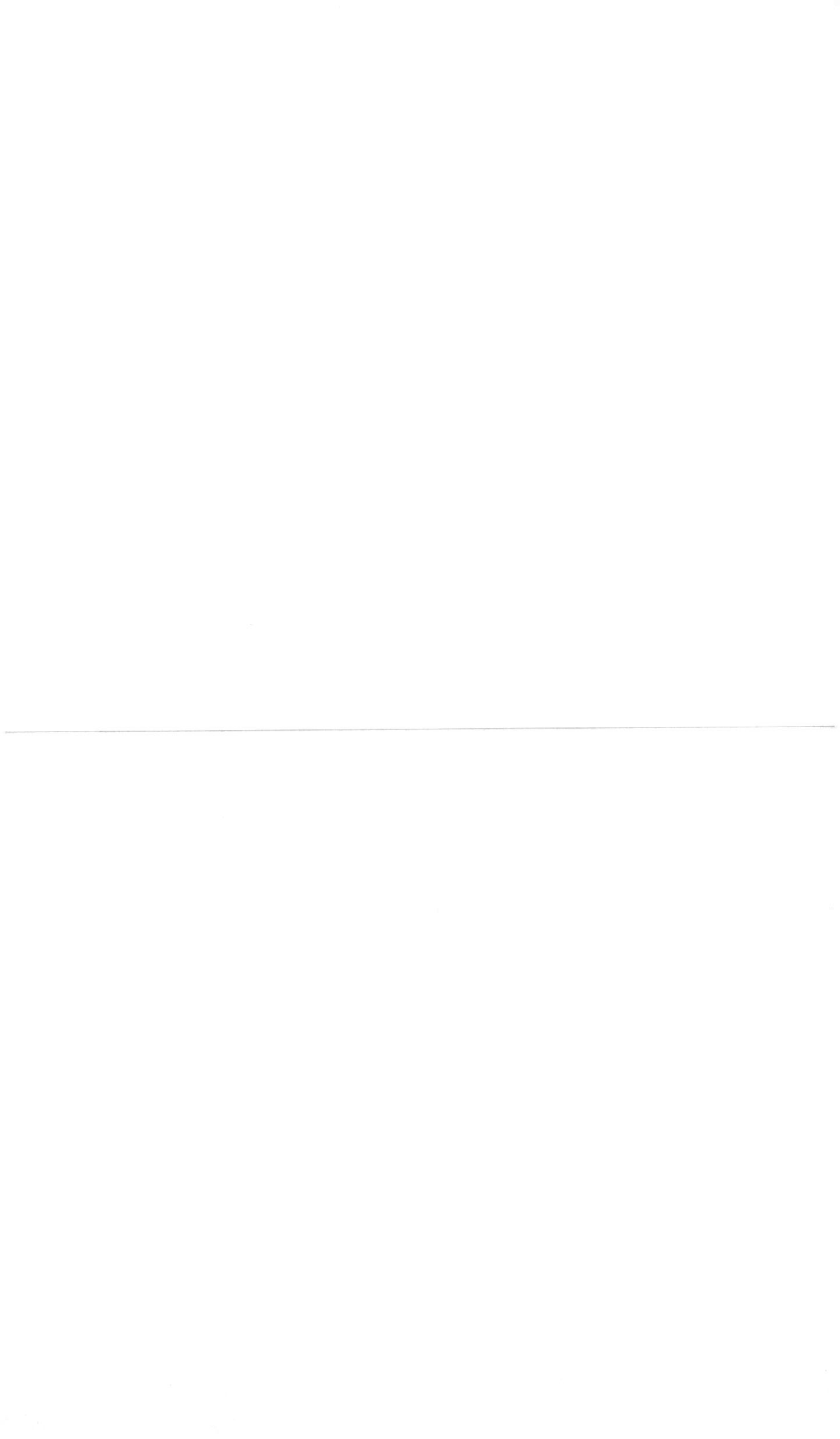

1

Brisbane, 2000

Fleur Mackenzie pakte haar handtas, aktetas en laptop en stapte met tegenzin uit de Mazda sportwagen. Meestal had ze veel zin om aan een nieuwe dag te beginnen. Ze hield van haar werk bij Oz Architecten en ze was ambitieus genoeg om hogerop te willen komen voor ze aan kinderen begon. Maar de stemming op kantoor was de afgelopen tijd veranderd en er hing een gevoel van onheil dat zich niet liet verdrijven. Het gonsde al maanden van de geruchten die sterker werden naarmate meer projecten werden uitgesteld, personeel vertrok en tot dan toe trouwe klanten overstapten naar de concurrent.

'Môgge, Fleur. Hoe gaat-ie?' Jason Delaney was gekleed in een trainingsbroek en shirt zonder mouwen. Hij droeg hardloopschoenen en had een roze band om zijn hoofd. Hij was buiten adem.

Fleur grijnsde een beetje treurig naar haar collega. 'Niet geweldig,' gaf ze toe. De gouden armbanden om haar smalle pols rinkelden zachtjes toen ze haar donkere haar naar achteren streek en de kraag van haar jasje goed deed. 'Ik maak me zorgen om de vergadering van vandaag.'

Jason hield op met hardlopen op de plaats. Zijn opgewekte gezicht betrok abrupt. 'Wie niet? Wat denk je, Fleur? Krijgen we de zak?'

'Ik hoop het niet,' mompelde ze en haar hoge hakken tikten op het plaveisel terwijl ze doorliep naar de ingang. 'Greg en ik hebben een hoge hypotheek en vierendertig is geen leeftijd om zonder werk te zitten.'

'Ik dacht dat Greg net was gepromoveerd tot hoofdchirurg? Hij verdient toch zeker wel genoeg om jullie een tijdje te onderhouden?'

Fleur was niet van plan haar financiële situatie met hem te bespreken. Hij bedoelde het waarschijnlijk goed – hij was tenslotte haar beste vriend – maar hij roddelde ook graag. Ze toetste de toegangscode in, ging de deur door en liep in de richting van het kantoor op de begane grond. Ze ging de grote, witgeschilderde ruimte binnen die vol stond met bureaus, tekentafels en dossierkasten, deed de lichten aan en legde haar uitpuilende aktetas en zware laptop op haar bureau. 'Het heeft geen zin erover te speculeren tot we de feiten kennen,' zei ze rustig. 'Oz Architecten is een groot bedrijf en we moeten blijven hopen...'

Jason trok de band van zijn hoofd, stopte hem in de zak van zijn trainingsbroek en sloeg zijn armen over elkaar. 'Nou, ik heb al op verschillende banen gesolliciteerd, voor het geval dat. Ik kan niet van Enrique verwachten dat hij mij in zalig nietsdoen laat verkeren, hoe graag ik dat ook zou willen.' Hij wierp een blik op het protserige horloge om zijn pols, een cadeautje van zijn rijke minnaar. 'Ik kan maar beter opschieten en mezelf mooi maken voor de hoge heren er zijn.'

Fleur glimlachte flauwtjes terwijl hij zich naar de kleedkamer van het personeel haastte. Zij had ook overwogen om een andere baan te zoeken, maar ze voelde een zekere loyaliteit ten opzichte van het bedrijf waar ze al werkte sinds ze van de universiteit kwam en ze kon niet goed geloven dat het op het punt stond om in te storten. Er waren ook nog andere redenen, gaf ze stilletjes toe, want ze wilde dolgraag een baby. Ze wilde haar eigen gezinnetje stichten, nu Greg en zij getrouwd en gesetteld waren. Een nieuwe werkgever zou het niet erg waarderen wanneer ze binnen een jaar met zwangerschapsverlof zou gaan – en haar biologische klok tikte verder. Ze moest vertrouwen blijven houden in Oz Architecten.

Met een enorme geeuw schopte ze haar schoenen uit en wriemelde met haar tenen. Ze had niet goed geslapen en de onzekerheid over haar baan putte haar uit. Greg was op een medisch congres in Sydney en hoewel hij elke avond belde en ze urenlange gesprekken voerden, was het niet hetzelfde als hem thuis hebben. Ze miste het vertrouwde van zijn omhelzing, het kloppen van zijn hart tegen haar oor, het gevoel dat Greg haar rots in de branding was, haar soulmate, en dat het niet uitmaakte hoe hard het stormde omdat hij er altijd zou zijn om haar te beschermen.

Ze woonden al twee jaar samen toen hij haar twaalf maanden geleden verraste door haar ten huwelijk te vragen. Greg was een man die buitengewoon gesteld was op zijn onafhankelijkheid, die gedreven werd door de ambitie een verschil te maken in de problematische, en soms hartverscheurende, wereld van de kinderchirurgie. Ze had vanaf het begin geweten dat het leven met Greg niet eenvoudig zou zijn. Voor Fleur was het liefde op het eerste gezicht geweest toen ze elkaar op een feestje ontmoetten en ze voelde nog elke keer dat ze naar hem keek een steek van verlangen.

Greg was negenendertig en had nog steeds een atletisch lichaam. Hij zag er eerder uit als een popster dan als een zeer gerespecteerde kinderchirurg. Hij had brede schouders, een platte buik en zijn dikke bos blond haar krulde over zijn oren en naar achteren, weg van zijn knappe gezicht. Maar het waren drie jaar geleden zijn ogen geweest die haar hadden aangetrokken. Ze waren zo groen als de oceaan in de zomer, werden omrand door lange, dikke wimpers en verrieden een onmiskenbare en gevaarlijke sensualiteit die haar al snel verstrikte.

Haar heerlijke dagdroom werd wreed verstoord door de komst van de rest van het personeel. Ze deed vlug haar jasje uit, streek de kreukels uit haar strakke rok en probeerde opgewekt te kijken terwijl zij het kantoor binnenkwamen en hun stemmen en drukte de stilte verdreven die als een balsem was geweest voor de opkomende onzekerheid die haar belaagde. Het enige onderwerp van gesprek was de ophanden zijnde vergadering; het geklets werd minder en de spanning nam toe naarmate het tijdstip van tien uur dichterbij kwam.

'Waarom ga je niet mee naar de bar om samen met ons je verdriet te verdrinken, Fleur?'

Ze schudde haar hoofd. 'Ik wil alleen maar naar huis, Jason,' zei ze zacht terwijl ze onder het toeziend oog van een medewerker van de deurwaarder haar laatste persoonlijke bezittingen in een kartonnen doos stopte en haar jasje aanschoot.

'Maar Greg is weg,' drong hij aan. 'Het is niet goed om op een moment als dit alleen te zijn.' Hij wierp een blik op de potige bewaker die in de buurt rondhing en knikte toen de man op zijn horloge tikte. 'Kom mee, Fleur,' probeerde hij haar te overreden. 'Je kunt hier niet blijven.'

Fleur liet zich in een van de kantoorstoelen zakken. Ze kon het nog steeds niet bevatten. 'Ik werk hier al sinds ik van de universiteit ben,' zei ze nauwelijks verstaanbaar. 'Ik ben hier officieel architect geworden. Ik heb een paar maanden geleden promotie gekregen. Hoe hebben ze dit kunnen doen?'

'Hebzucht,' antwoordde Jason zuur. 'Ze zijn betrapt op het omkopen van projectontwikkelaars en politici. Vervolgens hebben ze de situatie nog erger gemaakt door met de boeken te knoeien. Geen wonder dat we allemaal zonder werk zitten.'

'Maar het was zo'n groot bedrijf. Waarom was dit nodig?'

Hij pakte de kartonnen doos en zette die boven op die van hemzelf. 'Wie zal het zeggen – maar hier zitten we nu, zonder werk en zonder een schijn van kans op een afvloeiingsregeling. Persoonlijk zou ik die klootzakken het liefst doodschieten.'

Ondanks alles moest ze giechelen en ze kwam overeind. Ze liepen langs de haastig leeggeruimde bureaus, de dossierkasten die meters papier uitbraakten, de verlaten tekentafels en de schaalmodellen van projecten die nooit zouden worden voltooid. Het ooit zo strakke architectenkantoor wekte nu al de indruk van verlatenheid.

De man van de deurwaarder deed de deur voor hen open en draaide die achter hen stevig op slot.

Jason zette de kartonnen doos in de kofferbak van de sportwagen en omhelsde haar. 'Weet je zeker dat je niet meegaat naar de bar? Ik trakteer.'

Ze maakte zich los uit zijn omhelzing en schudde haar hoofd. 'Greg komt vanavond thuis en ik heb andere plannen.'

'O, zit het zo?' Hij trok spottend een wenkbrauw op.

Ze giechelde en voelde hoe ze begon te blozen. Ze ging op haar tenen staan en kuste hem licht op de wang die rook naar Paco Rabanne. Hij was de beste vriendin die een vrouw zich kon wensen en ze zou het heel erg missen om hem niet meer elke dag te zien. 'Ja, zo zit het,' gaf ze toe, 'en nu ik alle tijd heb, kunnen Greg en ik aan kinderen gaan denken.'

Jason huiverde. 'Ik kan me niets vreselijkers voorstellen,' zei hij binnensmonds. 'Baby's lekken aan twee kanten en zijn de pest voor je schoonheidsslaapje. Ik ben zo blij dat ik homo ben.'

'Ik ook.' Ze keek glimlachend naar hem op. 'Bel me, Jason.'

Fleur slikte haar tranen weg terwijl ze in de richting van de rivier de Brisbane reed naar het penthouse dat erover uitkeek. Haar baan kwijtraken was alsof ze een beetje doodging. Ze voelde zich verdoofd, geïsoleerd en onzeker over haar toekomst, want ze genoot van de onafhankelijkheid die haar werk en het verdienen van haar eigen geld met zich meebrachten. De gebeurtenissen van die dag veranderden alles en haar gevoelens waren te zeer in de war om goed te kunnen nadenken. Ze wilde bij Greg zijn.

De hete, harde stralen van de douche hielpen haar een beetje om zich weer mens te voelen en tegen de tijd dat ze nieuwe make-up had opgedaan en een koele doorknoopjurk had aangetrokken, was ze een stuk positiever gestemd. Ze had talent, was toegewijd en werkte hard. Ze had haar waarde bewezen bij Oz Architecten en zou er snel in slagen een nieuwe baan te vinden; misschien bij een kleiner, degelijk kantoor waar men wat ze te bieden had op prijs zou stellen.

Ze haalde een borstel door haar haar en in gedachten voerde ze een sollicitatiegesprek. Ze zag het hele proces van gewenning en haar nieuwe collega's al voor zich. Met een zucht legde ze de borstel weg en ging naar de keuken. De gedachte dat ze helemaal opnieuw moest beginnen, trok haar totaal niet aan, want ze had andere prioriteiten gekregen.

Haar ambities waren plotseling naar de achtergrond gedrongen door de dringende behoefte aan het moederschap.

Fleur had een kipsalade klaargemaakt en die in de koelkast gezet voor later. Ze schonk een glas witte wijn in. Ze nam kleine slokjes terwijl ze met opgetrokken benen op de bank zat en in een tijdschrift bladerde. Dat legde ze al snel terzijde en ze probeerde zich te concentreren op de avondkrant. Ook die slaagde er niet in om haar aandacht vast te houden en ze stond op het punt om nog een glas wijn in te schenken toen ze zijn sleutel in het slot hoorde.

'Greg. O, Greg, ik ben zo blij dat je thuis bent.' Ze lag in zijn armen, ademde de geur van hem in en voelde zijn sterke lichaam tegen zich aan gedrukt. Zijn lippen beroerden haar wang en haar hals voor ze haar lippen bereikten.

'Fleur, mijn heerlijke Fleur. O, wat heb ik je gemist.' Greg schopte de deur achter zich dicht, tilde haar op en droeg haar naar de slaapkamer.

Fleur voelde de hitte van haar begeerte door haar lichaam trekken terwijl hij langzaam haar jurk losknoopte. Ze werd uitgepakt als een kostbaar geschenk en haar lichaam kromde zich in zijn richting terwijl hij de holte van haar keel kuste en met zijn tong over haar al harde tepels ging. Ze kon niet wachten om zijn huid tegen de hare te voelen terwijl ze aan de knoopjes van zijn overhemd friemelde en zijn riem losmaakte.

Zijn warme hand stopte haar vingers en hield ze tegen zijn hart. 'We hebben de hele nacht,' zei hij zachtjes met zijn mond tegen de hare. 'We hebben geen haast.'

Ze vrijden verlangend terwijl de zon onderging en de hemel verduisterde. Ze gingen op in hun eigen wereld en kwamen samen klaar tijdens die langzame dans die hen steeds vaster met elkaar verbond. Toen ze uitgeput waren, voerden ze elkaar stukjes kip en deelden een glas wijn, tot de behoefte om opnieuw te vrijen te sterk werd om te weerstaan. Ze sliepen in elkaar verstrengeld en toen ze wakker werden, praatten ze over het congres en de plotselinge ondergang van Oz Architecten.

Fleur lag met zijn armen om zich heen, haar gezicht tegen zijn borst en ze voelde zich gekoesterd en veilig. Ze hadden lang gepraat en nu lag Greg te slapen. Zijn diepe ademhaling ging gestaag, zijn hartslag onder haar vingers was regelmatig en geruststellend. Ze hield zo veel van hem dat ze wilde dat ze de woorden had om het uit te drukken, hield zo intens van hem dat het bijna beangstigend was en terwijl ze lag te kijken hoe hij sliep, voelde ze opnieuw die diepe, instinctieve en dringende behoefte om zijn kind te dragen. Ze had die kinderwens altijd gehad, maar sinds ze Greg had ontmoet en met hem getrouwd was, was het dringender geworden – want dat zou het kostbaarste geschenk zijn en hen voor altijd aan elkaar binden.

Fleurs oogleden knipperden toen ze bijna in slaap viel. Misschien was vandaag toch niet zo rampzalig als ze had gedacht. Het had allemaal niet beter getimed kunnen zijn. Ze zou het morgen met Greg over dit onderwerp hebben.

Fleur kwam langzaam omhoog uit haar slaap naar de sensuele warmte van Gregs gespierde lichaam en zijn zachte liefkozingen. Ze drukte zich genietend tegen hem aan terwijl zijn lange vingers haar borsten omklemden en zijn ongeschoren kin haar nek kietelde.

'Goedemorgen, sexy dame,' mompelde hij en zijn stem klonk al dik van verlangen terwijl zijn hand tergend langzaam over de boog van haar ribben zwierf, over haar buik naar het donkere haar op de plek waar haar dijen bij elkaar kwamen.

Ze versmolt met hem, warm en gewillig, met een groeiend verlangen en de behoefte om hem in zich te voelen steeds dringender – en toen ze zich naar hem toekeerde, brandden zijn lippen een pad van vuur van haar borsten naar de muskusachtige, fluwelen zachtheid van haar diepste wezen dat zich bij zijn aanraking opende als de blaadjes van een exotische bloem.

Ze kromde haar rug en er ontsnapte een kreun van verlangen aan haar keel terwijl haar vingers door zijn blonde haar gingen en haar lichaam reageerde op de langzaam toenemende, maar sterke sensatie die zijn tong opwekte. 'Nu,' hijgde ze. 'Alsjeblieft, Greg. Ik kan niet langer wachten.'

Zijn ogen schitterden wellustig toen hij grijnsde. 'Aha, dus dat vind je lekker, mevrouw Mackenzie? En ik maar denken dat je gisteravond grondig en lekker gepakt was.' Zijn lippen klemden zich om haar harde tepel, zijn tong wervelde eroverheen en eromheen en zijn vingers gingen door met het steeds verder opwekken van haar verlangen.

Fleur kreunde terwijl ze werd meegevoerd naar de golven van genot die zo dichtbij waren, maar toch buiten bereik. 'Ja, o ja,' spoorde ze hem aan. 'Alsjeblieft.'

'Hou die gedachte vast.' Greg rolde van haar weg en zocht naar het doosje condooms.

Alleen gelaten en opgewonden als ze was, streek ze haar lange bruine haar naar achteren en pakte zijn arm terwijl ze haar hete, gulzige lichaam tegen zijn koele, gespierde rug drukte. 'Deze keer niet, Greg, alsjeblieft.'

'Doe niet zo raar, Fleur, we willen geen ongelukjes.' Hij zag dat de doos leeg was en vloekte zachtjes.

Haar vingers trokken een spoor over zijn borst en door het gouden dons dat in een streep van zijn navel naar beneden liep en krulden zich om de dikke, stijve penis die klopte als reactie op haar aanraking.

Toen hij zich naar haar omdraaide kreunde hij van overgave en lust. 'Ik denk dat we het risico wel kunnen nemen,' zei hij schor. Zijn hand woelde door haar haar en hij had een gespierd dijbeen over haar heupen gelegd terwijl hij haar gezicht bedekte met kussen. 'Je hebt er gisteravond toch wel aan gedacht om je pil in te nemen, hè?'

Ze glimlachte wrang terwijl ze het zich probeerde te herinneren, maar alle gedachten aan voorbehoedsmiddelen verdwenen toen hij bij haar binnendrong. Ze bewogen als één, langzaam, genietend, in een tempo dat tegelijkertijd heerlijk opwindend en bekend was. Huid gleed als zijde over huid terwijl de kussen steeds hartstochtelijker werden en de hitte en intensiteit hen dreigden te verteren. Fleur sloeg haar benen om zijn middel en hij drong dieper en hartstochtelijker in haar. Ze trok hem naar zich toe en maakte van hun lichamen één verlangen, één wezen dat overmand werd door liefde en ongeremde behoefte tot het onmogelijk was om niet haar diepste wens te uiten. 'Laten we een kindje maken,' fluisterde ze.

Hij verstijfde en dat stille, roerloze moment leek zich oneindig lang uit te strekken. Aan zijn gezicht was niets af te lezen terwijl hij op haar neerkeek. 'Ik dacht dat je zei dat...'

'Dat is ook zo, maar...'

Hij ging verder met vrijen, maar het was nu gehaast en egoïstisch – een middel om het doel te bereiken. Hij rolde meteen van haar af toen hij was klaargekomen, stapte een paar tellen later abrupt uit bed en verdween in de badkamer.

De passie die hij bij Fleur had gewekt was verdwenen en een akelig voorgevoel maakte zich van haar meester toen ze dacht aan de andere keren dat ze over baby's was begonnen. Ze had het in het verleden maar zo gelaten, maar vandaag was het anders. Vandaag was ze er klaar voor om de verbintenis die ze met elkaar waren aangegaan te onderstrepen en de logische gevolgen ervan te aanvaarden.

Hij bleef een eeuwigheid weg. Ze trok het laken op tot aan haar kin en keek toe toen hij eindelijk terug kwam gelopen naar het bed met alleen een handdoek om zijn middel. Hij bewoog met dat lome, bijna roofdierachtige gemak van een kat en ze voelde een steek van verlangen die zo sterk was dat het haar schokte.

Ze keek naar zijn rug terwijl hij zich op het bed liet vallen en met een handdoek zijn haar droogwreef. 'We moeten erover praten, vind je ook niet – over een baby?'

'Niet doen, Fleur,' zei hij zuchtend. 'Je weet hoe ik erover denk.'

Ze ging rechtop zitten en nam het laken mee om haar naaktheid te bedekken. Ze voelde zich plotseling zo vreselijk kwetsbaar. 'Dat weet ik eerlijk gezegd niet,' zei ze geforceerd kalm. 'Het is een onderwerp dat je altijd hebt vermeden.'

'We hebben het veel te druk voor kinderen,' klonk het gedempt vanuit de handdoek. 'Vooral nu ik hoofd ben geworden van de afdeling chirurgie. En jij gaat weer op zoek naar een baan.'

Ze ging naast hem op haar knieën zitten, het laken nog steeds onder haar kin geklemd terwijl haar lange haar over haar schouders viel. Ze stak haar hand naar hem uit en haar vingers raakten oppervlakkig zijn vochtige schouder. 'Ik hoef niet meteen een andere baan – voorlopig nog niet. En als ik wel een baan vind, dan kan ik in deeltijd gaan werken en gebruikmaken van de opvang hier om de hoek,' pleitte ze.

Hij stond van het bed op en trok een boxershort aan en een sjofele, oude spijkerbroek die laag om zijn smalle heupen hing en op zijn plaats werd gehouden door een brede, leren riem. 'Kinderen hebben is een volledige baan, Fleur. Je kunt ze niet steeds bij vreemden dumpen als het jou uitkomt.' Hij liep op blote voeten de slaapkamer door en trok de gordijnen open zodat het vertrek baadde in het zonlicht.

Binnen in haar begon iets van angst te groeien. 'Dan werk ik helemaal niet,' zei ze rustig. 'Als we een kleiner huis nemen, kunnen we van jouw salaris leven.'

'Ik heb het hier naar m'n zin,' zei hij binnensmonds terwijl hij naar buiten keek naar het uitzicht op de Brisbane, twaalf verdiepingen lager. Hij deed de dubbele deuren naar hun dakterras open en stapte, nog steeds blootsvoets, de warme zaterdagochtend in.

Fleur fronste haar voorhoofd terwijl ze uit bed stapte en hem met het laken achter zich aan volgde. Het uitzicht was adembenemend, met Mount Coot-tha in de verte en de rivier die als een schitterend blauw lint door het hart van de stad slingerde. Ze wierp er slechts een zijdelingse blik op, want ze was volledig geconcentreerd op haar echtgenoot.

'Ik vind het hier ook mooi,' zei ze zacht, 'maar nu ik zonder werk zit, kunnen we het ons eigenlijk niet veroorloven – en het is niet bepaald een woning voor een gezin, hè?'

'Dat was ook nooit de bedoeling.' Zijn gezicht verzachtte en hij liet een arm over haar schouder glijden. Hij trok haar tegen zich aan tot de bovenkant van haar hoofd op zijn warme borst rustte. 'We wonen hier omdat het in het centrum van de stad is, waar we een leuk sociaal leven kunnen leiden. Bovendien ligt het gunstig ten opzichte van het ziekenhuis. Ik kan het me makkelijk veroorloven om ons te onderhouden tot je weer een baan hebt, Fleur.'

Ze keek naar hem op en ging zachtjes met haar vingers over zijn pasgeschoren kaken. 'Maar wat als ik meer wil, Greg?' mompelde ze. 'Het mooie appartement, het sociale leven – zelfs mijn baan – zijn voor mij nooit zo heel belangrijk geweest. Dat zou ik allemaal zo opgeven.'

'Dat heb ik me nooit gerealiseerd,' zei hij nadenkend.

Ze glimlachte plagerig naar hem om de stemming wat luchtiger te maken. 'Wat? Dat ik je zo aanbid dat ik in een schuur zou willen wonen of dat ik liever jouw baby's krijg dan elke dag naar mijn werk te gaan?'

Greg beantwoordde haar glimlach niet. 'Het spijt me, Fleur, ik dacht dat we het erover eens waren dat baby's geen onderdeel uitmaken van onze plannen.'

Getroffen door zijn woorden en zijn ernstige uitdrukking deed ze een stap achteruit. 'Welke plannen?'

'Onze plannen voor de toekomst.' De glimlach waar ze normaal gesproken knikkende knieën van kreeg, verscheen onzeker op zijn gezicht.

Ze keek hem met een oprechte blik in haar ogen aan. 'Het is voor het eerst dat ik daarvan hoor.'

'Daar hebben we het toch over gehad toen we gingen samenwonen,' zei hij terwijl hij nerveus met zijn handen door zijn haar streek. 'We waren het erover eens dat we ons op onze carrière zouden concentreren en een appartement in de stad en een boot voor op de rivier zouden kopen en geld op de bank zouden hebben. We hebben het nooit over baby's gehad.'

Fleur zou gezworen hebben dat het appartementsgebouw onder haar voeten bewoog. Haar hart klopte in haar keel en ze deed haar uiterste best om kalm te blijven. 'Dat was meer jouw droom dan de mijne,' zei ze aarzelend, 'en ik nam gewoon aan...'

Hij haalde diep adem en liet die in een diepe zucht weer ontsnappen. 'En ik dacht dat je het begreep.' Zijn groene ogen hielden haar blik gevangen. De uitdrukking erin werd zachter terwijl hij zijn handen om haar gezicht legde. 'Ik hou van je, Fleur. Ik vind het heerlijk om met je getrouwd te zijn, maar ik wil geen kinderen. Dat zou alles bederven.'

Ze deed een stap achteruit alsof hij haar een klap had gegeven. 'Maar een kind is een geschenk, het echte bewijs van onze liefde en toewijding aan elkaar. Het zal ons dichter bij elkaar brengen en ons veel meer geven dan dit allemaal.' Ze maakte een gebaar naar het appartement en het uitzicht.

Zijn ogen werden donker en hij propte zijn handen in de zakken van zijn spijkerbroek. 'Dat kun jij makkelijk zeggen. Jij hebt nooit meegemaakt hoe moeilijk het is zonder al die luxe. Een kind heeft twee ouders nodig die voor hem zorgen, hem leiden en beschermen. Het zal je uitputten, ons uit elkaar drijven met zijn eisen. Het zal je binden en veranderen.'

Ze stond op het punt om in tranen uit te barsten, maar verdomd als ze die zou laten stromen. 'Natuurlijk is dat niet zo,' wist ze uit te brengen.

Hij deed duidelijk zijn best om de situatie niet uit de hand te laten lopen, maar er klopte een adertje bij zijn slaap, zijn toon was messcherp en zijn ogen fonkelden vastberaden. 'Dat is wel zo, geloof me,' zei hij grimmig. 'En ik wil niet dat ons zoiets overkomt, Fleur. Er komen geen baby's.'

De wereld leek te vergaan. 'Geen baby's?' fluisterde ze. 'Nooit?'

Hij schudde zijn hoofd. De uitdrukking op zijn gezicht wekte de indruk van spijt, maar dat was niet terug te vinden in zijn vastberaden blik. 'Ik weet dat je op dit moment vreselijk teleurgesteld bent,' zei hij ferm, 'maar over een paar jaar, wanneer je carrière maakt en je ontwerpen populair worden, zul je me dankbaar zijn.'

De arrogantie van zijn argument deed haar beven en ze moest haar woede onderdrukken om geconcentreerd te kunnen blijven. 'Je ontzegt me het enige waar elke vezel van mijn lichaam om schreeuwt,' zei ze toonloos. 'Wáág het niet om te zeggen dat ik je dankbaar zal zijn.'

'Het spijt me. Dat kwam er niet helemaal goed uit,' stamelde hij. 'Maar je snapt toch wel hoe onpraktisch het zou zijn om zelfs maar aan een kind te denken?' Hij ging weer met zijn hand door zijn haar, duidelijk worstelend om de woorden te vinden die haar zouden kalmeren. 'Ik zit dag en nacht in het ziekenhuis. Jij zult het binnenkort weer druk hebben met nieuwe bouwprojecten en dan zit je voortdurend op de bouwplaats. Je kunt niet alles hebben, Fleur.'

'Ik vraag niet om alles,' zei ze door de tranen heen die nu over haar wangen stroomden zonder dat ze er acht op sloeg, 'maar ik ben vierendertig en mijn biologische klok tikt zo hard dat het me verbaast dat je het niet kunt horen.' Ze pakte het laken en frommelde in haar verdriet een hoek ervan tot een bal. 'Ik dacht... Ik dacht dat je zou willen dat we samen een baby kregen. Ik had nooit...'

Zijn schouders gingen hangen en hij boog zijn hoofd. 'Het spijt me, Fleur. Ik had er eerder iets over moeten zeggen.'

'Ja,' wist ze ondanks haar tranen uit te brengen, 'dat had je zeker.' Toen keek ze naar hem op, zich bewust van het feit dat de pijn en het verdriet duidelijk van haar gezicht af te lezen waren. 'Als ik had geweten hoe je erover dacht zou ik wel twee keer hebben nagedacht voor ik met je trouwde.' Woedend op zichzelf omdat ze haar zelfbeheersing had verloren, veegde ze haar haar uit haar gezicht en klampte zich stevig vast aan het laken.

Zijn knappe gezicht vertrok en hij stak zijn armen naar haar uit. Hij was pijnlijk getroffen toen ze bij hem vandaan stapte. 'Zeg alsjeblieft niet dat je er spijt van hebt dat je met me bent getrouwd. Ik hou van je, Fleur, en het enige wat ik wil is de rest van mijn leven samen met jou zijn.'

Ze stond te trillen op haar benen toen de pijn van het verlies door haar heen trok. 'Liefde en trouwen betekent kinderen krijgen – in elk geval voor mij. Is het echt nooit bij je opgekomen dat dat was wat ik zou willen?'

Hij had het fatsoen om beschaamd te kijken terwijl hij zijn blik afwendde. 'Af en toe,' gaf hij toe. 'Maar je leek tevreden met hoe het ging en ik dacht dat ons leven samen perfect was, voor ons allebei.'

Vastbesloten om sterk te blijven, veegde Fleur haar tranen weg. 'Vandaag was niet de eerste keer dat ik over kinderen begon,' zei ze met trillende stem en tranen in haar ogen. 'Waarom heb je er eerder nooit iets over gezegd?'

Eindelijk verloor hij zijn kalmte en hij ging voor haar staan, sterk en onbuigzaam, zijn kin vastberaden vooruit. 'Wil je echt huilende kinderen om je zorgen over te maken? Fleur, we hebben de vrijheid om te doen en te laten wat we willen zonder ons zorgen te hoeven maken om rekeningen en zieke kinderen. We maken nu al lange dagen en dat zou nog veel erger worden als we kinderen zouden hebben.' Hij haalde diep adem en deed duidelijk zijn best om beschaafd te blijven. 'Ik heb gezien wat er met mijn collega's is gebeurd, en geloof me, Fleur, het aantal scheidingen in het ziekenhuis is net zo hoog als het stressniveau.'

Hij stak zijn hand uit, aarzelde en trok hem weer terug. 'Ik hou van je, Fleur, maar ik wil niet dat ons leven op zijn kop gezet wordt alleen maar omdat jouw hormonen opspelen.'

'Mijn hormonen?' hijgde ze, geschokt door zijn harteloosheid. 'Dit gaat niet om mij, of om mijn hormonen, Greg, het gaat allemaal om jóú en om wat jíj wilt.'

'Nee, dat is niet zo,' zei hij fronsend. 'Ik hou van je, Fleur, en ik heb altijd jouw bestwil voor ogen gehad. Ik vind dat je...'

Ze haalde moeizaam adem en deed haar uiterste best om haar woede in toom te houden. 'Ik weet wat jij vindt,' zei ze gebroken, 'en geloof me, Greg, het gaat helemaal niet om mijn bestwil.' Ze volhardde in haar vastberaden houding, kin omhoog, terwijl haar ogen zijn gezicht geen ogenblik loslieten. Ze haalde bevend adem. 'En zeg nu niet dat je van me houdt – want ik geloof je niet.'

'Fleur...'

Ze ontweek zijn uitgestoken hand. 'Als je van me hield – echt van me hield – dan zou je samen met mij een baby willen.'

Koppig klemde hij zijn kaken op elkaar en zijn blik werd zo koud als ijs. 'Dat is emotionele chantage, Fleur, dat is beneden je waardigheid.'

'Het is het enige wat ik heb,' snauwde ze.

'Je gedraagt je als een verwend nest,' antwoordde hij alvorens zich om te draaien. Hij ging de slaapkamer weer in, pakte een schoon overhemd en liep naar de keuken.

'Dat is niet waar,' schreeuwde ze terwijl ze achter hem aan ging, 'en loop niet bij me weg, Greg Mackenzie. Heb tenminste nog het fatsoen om het me uit te leggen.'

Als altijd liet Greg zich niet verleiden tot ruzie en Fleur keek met een blik vol woede en frustratie toe hoe hij in de weer ging met de koffiemolen. Het lawaai vulde het grote, open vertrek en maakte elk gesprek onmogelijk.

Ze voelde zich opgelaten dat ze zo'n belangrijk gesprek voerde terwijl ze alleen in een laken gehuld was, maar wist dat ze niet anders kon als ze er ooit achter wilde komen waarom Greg zo fel tegen het krijgen van kinderen was. Ze liep naar de andere kant van het granieten werkblad, armen over elkaar geslagen, vastbesloten om te wachten en hem de pijn te laten zien die hij veroorzaakte. Hij weigerde naar haar te kijken en toen hij plotseling ophield met malen, viel er een geladen stilte.

'Praat met me, Greg,' smeekte ze. 'Laten we geen ruziemaken.'

Hij deed de stekker van het espressoapparaat in het stopcontact, zette de kleine kopjes en schoteltjes klaar en leunde vervolgens tegen het werkblad met zijn enkels gekruist en zijn armen over elkaar geslagen voor het niet dichtgeknoopte overhemd alsof hij verdere confrontatie wilde afweren. 'Het heeft weinig zin om hier verder over te praten terwijl je niet eens weet of je wel vruchtbaar bent,' zei hij bot.

'Ik heb alle onderzoeken laten doen,' zei ze net zo bot. 'Ik ovuleer als een gek en volgens de dokter is er geen enkele reden waarom ik niet zwanger zou worden.' Ze haalde diep adem en de steek vol sarcasme was te mooi om niet uit te delen. 'Hij had uiteraard geen rekening gehouden met jouw tegenzin om je voort te planten – en als jij jouw aandeel niet levert, was al dat gedoe gewoon tijdverspilling.'

Hij trok een blonde wenkbrauw op. 'En als ik alleen maar losse flodders afvuur?'

Ze gooide uitdagend haar haar naar achteren en keek hem aan, hoewel schuldgevoel haar wangen deed gloeien. 'We weten allebei dat dat niet zo is.'

Hij kwam langzaam overeind, handen op zijn heupen, ogen bijna katachtig terwijl hij haar strak aankeek. 'Hoe weet je dat zo zeker, Fleur?' Zijn stem klonk zacht, maar had een scherpe bijklank.

Ze wendde haar blik niet af, maar haar hart bonsde tegen haar ribben. 'Ik heb je laatste medisch onderzoek gezien.'

Het groen werd nu ijskoud. 'Hoe dat zo?'

Ze maakte haar lippen vochtig en haar ogen gingen verraderlijk naar de deur van zijn werkkamer. Ze was verbaasd geweest dat ze de medische gegevens überhaupt had gevonden en had er tot vandaag nauwelijks aan gedacht. Nu stonden de zaken er heel anders voor en er was geen weg terug. 'Ik zocht naar de bankafschriften van vorige maand en toen vond ik de uitslag achter in je la.'

Het spiertje in zijn kaak bewoog sneller op en neer terwijl zijn ogen spleetjes werden. 'Wanneer was dat?'

Ze omklemde het laken nog steviger en stak haar kin vooruit. 'Ongeveer een maand geleden.'

'Hoe durf je je met zaken te bemoeien die je niet aangaan,' siste hij.

'Ik ben je vrouw. Het zíjn mijn zaken,' zei ze uitdagend. Ze sloeg haar armen over elkaar en zette zich schrap tegen de opkomende angst die haar dreigde te overspoelen. 'En het is maar goed ook dat ik het heb gezien, Greg, want jij was duidelijk niet van plan mij iets te vertellen over dat onderzoek, of wel soms?'

'Het was gewoon het jaarlijkse routineonderzoek,' zei hij en hij wendde zijn blik af voor hij zich omdraaide en de dikke, donkere koffie in de kopjes schonk.

Er liep een ijskoude rilling over haar rug die tot in haar diepste wezen pijn deed. 'Als het routine was, waarom is je sperma dan ook getest?'

Het bleef stil en de spanning in het vertrek was bijna tastbaar terwijl hij weigerde haar aan te kijken.

Fleur huiverde, wilde helemaal geen antwoord en toch was het onvermijdelijk dat ze het donkere en vreselijke vermoeden had dat ze het al wist.

Greg liep weg bij de koffie die geen van beiden wilde, boog zijn hoofd, spreidde zijn armen en legde zijn handen plat op het aanrecht. 'Ik heb erom gevraagd,' gaf hij met zachte stem toe.

Fleur kreeg nauwelijks nog adem. 'Waarom?'

Hij kon haar nog steeds niet aankijken terwijl hij binnensmonds antwoordde: 'Ik overwoog sterilisatie.'

Alle kracht vloeide uit haar benen en de lucht verdween uit haar longen. Het was alsof hij haar een vuistslag had gegeven. Ze liet zich op een barkruk vallen en kon hem alleen maar vol afschuw aanstaren.

'Maar ik heb het niet laten doen, Fleur,' zei hij terwijl hij wanhopig zijn hand naar haar uitstak.

De uitdrukking op haar gezicht maakte dat hij zich bedacht en afwezig met zijn hand door zijn haar streek. Hij zocht duidelijk naar woorden die een einde zouden maken aan dit moment zonder haar te kwetsen. 'Ik was gewoon nieuwsgierig,' hakkelde hij. 'Ik dacht dat als ik alleen maar losse flodders afvuurde, je zonder de pil zou kunnen – en zo niet, dat sterilisatie de zaken voor ons allebei eenvoudiger zou maken...' Zijn stem stierf weg.

'Klootzak,' snikte ze. 'Ongelooflijke klootzak. Hoe kon je zoiets zelfs maar overwegen zonder het er met mij over te hebben?'

Zijn mond verstrakte en hij sloeg zijn armen weer over elkaar. 'Het was maar een idee. Daar hoef je niet zo'n ophef over te maken.'

Ze staarde hem aan. Hij was een vreemde. Een kille, gevoelloze vreemde. 'Je wilt echt, écht geen kinderen, hè?' hijgde ze. 'Daarom sta je erop condooms te gebruiken, ook al ben ik aan de pil.' Ze stootte een humorloos gelach uit. 'Over het zekere voor het onzekere nemen gesproken. Wat stom dat ik me dat niet heb gerealiseerd.'

'De pil werkt niet altijd,' mompelde hij ter verdediging. 'En ik wist niet zeker of ik er wel op kon vertrouwen dat je hem slikte. Je gedraagt je de laatste tijd zo vreemd.'

Het laken gleed op de grond toen ze met gekromde vingers op zijn gezicht af vloog. De woedende woorden bleven uit door de alles verterende pijn die haar beving.

Hij ontweek haar nagels en greep haar polsen vast. 'Rustig, in vredesnaam, Fleur. Je doet jezelf nog iets aan.'

'Kan me niet schelen,' snikte ze en ze worstelde om los te komen.

'Maar mij wel.' Hij liet haar plotseling los en duwde haar van zich af. 'Je stelt je vreselijk aan.'

Fleur klampte zich aan het aanrecht vast en ging bijna onder in een zee van verwarring en shock terwijl hij zijn autosleutels pakte. Dit was een droom, een vreselijke nachtmerrie. Ze zou zo wakker worden en dan zou alles in orde zijn. Haar geliefde Greg – haar echtgenoot en minnaar – de man van wie ze had gedacht dat hij haar aanbad. Hij kon toch niet zo wreed zijn om haar zo achter te laten? Maar nee, hij schoof zijn voeten in zijn instappers, graaide zijn mobieltje en pieper van tafel en was duidelijk van plan haar hier in die afschuwelijke halfwereld die hij had geschapen achter te laten.

'Waar ga je heen?' fluisterde ze.

'Weg.'

'Maar dat kan niet. Niet nu. Niet zo.' Ze stak haar armen naar hem uit, maar hij liep al naar de deur. 'We moeten praten, we moeten proberen het op de een of andere manier eens te worden.'

'Er valt niets te praten en ik ben niet van plan om hier te blijven terwijl jij buiten zinnen bent.' Hij liep met grote passen over de glimmend geboende vloer van cederhout, ging de deur door en de gang in waar hij op het knopje van de lift drukte.

De deur van de lift die hem wegvoerde schoof fluisterend dicht zodat haar smeekbede aan zijn adres om te blijven, gesmoord werd en zette daarmee zijn vastbeslotenheid om een einde te maken aan de discussie kracht bij.

Ze deed de deur van het appartement dicht en zakte op de vloer ineen. Ze trok het laken naar zich toe en drukte het tegen zich aan alsof dat de verlammende, knagende leegheid die haar overviel kon verlichten. Hij hield niet van haar. Hij kon met geen mogelijkheid van haar houden – niet als hij in staat was om zo nonchalant en zelfzuchtig te overwegen haar van de kans op het moederschap te beroven.

Op dat moment haatte ze hem. Haatte ze zijn arrogantie, zijn egoïsme en de laffe manier waarop hij had vermeden haar deze bittere waarheid te vertellen. Maar het meest van al haatte ze de manier waarop hij niet alleen haar te gronde had gericht, maar ook hun huwelijk. Dat kon een crisis als deze toch niet doorstaan?

Toen Greg in de holle stilte van de parkeergarage aankwam, merkte hij dat hij liep te trillen. Hij had een vreselijke hekel aan ruzie en had in zijn negenendertig jaar duidelijk niets over vrouwen geleerd, want hij had het hele gedoe slecht afgehandeld. Fleur was radeloos; ze was zo gekwetst dat ze nu waarschijnlijk – en terecht – een hekel aan hem had.

Zijn instappers maakten nauwelijks geluid terwijl hij de betonnen vloer overstak en in de richting van de Porsche liep. Maar de stilte in de garage zorgde ervoor dat hij het wilde uitschreeuwen van woede en frustratie – om ergens op los te timmeren en zo uiting te geven aan de verontrustende emoties die hij altijd zo zorgvuldig onder controle hield. Het was niet zijn bedoeling geweest dat ze achter die onderzoeken zou komen; toen dat wel het geval bleek, had hij zich in de hoek gedreven en kwetsbaar gevoeld en hij had teruggeslagen op de enige manier die hij kende. Zijn beheerste emoties en geforceerde koelheid waren verdedigingsmechanismen die hij gebruikte wanneer hij in situaties terechtkwam waarin hij zich overdonderd voelde. Hoewel hij daar wel iets aan had in zijn werk in het ziekenhuis, wist hij dat ze desastreus waren geweest voor zijn huwelijk.

'Je bent een grote lafaard, Greg Mackenzie,' mompelde hij binnensmonds terwijl hij op het knopje van zijn sleutel drukte om het alarm uit te schakelen. 'Je had het haar meteen in het begin moeten zeggen.' Hij gleed in de luxe leren bestuurdersstoel en sloeg het portier dicht. Er waren ontelbaar veel dingen waar hij spijt van had, maar hij wist dat als hij nu terugging naar het appartement dat Fleur alleen maar meer pijn zou bezorgen – haar misschien zelfs hoop zou geven. En dat was wel het laatste wat hij wilde.

De sensuele geur en de manier waarop het nieuwe leer aanvoelde zouden hem moeten omwikkelen en troosten, maar vandaag verstikte het hem alleen maar toen hij achteroverleunde en zijn ogen sloot. De Carrera was een cadeautje voor zichzelf geweest toen zijn promotie zeker was. Het was een schitterende auto, een langgekoesterde droom, met een glanzend zwarte carrosserie, aluminium velgen en een drielitermotor. Het was het perfecte symbool voor zijn zuurverdiende succes, echt een stuk jongensspeelgoed, en beslist niet geschikt voor kinderzitjes en andere zaken die kleine kinderen nodig hadden.

Hij wierp een blik op Fleurs Mazda MX5 die in het parkeervak naast het zijne stond. Glimmend, dieprood en slank. Ook deze sportwagen was absoluut niet geschikt om kinderen in rond te zeulen. Zijn mondhoeken krulden. Het was een verjaardagscadeautje geweest van die verrekte vader van haar en Fleur was er op slag verliefd op geweest. Ze had geprobeerd te doen alsof Gregs cadeau van dure lingerie en parfum haar net zo veel plezier deed, maar daardoor, in combinatie met zijn eigen afkeer vanwege het feit dat Don Franklin hem eens te meer had afgetroefd, was het vrijwel onmogelijk geweest om niets te zeggen en was hij opnieuw ruzie gaan maken met Fleur.

Hij zuchtte diep. Ze leken de laatste tijd voortdurend met elkaar overhoop te liggen. Wat een perfect begin van een van hun zeldzame weekenden samen had moeten worden, was uitgedraaid op iets duisters en angstaanjagends. Hij wilde haar niet kwijt, hij kon de gedachte aan een leven zonder haar niet verdragen en dat was de reden dat hij bad dat die dag nooit zou aanbreken. Maar dat was wel gebeurd en nu staarde hij in de achteruitkijkspiegel, bang dat zijn toekomst dezelfde kronkelige weg was ingeslagen als zijn verleden had gedaan.

Hij had in al zijn dwaasheid gedacht dat ze gelukkig was in de huidige situatie, had gedacht dat de ervaringen in haar jeugd haar voorgoed genezen hadden van het verlangen om kinderen te krijgen en dat haar neven en nichten voldoende waren om haar moederlijke gevoelens te bevredigen. Hij had de hints over kinderen niet gemist, of de manier waarop ze naar baby's in kinderwagens keek, maar hij had zichzelf voor de gek gehouden en gedacht dat het maar tijdelijk was – een onschuldig stukje melancholie dat algauw naar de achtergrond gedrongen zou worden door de opwinding van hun drukke en bevredigende levens.

Greg zuchtte nog eens diep. Wat had hij het bij het verkeerde eind gehad. Wat was hij blind geweest voor Fleurs reële en dringende behoeftes die hij weigerde te erkennen. Nu liep zijn huwelijk gevaar, hun toekomst samen was onzeker. Hij boog zijn hoofd, deed zijn ogen dicht en probeerde zijn tranen te bedwingen terwijl de angst dat hij haar kwijt zou raken steeds groter werd.

Hij zat fout. Hij had Fleur moeten vertellen hoe bang hij was om kinderen te krijgen. De verantwoordelijkheid van ze grootbrengen, van ze veilig door het drijfzand van het leven loodsen, was iets wat hij niet aandurfde. De kans dat het fout zou gaan was te groot.

Hij kon bijna het minachtende stemgeluid van zijn vader horen – het spervuur van woorden dat als gif zijn jeugd had beheerst en dat nog steeds in zijn oren klonk. Het was zo moeilijk geweest om daar overheen te komen, om er geen geloof aan te hechten terwijl ze hem zo stevig ingeprent waren. Maar hij had bewezen dat hij iets waard was, dat hij boven de tastbare haat van zijn ouweheer kon uitstijgen en met opgeheven hoofd door het leven kon, vol vertrouwen in zijn vaardigheden, meer op zijn gemak met zichzelf en het leven dat hij had gekozen. Om kort te gaan, hij was uit de hel ontsnapt en was absoluut niet van plan daar ooit nog eens op bezoek te gaan.

Tranen vertroebelden zijn blik en boos knipperde hij met zijn ogen. Hij had zorgvuldig vermeden Fleur veel te vertellen over die jaren, had alleen gezegd dat zijn ouders dood waren en dat hij niet graag over ze sprak. Maar er was zo veel meer dat hij haar had moeten toevertrouwen, want de erfenis van pijn, alleen-zijn en woede die net onder de oppervlakte lag, achtervolgde hem nog steeds en dreigde nu alles te vernietigen waar hij waarde aan hechtte.

Hij schrok van het klopje op het portierraam en staarde wezenloos naar zijn buurman en collega, John Watkins, voordat tot hem doordrong wie hij was.

'Gaat het, *mate*?' vroeg de oudere man toen het raampje omlaag was gegleden. 'Neem me niet kwalijk dat ik het zeg, maar je ziet er nogal belabberd uit.'

Greg snoot vlug zijn neus. 'Een beetje last van hooikoorts,' zei hij terwijl hij langzaam weer tot zichzelf kwam. 'Vergeten mijn medicijnen in te nemen.'

De uitdrukking op Johns doorgroefde gelaat gaf te kennen dat hij niet helemaal overtuigd was, maar hij vroeg niet verder. Hij rechtte zijn rug en klopte op zijn slanke middel – hij was bijna zestig, maar uitstekend in vorm. 'Ik was eigenlijk op weg om te zien of ik je kon verleiden tot een spelletje squash,' zei hij en hij hield een grote sporttas omhoog. 'Durf je de uitdaging aan?'

Niets was beter geschikt om zijn opgekropte emoties af te reageren dan een balletje tegen betonnen muren meppen. 'Mijn spullen liggen op de club,' antwoordde hij. 'Ik zie je daar.'

Hij draaide het sleuteltje om en de Porsche kwam brullend tot leven. Het diepe pulserende geluid echode in de stille betonnen garage. Hij maakte zijn gordel vast, manoeuvreerde de auto uit zijn smalle parkeerplek en reed achter Johns Subaru aan de helling naar de uitgang op. Hij zou Fleur onder ogen moeten komen, en snel, maar hij bad dat hij de moed zou vinden om haar te vertellen waarom hij geen kinderen wilde en waarom het zo belangrijk was dat ze dat begreep en accepteerde.

Fleur was onder de krachtige waterstralen blijven staan, haar gesnik gesmoord door het geluid van het water, tot ze helemaal leeg was. Ze sloeg een handdoek om en liep langzaam naar de zonovergoten slaapkamer. Haar wereld lag in puin, alle hoop was verdwenen, en er viel geen plezier meer te beleven aan de prachtige kamer die ze met zo veel liefde en toewijding had ingericht.

Haar blik viel op het lege doosje van de condooms en ze schopte het onder het bed. Ze hoorde het over de geboende vloer glijden. Ze haatte die rotdingen.

Ze liet zich op het bed vallen en trok de handdoek van haar hoofd zodat haar lange, natte haar over haar schouders viel en het water op haar rug en borsten drupte. Terwijl ze naar zichzelf zat te kijken in de spiegeldeuren van de kasten die een hele muur bedekten, kwam ze tot de conclusie dat ze moest aanvaarden dat alles veranderd was. Ze kon hem niet dwingen haar een baby te geven. Hoewel ze misschien in de verleiding zou kunnen komen om gaatjes in condooms te prikken of stiekem met de pil te stoppen, wist ze dat dat niet de oplossing was. Een kind moest geboren worden uit liefde, niet uit bedrog.

'Wat gebeurt er als het me niet lukt hem van mening te doen veranderen?' vroeg ze haar spiegelbeeld. 'Komen we hier ooit overheen? Kan ik hem vergeven? Hou ik genoeg van hem om zo'n vreselijk offer te brengen?'

Maar wat als ze bleef en ontdekte dat ze dat offer niet kon brengen, om er vervolgens achter te komen dat ze te lang had gewacht? Er waren zo veel vragen en op dat moment verlangde ze naar de goede raad en troost van haar moeder. Maar die was al lang geleden overleden, een ongrijpbare figuur van wie ze het gezicht nooit had gezien.

De tranen prikten in haar ogen terwijl ze de zonnige kamer en het bed met de verfrommelde lakens bekeek. Als ze bleef, zou er altijd dat spookbeeld in de kamer hangen – een grote, zwarte aanwezigheid die hen overschaduwde en hen herinnerde aan wat geweest had kunnen zijn. Tenzij Greg plotseling van mening veranderde. Hoewel ze al drie jaar bij elkaar waren, realiseerde ze zich nu dat ze hem eigenlijk helemaal niet kende. Zijn kinderjaren waren een gesloten boek voor haar en ze had altijd vermoed dat hij een ongelukkige jeugd had gehad. Maar hij was een succesvolle en vaardige kinderchirurg geworden – een man die onvermoeibaar werkte om het lijden uit te bannen, een man wiens vriendelijke stem en nog zachtere handen de kleintjes konden troosten die aan zijn zorg waren toevertrouwd. Ze had gezien hoe hij van zijn stuk was wanneer zijn vaardigheden hen niet konden redden, en opgetogen wanneer zijn kleine patiënten gezond en wel werden teruggegeven aan hun bezorgde ouders. Hoe was het in vredesnaam mogelijk dat hij er niet een van zichzelf wilde terwijl hij overduidelijk in staat was om ervoor te zorgen?

Ze liet zich in de kussens vallen, maar merkte al snel dat ze veel te onrustig was. De gedachten tolden door haar hoofd en ze voelde zich verward. Ze stond op, wreef haar haar droog en kleedde zich aan. Ze deed een paar sandalen aan, ging naar de keuken en nam de rommel daar in ogenschouw.

De barkruk lag nog op zijn kant waar hij was gevallen toen ze op Greg af vloog. De espressokopjes lagen in diggelen en hun dikke, donkere inhoud was over het granieten aanrechtblad en langs de roestvrijstalen kastdeurtjes gedropen.

De huishoudelijke taken hielden haar handen bezig, maar haar hersenen weigerden op te houden met malen en toen de keuken weer glimmend schoon was, nam ze een ogenblik de tijd om het appartement te bekijken waar ze toen ze het twee jaar kochten zo opgewonden over waren geweest. Ze merkte dat ze er na de onthullingen van die ochtend naar kon kijken met de koele afstandelijkheid van iemand die het niets kon schelen.

Het was een open keuken die een grote vierkante ruimte deelde met de zitkamer en de eethoek waar de zon door de panoramaruiten naar binnen stroomde. Roomkleurig leer, chroom en glas domineerden de ruimte en werden alleen onderbroken door het oranje, groen en rood van de paradijsvogelbloemen die in de hoge aardewerken vaas in de hoek stonden en een groot abstract schilderij aan de muur. Het was pijnlijk modern en avant-garde – de droom van iedere binnenhuisarchitect zonder rommel, warmte of persoonlijkheid. Geen enkel kind zou zich hier gelukkig voelen. En zij ook niet meer.

Ze liep langzaam door de kamers die aan dit onpersoonlijke hart grensden en zag ze in een nieuw licht. Er waren vier slaapkamers, waarvan twee waren verbouwd tot werkkamer. Die van Greg was opgeruimd – net als de man zelf – keurig, overdacht, alles op zijn plek, inclusief zijn verzameling gitaren. In scherpe tegenstelling tot haar eigen werkkamer die rommelig en chaotisch was. Weerspiegelde dat haar eigen persoonlijkheid? vroeg ze zich af. Misschien wel en dat was vreemd, want de aard van haar werk vereiste precisie en zorgvuldigheid.

De tekentafels stonden bij het raam dat van de vloer tot aan het plafond liep en waardoor je uitzicht had op het terras. Op de tekentafels lagen ingewikkelde tekeningen die er niet meer toe deden. Opgerolde tekeningen en schaalmodellen van projecten uit het verleden en de toekomst bedekten elk schap en naslagwerken waren wankel opgestapeld naast de computer. Een uit de kluiten gewassen kopieerapparaat stond tegen de verste muur met de klep geopend als een enorme muil waardoor plattegronden zichtbaar waren van een project waarvoor haar collega's en zijzelf bezig waren geweest een offerte te maken. Potloden, linialen en andere parafernalia waren in potten gepropt en op een dossierkast stonden vergeten koffiemokken schimmel te verzamelen. Maar aan de muren hingen heldere, prachtige foto's van de gebouwen die ze had helpen ontwerpen en voor de ramen hingen kristallen vlinders en vogels die regenboogkleuren de kamer in stuurden wanneer ze nauwelijks waarneembaar in de wind van de airconditioning bewogen. Vergeleken met de rest van het appartement was dit vertrek vol leven, kleur en energie.

Ze deed de deur achter zich dicht en liep terug naar de keuken, haalde het pak ijskoffie uit de koelkast en nam op weg naar het terras de post van de vorige dag mee.

Brisbane lag al te blakeren; de daken trilden in de hitte en de rivier stroomde loom door de stad in de richting van het groen en goud van het omliggende land. Fleur klapte de grote parasol bij de witte gietijzeren tafel en stoelen open en ging zitten. Er stond geen zuchtje wind, zelfs hierboven niet. Het beloofde weer een snikhete dag te worden.

Ze nipte van haar koffie en staarde naar het uitzicht. Het leven daarbuiten ging verder. De zaterdag nam langzaam zijn loop, zoals altijd, maar hierboven in haar ivoren toren – haar gouden kooi – was ze er ver van verwijderd, gevangen in een wereld waar ze nauwelijks controle over had. Ze was haar baan en de kans op kinderen kwijt en haar huwelijk lag in duigen. Dit appartement was een symbool van de 'ik wil alles'-generatie, maar het stelde niets voor. Het was breekbaar en vluchtig als een kaartenhuis.

'Nu loop je medelijden met jezelf te hebben,' siste ze, geërgerd dat haar normaal gesproken sterke en doortastende karakter het liet afweten. Ze slikte haar tranen weg, zette haar zonnebril op en richtte haar aandacht vastberaden op de laatste uitgave van de *Architectural Times.* Het was de hoogste tijd om bij zinnen te komen en op zoek te gaan naar een baan.

Greg liet zich langs de koele, harde muur van de squashbaan glijden en probeerde op adem te komen. 'Je speelt als de duivel, *mate*. Waar haal je die energie verdomme vandaan?'

John ging op zijn hurken naast hem zitten en zijn doorploegde gezicht rimpelde als dat van een bloedhond toen hij grijnsde. 'Niet gek, hè, voor zo'n ouwe kerel? Ik had je gewaarschuwd, Greg, jeugd is geen partij voor ervaring. Nog een potje?'

'Dacht het niet,' gromde hij. 'Ik ben je nu al honderd piek schuldig.'

John kwam overeind. 'Kom op. Het bier is voor jouw rekening.'

Ze stapten de baan af en liepen in de richting van de kleedkamers. Na een lange, hete douche voelde Greg zich energieker. De stapel problemen thuis leek niet meer zo afschrikwekkend, nu hij helder kon denken.

De sportclub was tamelijk nieuw en op deze zaterdag waren er rond lunchtijd maar een paar stoelen vrij bij de enorme ramen die uitzicht boden op tuinen die zich uitstrekten tot aan de rivier. John was erin geslaagd een plekje te bemachtigen en hij zwaaide naar hem toen hij terugkwam van de bar met een groot glas bier, een kan sinaasappelsap en een bord met broodjes.

Greg had net een slokje van zijn ijskoude sap genomen, toen zijn telefoon en zijn pieper tot leven kwamen. 'Verdomme,' zei hij binnensmonds terwijl hij een verlangende blik op de broodjes wierp – hij had sinds gisteravond niet meer gegeten en hij was uitgehongerd.

De pieper maakte hem duidelijk dat hij nodig was op de afdeling spoedeisende hulp. Hij nam snel het gesprek op zijn mobiel aan en luisterde naar de nauwgezette stem aan de andere kant. 'Ik ben er binnen tien minuten,' zei hij. Hij keek met een zure glimlach naar John aan de andere kant van de tafel en haalde zijn schouders op. 'Het ziet ernaar uit dat mijn vrije weekend voorbij is.'

'Ernstig?'

'Ernstig genoeg. Shane Philips is al eerder opgenomen en ik heb de autoriteiten keer op keer gewaarschuwd dat ze hem bij zijn vader weg moeten halen – maar ze luisteren nooit.'

'Blij dat ik voor verloskunde heb gekozen,' antwoordde John en hij nam een enorme hap uit een broodje. 'Succes, jongen.'

Greg slaakte een diepe zucht, wikkelde zijn deel van de broodjes in een papieren servet, knikte ten afscheid en liep de club uit naar zijn auto. Het ziekenhuis was niet ver, maar hij vermoedde dat hij een aantal uren in de operatiekamer zou doorbrengen en daarna zou hij te moe zijn om zijn auto op te halen.

Nadat hij op de hem toegewezen plek had geparkeerd, toetste hij hun thuisnummer in op de autotelefoon. De telefoon thuis was uitgeschakeld, dus het antwoordapparaat deed het ook niet. Fleurs mobieltje was evenmin beschikbaar en hij vermoedde dat ze hem had uitgezet, vastbesloten niet met hem te praten.

Met een gefrustreerde kreun klom hij uit zijn auto. Zijn maag kneep samen bij de gedachte aan wat hem in het ziekenhuis te wachten stond. Als kinderchirurg was hij getuige geweest van heel veel lijden, maar het werd nooit makkelijk. De wetenschap dat hij soms maar heel weinig kon doen om zijn kleine, kwetsbare patiëntjes te beschermen tegen de mensen die geacht werden van hen te houden en voor hen te zorgen maakte hem buitengewoon kwaad. Hij had in de clinch gelegen met de bureaucratie van de sociale dienst en had zijn frustratie maar al te vaak afgereageerd op de arme, overwerkte maatschappelijk werkers die alleen maar hun best deden. Niettemin was het een strijd die het waard was om geleverd te worden en hij had het gevoel dat hij beetje bij beetje vooruitgang boekte.

Greg haastte zich het ziekenhuis in en was zich ervan bewust dat hij niet de juiste kleding droeg, maar dat kon hem niet echt schelen – dat maakte in het geheel der dingen weinig uit. Hij probeerde nog een keer om Fleur te bereiken, maar de lijn bleef dood en hij zette zijn mobieltje uit. Hij haalde diep adem en liep achter de arts van dienst aan naar het met gordijnen afgeschermde hokje en zette zich schrap voor wat erachter lag.

Greg droeg nog steeds operatiekleding. Hij was vier uur aan het opereren geweest, had een lang gesprek gehad met de politie, een maatschappelijk werker en de ziekenhuisdirecteur en was nu uitgeput. In de stilte die volgde op hun vertrek liet hij zich in een leren stoel vallen en deelde een moment van overpeinzing met de vrouw aan de andere kant van de vergadertafel.

Carla Fioretti was het tegenovergestelde van wat je van een maatschappelijk werker in een ziekenhuis zou verwachten. Ze was achter in de dertig, had zwart haar en zwarte ogen, een perfecte, lichtbruine huid en het aangeboren Italiaanse vermogen om zich zwierig te kleden. Ze droeg een witte blouse met een kraag, een strakke zwarte rok en schoenen met hoge hakken. Haar komst in het ziekenhuis had voor opwinding gezorgd en had zelfs beroering gewekt bij de saaiste personeelsleden die plotseling aandacht begonnen te besteden aan hun uiterlijk in de ijdele hoop dat ze hen zou opmerken.

Toch bleef Carla een mysterie. Ze heupwiegde door de gangen, zich ogenschijnlijk niet bewust van de bewonderende blikken waarmee elke beweging van haar werd gevolgd. Haar privéleven was een raadsel en er waren geen uiterlijke tekenen die erop wezen dat ze getrouwd, verloofd, of van de andere kant was. Maar ze flirtte niet en hield zich verre van verbintenissen in het ziekenhuis, tenzij ze met haar werk te maken hadden. Ze had bewezen een taaie te zijn en toegewijd aan haar werk en als ze haar tanden ergens in zette, toonde ze de vasthoudendheid van een jack russell.

Greg produceerde een wrange glimlach terwijl ze elkaar over de tafel aankeken. Ze was een verbluffend mooie vrouw en hij had van steen moeten zijn om ongevoelig te zijn voor haar charmes. Daar bleef het bij, want hij hield heel erg veel van Fleur.

'Dank je wel voor je steun, Carla,' zei hij terwijl hij zijn blik losmaakte van de verlokkelijke ronding van haar borsten boven het bovenste knoopje van haar blouse. 'Ik voel me een stuk beter, nu er eindelijk actie wordt ondernomen.'

'De vrouw is absoluut ongeschikt als moeder,' antwoordde ze met die verleidelijke, hese stem waarvan andere mannen begonnen te tintelen van seksuele opwinding. 'Als de vader in de gevangenis zit, zal zij het allemaal absoluut niet aankunnen.' Ze leunde achterover, ging met haar lange, rode nagels door haar haar en zuchtte. 'Ik zal mijn best doen om Shane in een betrouwbaar pleeggezin te laten plaatsen, maar je weet hoe weinig plekken er momenteel beschikbaar zijn.'

'Hij zal de komende weken nog in het ziekenhuis moeten blijven,' zei Greg zacht terwijl hij zich uit zijn stoel hees. 'Blijf het proberen, Carla. Ik wil niet dat hij in een of ander kindertehuis belandt.'

'Dat is soms de beste oplossing op de korte termijn voor een kind van zijn leeftijd,' antwoordde ze en ze duwde zich af van de tafel.

'Daar ben ik het niet mee eens,' zei hij kortaf en hij stak zijn hand uit naar de deurkruk. 'Kinderen moeten een echt thuis hebben en voor een vijfjarige is in gevallen als dit een goed pleeggezin de enige oplossing. Het maar zien te rooien als een van een hele horde andere beschadigde, bange kinderen is dat niet.'

Ze raakte even zijn arm aan en hield hem daarmee tegen. 'Je praat alsof je ervaring hebt met dergelijke zaken,' zei ze zacht. 'Wil je erover praten?'

Haar parfum was muskusachtig en verleidelijk, haar donkere ogen hypnotiserend, maar hij zag de bezorgdheid erin en sloot zich af. 'Er is niets om over te praten,' antwoordde hij koeltjes. 'Gebruik je vaardigheden voor iemand die het nodig heeft, Carla.'

Hij liet haar achter bij de deur terwijl zijn lome, soepele passen in de lege gangen fluisterden, maar zijn gevoelens stonden op hun kop. Hij moest inderdaad met iemand praten, moest over een heleboel dingen zijn hart luchten. Maar absoluut niet bij Carla – en niet vanavond. Hij was veel te kwetsbaar om zelfs Fleur onder ogen te komen. Met een diepe zucht verzamelde hij het laatste beetje energie en ging even een kijkje nemen bij zijn jonge patiënt.

2

Fleur had een slapeloze nacht doorgemaakt. Ze had door het appartement lopen dwalen en was niet in staat geweest zich ergens op te concentreren. Uiteindelijk was ze vlak voor het licht werd op de bank in slaap gevallen en toen ze wakker werd zag ze dat het al over negenen was.

Slaapdronken, duurde het even voor ze zich realiseerde waar ze was – en het duurde daarna nog een ogenblik voor ze zich de vreselijke gebeurtenissen van de vorige dag herinnerde. Ze sleepte zich naar de badkamer, bleef lang onder de douche staan en trok de kleren aan die voor het grijpen lagen. Waarom had Greg niet gebeld en waar hing hij uit? Haar blik viel op de stekker van de telefoon en ze stak hem haastig weer in het stopcontact. Daarna ging ze op zoek naar haar mobieltje.

Ze had twee berichten van Greg op haar mobiele telefoon. Hij was naar een spoedgeval geroepen en had besloten de nacht in het ziekenhuis te blijven. Als ze hem nodig had, kon ze zijn secretaresse bellen. Zijn telefoon zou uitstaan aangezien hij die zondag langdurig in de operatiekamer zou zijn en waarschijnlijk opnieuw in het ziekenhuis zou overnachten. Geen enkel excuus, geen enkele nieuwsgierigheid naar hoe het met haar ging, of ook maar de geringste aanwijzing dat hij van plan was om binnenkort thuis te komen. Het was duidelijk dat hij haar probeerde te ontlopen en dat was iets wat Fleur hem niet kon vergeven. Het was laf en egoïstisch en ze vroeg zich af hoe ze in vredesnaam ooit verliefd op hem had kunnen worden, laat staan dat ze begreep hoe het kon dat ze nog steeds hetzelfde voor hem voelde als vroeger.

Ze weerstond de verleiding om hem terug te bellen, legde haar mobieltje op de eetbar en ging de post halen die zojuist in de brievenbus was gedeponeerd. Nadat ze een mok sterke, zwarte koffie had gezet, ging ze naar het terras en nam in de schaduw van de parasol gezeten de post door.

Tussen alle reclamedrukwerk, folders van pizzarestaurants en aanbiedingen voor het lidmaatschap van een nieuwe sportschool, zat de maandelijkse uitgave van het Instituut voor Architectuur. Ze bladerde rechtstreeks naar de pagina met vacatures. Er waren vier interessante aanbiedingen en ze zette er een kringetje omheen. Ze zou later die dag haar sollicitatiebrieven schrijven. Als ze een baan had dan had ze in elk geval geen tijd om te piekeren.

Ze legde het tijdschrift weg en bekeek de nogal gewichtig aandoende perkamenten envelop met het logo van een notariskantoor uit Sydney. Ze maakte de envelop open en de frons op haar voorhoofd werd dieper naarmate ze verder las.

Geachte mevrouw Mackenzie,

Het is mijn droeve plicht u op de hoogte te brengen van het overlijden van mevrouw Ann (Annie) Somerville, die een jarenlange, zeer gewaardeerde cliënt van ons kantoor is geweest. Gevolg gevend aan haar wensen, ben ik belast met de goedkeuring en uitvoering van haar testament.

Het is mijn plicht u erop te wijzen dat u de belangrijkste begunstigde bent van haar niet onaanzienlijke nalatenschap en daarom is het van het grootste belang de voorwaarden van het testament en hetgeen eruit voortvloeit met u te bespreken.

Ik ben dinsdag 15 januari in Brisbane om een conferentie bij te wonen in het Hilton International en ik stel voor dat we elkaar die dag om vier uur 's middags treffen in de foyer. Ik heb een kantoorruimte in het hotel gereserveerd, zodat we elkaar onder vier ogen kunnen spreken. Mocht die regeling u niet uitkomen, neem dan alstublieft contact op met mijn secretaresse om een nieuwe afspraak te maken.

Ik betuig u mijn innige deelneming en verzeker u van onze niet-aflatende betrokkenheid.

Hoogachtend,
Mw. Jacintha Wright

'Krijg nou wat.' Fleur staarde naar de brief en durfde nauwelijks te geloven dat het niet om een grap ging. Hoe groot was 'niet onaanzienlijk'? Ze nam een bedrag in gedachten, verdubbelde het, verdrievoudigde het en terwijl haar hart als een razende bonsde, ging haar fantasie met haar op de loop.

Toen kreeg de werkelijkheid weer de overhand; ze legde de brief zorgvuldig op tafel en staarde ernaar. Het moest een grap zijn. Ze had nog nooit van Annie Somerville gehoord, dus waarom zou die haar überhaupt iets nalaten? Het was gewoon weer een van die brieven die een fortuin beloofden, maar uiteindelijk oplichterij uit Amerika of Oost-Europa bleken te zijn.

Maar toen ze de brief beter bekeek, zag ze nergens een telefoonnummer dat ze tegen een hoog tarief moest bellen. Geen verzoek om geld of haar e-mailadres of telefoonnummer – geen van de gebruikelijke dingen die bij dergelijke zwendelbrieven gebruikelijk waren.

De hoop nam weer toe, net als de opwinding toen ze besefte dat alles erop wees dat de brief echt was en dat de gevolgen van een dergelijke meevaller legio waren. Niet alleen zou het betekenen dat ze geld zou hebben om haar eigen ontwerpstudio op te zetten, maar het zou haar ook financieel onafhankelijk maken van Greg en van haar vader en het zou misschien zelfs Gregs bezwaren tegen kinderen krijgen wegnemen. Ze zouden hun huidige levensstijl kunnen voortzetten, in de wetenschap dat als deze erfenis inderdaad aanzienlijk was, ze zich een van die schitterende landhuizen aan de rivier konden veroorloven waar Greg zo dol op was. Daar zouden ze een echt gezinshuis van kunnen maken, met hun boot afgemeerd aan de privésteiger onder aan de tuin, de grote, zonnige kamers die weerklonken van het geluid van kinderstemmetjes en getrippel van voetjes.

Ze haalde diep adem en vocht om haar zelfbeheersing en concentratie te bewaren. Ze liet door alle opwinding haar verbeelding met haar op de loop gaan; ze stond zichzelf toe te geloven dat het allemaal waar was en dat Greg dit overweldigende nieuws zonder meer zou aanvaarden en zou meegaan in haar plannen.

Ze deed haar ogen dicht en bad stilletjes dat dat het geval zou zijn. Dat haar dromen haar niet ontzegd zouden worden en dat Annie Somervilles fantastische geschenk echt bestond en hun beiden geluk en voldoening zou brengen.

Ze liet het idee om hem te bellen al snel varen. Ze wilde nog even dagdromen voor ze met iemand sprak en Greg zou een stuk meegaander zijn als ze hem niet als een opgewonden schoolmeisje met het nieuws zou overdonderen.

Ze haalde een paar keer diep adem en draaide haar gezicht naar de zon terwijl ze probeerde de zaken in een ander licht te zien. Als Annie Somerville niet het product was van iemands wrede fantasie, dan moest ze op de een of andere manier een band hebben met haar familie – een andere logische verklaring was er niet – maar hoe? Wie was ze eigenlijk precies?

'Het belangrijkste eerst,' mompelde ze. Haar sandalen kletsten op de marmeren vloertegels terwijl ze zich over het terras haastte. Ze greep haar mobieltje en toetste het nummer in dat in het briefhoofd stond vermeld. Advocaten werkten niet op zondag en als het allemaal echt was, dan zou er een antwoordapparaat zijn.

De koele, efficiënte stem van een vrouw vertelde haar de naam van het notariaat en de uren waarop het kantoor geopend was. Het klonk allemaal echt, maar Fleur was nog niet overtuigd en liet een boodschap achter waarin ze vroeg of mevrouw Jacintha Wright voor identificatie wilde zorgen als ze elkaar dinsdag zagen. Het zou interessant zijn om te zien of ze überhaupt kwam opdagen.

Ze had net de verbinding verbroken toen de telefoon in de slaapkamer overging. In de hoop dat het Greg was, rende ze ernaartoe om op te nemen.

'Fleur? Met Margot. Je komt toch vandaag, hè? We hebben een probleem en we moeten de zaken oplossen voor pap het allemaal nog erger maakt.'

Haar oudste stiefzus kwam altijd meteen ter zake. Ze klonk autoritair en ze viel niet te negeren. Ze haalde diep adem en slikte haar teleurstelling weg. Ze had de lunchafspraak inderdaad helemaal vergeten. 'Het spijt me, Margot. Ik voel me niet lekker. Ik vrees dat ik verstek moet laten gaan.'

'Doe niet zo slap, Fleur,' zei Margot bazig. 'Bethany en ik hebben je steun nodig.'

Ze fronste haar voorhoofd. Bethany en Margot spraken elkaar maar zelden, laat staan dat ze hun krachten bundelden tegen hun eigenzinnige vader. Haar nieuwsgierigheid was geprikkeld. 'Klinkt ernstig. Wat heeft hij nu weer gedaan?'

'Dat is veel te ingewikkeld om aan de telefoon te bespreken,' zei Margot kortaf. 'Zorg dat je om twaalf uur bij het huis bent. En kom niet te laat.'

Fleur staarde naar de hoorn in haar hand. Margot had opgehangen. 'Bazige trut,' zei ze binnensmonds terwijl ze op haar horloge keek. Het was bijna elf uur en hoewel het idee dat ze bij een nieuwe familieruzie betrokken zou worden haar tegenstond, kon ze er niet aan ontkomen, tenminste, niet als ze erachter wilde komen of Annie Somerville echt familie was. En als dat zo was, wat was dan de reden dat ze Fleur tot enige erfgenaam had benoemd?

Margot bracht zorgvuldig de dieprode lippenstift aan en deed een stap achteruit om het effect in de badkamerspiegel te bestuderen. De vrouw die haar met een kritische blik aanstaarde was zoals altijd goed verzorgd, haar slanke – sommigen zouden zeggen te slanke – figuur kwam op zijn voordeligst uit in de prachtige, op maat gemaakte, crèmekleurige linnen jurk. Ze droeg gouden armbanden en een dun horloge, gouden knopjes in haar oren en om haar hals glansde een dikke streng Broome-parels. De trouwring was al vele jaren geleden verdwenen en ze was niet van plan er ooit nog een te dragen.

Ze raakte even haar kapsel aan, tevreden over de manier waarop monsieur Paul erin was geslaagd bruin, rood en goudblond in de halflange lokken te verwerken die net onder haar kin naar binnen krulden. Grijs maakte oud en Margot was op haar eenenzestigste niet van plan om net zo degelijk te worden als haar zus Bethany.

Met een tevreden knikje liep ze naar de slaapkamer en pakte haar tas. Ze controleerde of ze alles bij zich had en bleef even staan om tot bedaren te komen en zich voor te bereiden op wat komen ging. De spanning veroorzaakte een pijn tussen haar schouders die snel toenam naarmate het tijdstip van vertrek dichterbij kwam. Daarom liep ze naar het raam en keek naar het uitzicht dat haar altijd kalmeerde.

Haar appartement stond in Southbank en bood uitzicht op de stad aan de andere kant van de rivier en op het parklandschap beneden. Zeilboten gingen overstag om jetski's en speedboten uit de weg te gaan en Southbank zelf was een kleurig geheel dankzij de stalletjes van de zondagsmarkt. De tuinen en de trottoirs die al vol waren met bezoekers.

Brisbane was een stad met zo'n twee miljoen inwoners, maar had een hartelijk en ontspannen karakter dat ze nergens anders had aangetroffen. De stad glansde en schitterde in het zonlicht en het weelderige groen van de tropische bomen contrasteerde prachtig met het turkooiskleurige water van de geweldige rivier die door het hart van de stad stroomde. Gelegen aan de zuidkant van de Sunshine Coast van Queensland, heerste er een gematigd klimaat met slechts nu en dan een vleugje van de vochtige tropen in het noorden en de uitgestrekte woestijnen in het westen.

Margot herwon haar kalmte en dat bracht een koele en grote vastberadenheid met zich mee die veel bekender was. Ze keerde het uitzicht de rug toe en verliet haar appartement. Een paar minuten later zat ze in haar Mercedes, reed in de richting van Kingsford Smith Drive, langs het uitbundig versierde Breakfast Creek hotel – waar het al stormliep in de beroemde biertuin – en draaide de Bruce Highway op, waar het verkeer een stuk minder druk was.

Caloundra lag slechts zesennegentig kilometer naar het noorden en Margot had meer dan genoeg tijd om er te komen. Terwijl de banden over de snelweg zoefden voelde ze haar vastberadenheid opnieuw wegebben. Ze had een hekel aan ruzie, maar er leek geen ontkomen aan en voor de eerste keer in haar leven had Margot de hulp van haar zussen nodig om hun vader voor verdere dwaasheid te behoeden. Ze vond het vreselijk om die hulp te vragen – ze had er diep en lang over nagedacht voor ze de telefoon pakte – maar dit ging ook om hun toekomst en het werd tijd dat ze de verantwoordelijkheid deelden. Hun vader had altijd gedaan wat hem goed dunkte, had zich nooit iets van hen aangetrokken. Nu moest hij onder ogen zien dat hij te ver was gegaan en dat er een eind aan moest komen.

Bethany deed de rubberhandschoenen uit, legde ze netjes over de glimmende kraan en hing haar schort aan het handdoekenrek. Ze was al op sinds het licht werd en hoewel ze zich de tijd had gegund om naar de vroegmis te gaan, stond de geschrobde keukentafel vol met pasteien, taarten en cakejes die ze had gebakken voor de geldinzameling van de kerk die de volgende dag zou worden gehouden. Dat werd van haar verwacht als voorzitter van de Bijbelgroep voor vrouwen en als steunpilaar van de kerkenraad en ze was trots op het feit dat haar gebak altijd snel was uitverkocht.

Ze liet haar blik door de blinkend schone keuken dwalen en slaakte een zucht, niet de gebruikelijke zucht van tevredenheid omdat het karwei geklaard was, maar omdat ze besefte dat het te netjes was en te rustig.

'Dat was een diepe zucht.' Clive kwam het vertrek binnen gelopen, gekleed voor zijn gebruikelijke zondagse rondje golf. Hij sloeg zijn arm om haar stevige schouder en gaf haar een kus op de wang. 'Wat is er loos, meid?'

Bethany drukte zich tegen hem aan. Ze genoot van dit moment van genegenheid en ademde de scherpe, schone geur van zijn aftershave in. Clive was met zijn tweeënvijftig jaar nog steeds een knappe man met een lok geelbruin haar die voor zijn bruine ogen hing, een slank middel en de energie van een veel jongere man. 'Het is eigenlijk belachelijk,' antwoordde ze, 'maar ik mis de kinderen.'

'Ja, hallo,' was zijn reactie terwijl hij naar de kast onder de trap liep om zijn golftas te pakken. 'Het is wel lekker om eens een beetje rust in de tent te hebben en om thuis te komen in een ordelijk huis in plaats van in het toppunt van chaos.'

Dat viel verkeerd, want ze had in de loop der jaren altijd haar uiterste best gedaan om het huis op orde te houden. Maar ze wilde geen ruzie met hem maken – niet die ochtend. 'Melanie gaat binnenkort naar de universiteit,' zei ze zachtjes terwijl ze hem de flacon cognac gaf die hij altijd in zijn golftas meenam, 'en dan zijn we echt helemaal alleen.'

'Vroeg of laat gaan ze allemaal het huis uit,' mompelde hij. Hij had zijn aandacht al bij zijn golfuitrusting. 'Bovendien ben jij altijd zo druk met de kerk en al die comités dat je het nauwelijks zult merken.' Hij haalde zijn putter uit de tas en bekeek hem nauwkeurig. 'Deze begint een beetje ruw te worden aan de randen,' zei hij binnensmonds. 'Misschien wordt het tijd voor een nieuwe.'

Bethany keek naar hem terwijl hij liefdevol zijn golfclubs controleerde en er de leren hoesjes omheen deed waar in sierlijke letters zijn initialen op stonden. Hij had makkelijk praten, dacht ze bitter. Hij had zijn accountantskantoor om zich gedurende de week mee bezig te houden en in het weekend ging hij golfen terwijl haar energie, die ze altijd in het moederschap had gestoken, niet meer nodig was en zonder andere vaardigheden stond ze op haar vijftigste voor een deprimerende en eenzame toekomst.

Clive was altijd een ouderwetse vader geweest. Hij had na de aanvankelijke vreugde om hun geboorte weinig interesse meer in zijn kinderen getoond en hij had het ouderschap en het huishouden helemaal aan haar overgelaten. Hij bouwde ondertussen zijn succesvolle accountantspraktijk op en werkte hard aan het verlagen van zijn golfhandicap. Zijn leven zou helemaal niet anders worden.

'Zie je de tweeling op de club of komen ze eerst hier langs?' Haar treurige stemming klonk door in haar stem, maar hij leek het niet te merken.

'De jongens kunnen dit weekend niet,' zei hij en hij slingerde het hengsel van de grote tas over zijn schouder. 'Een of ander gedoe op de universiteit.' Hij keek haar bedachtzaam aan. Misschien zag hij eindelijk hoe terneergeslagen ze was. 'Waarom bel je Angie niet om te zien of ze met je kan gaan lunchen of zoiets?'

'Dat heeft geen zin,' antwoordde ze. 'Onze oudste dochter is veel te druk met haar nieuwe echtgenoot en dat geweldige huis dat ze aan het renoveren zijn. Bovendien,' voegde ze eraan toe, 'ga ik lunchen met pa en de anderen.'

Hij trok een donkere wenkbrauw op. 'Jij liever dan ik,' mompelde hij. 'Is dat wat je vandaag dwarszit? Je trekt een gezicht alsof je in de paardenstront getrapt hebt.'

Ze trok een gezicht vanwege zijn grofheid. 'Ik vind onze familiebijeenkomsten leuk,' zei ze ferm. 'Het is dit lege huis waardoor ik van mijn stuk raak.'

'Maak je geen zorgen, schat,' zei hij terwijl hij de tas wat hogerop trok. 'Angie heeft een nieuwe man en een nieuw huis en ze zal binnen de kortste keren zwanger zijn. Dan heb je het veel te druk met babysitten om je nog druk te maken over de rest.' Hij knipoogde en stapte zonder verder nog iets te zeggen de deur uit.

Bethany bleef in de stille, blinkende keuken achter en hoorde hoe zijn auto achteruit de oprit af reed en verdween. Ze slikte haar tranen weg, boos op zichzelf dat ze zo behoeftig was – omdat ze zich zo in de steek gelaten voelde – maar wat moest ze in vredesnaam met de rest van haar leven?

Het zou nog een hele tijd duren voor er kleinkinderen kwamen. Angela had luid en duidelijk gezegd dat haar werk als verpleegster op de eerste plaats kwam en dat ze moesten ophouden met zeuren. De tweelingbroers, Joe en Mike, zaten in het laatste jaar van hun studie en hadden, als ze niet aan het studeren waren, niet veel tijd om thuis te komen, behalve om hun was te laten doen, geld te bietsen of af en toe een fatsoenlijke maaltijd tot zich te nemen.

Melanie, haar baby, was bijna achttien en was al afstand aan het nemen door te verhuizen naar een miezerig flatje waar ze ter voorbereiding op haar nieuwe en opwindende leven in Sydney met een vriendin samenwoonde. Bethany was gedwongen geweest zich neer te leggen bij het feit dat haar kleine meisje al een vreemde voor haar was geworden. Ze begreep niets van de afschuwelijke muziek, de dubieuze vriendjes of waarom ze per se zulke vreselijke kleren en make-up moest dragen. Ze waren ooit zo hecht geweest, maar Melanie vertelde haar niets meer, wilde niet gaan winkelen of mee naar de kerk; ze wilde niet eens haar plannen voor Sydney bespreken. En als ze eenmaal daar naartoe was verhuisd, dan zouden alle banden verbroken zijn en zou Bethany haar kwijt zijn, net zoals ze de anderen was kwijtgeraakt.

Ze wreef met haar handen over haar gezicht, haalde diep adem en ging naar boven om haar zondagse kleren weer aan te trekken. Het had weinig zin om zichzelf nog neerslachtiger te maken, dacht ze vastbesloten, terwijl ze de rok en de blouse van de kleerhanger haalde. Het leven was Gods kostbaarste geschenk en ze zou dankbaar moeten zijn dat haar vier kinderen gezond en ambitieus waren, niet bang om hun vleugels uit te slaan. Ze had hun de best mogelijke start gegeven door ze op te voeden met een gezond arbeidsethos en christelijke waarden. Clive had gelijk. Uiteindelijk gingen ze allemaal weg – en zo hoorde het ook.

De plooirok van lichte stof zat strak om haar middel en ze moest moeite doen om de rits dicht te krijgen. Ze had het plotseling warm en vroeg zich af of dat het gevolg was van het weer of van een slopende opvlieger. Ze had de laatste tijd 's nachts steeds vaker last van transpiratieaanvallen en ze was vermoeider dan anders. Misschien dat haar uitdijende middel nog zo'n uiterlijk kenmerk was van de veranderingen die haar lichaam doormaakte, dacht ze moedeloos terwijl ze haar zijden blouse aantrok en de strik bij de hals vastmaakte.

Ze keek zuur naar de matrone van middelbare leeftijd die haar vanuit de spiegel aanstaarde. De blouse en de rok maakten haar dikker, het grijs in haar golvende haar viel plotseling meer op en de verstandige schoenen die ze gedwongen was te dragen vanwege haar gezwollen voeten benadrukten haar kleurloosheid.

'Geen wonder dat Clive liever gaat golfen,' mompelde ze terwijl ze parelknopjes in haar oren deed.

'Ben je in jezelf aan het praten, mam?'

Bethany draaide zich met een ruk om en glimlachte. 'Mel. Wat leuk om je te zien. Ik had je niet binnen horen komen.' Haar vreugde werd getemperd door de schok van haar dochters verschijning. Melanie ging helemaal in het zwart gekleed, van haar kniehoge Dr. Martens tot aan de legging, het minuscule rokje en het gescheurde T-shirt dat met veiligheidsspelden bij elkaar werd gehouden. Een serie ringen volgde de ronding van één oor, er zat een glimmend knopje in een neusvleugel en een andere in haar bovenlip. Haar gezicht was bleek van de witte poeder en haar zwaar opgemaakte ogen en zwarte lippenstift maakten dat ze eruitzag als een zombie.

Ze vermande zich en omhelsde haar, terwijl ze hoopte dat haar schok en afkeer niet al te duidelijk waren geweest. 'Ik ben zo blij je te zien, schat,' zei ze zachtjes. 'Ik zal wat te eten voor je maken. Je bent veel te mager.'

'Dat hoeft niet, mam. Doe geen moeite.' Melanie maakte zich los en liet zich op het keurig opgemaakte bed ploffen. De feloranje en rode strepen in haar haar glinsterden in het zonlicht dat door de ramen naar binnen stroomde. 'Ik kwam alleen maar een paar dingen halen.' Ze zag haar moeders kleding en sloeg haar ogen ten hemel. 'Ga je ergens naartoe?'

'Ik kan het wel afzeggen,' zei Bethany snel. 'Dat zal Margot niet zo erg vinden.'

'God,' kreunde Melanie. 'Je gaat toch niet naar opa, hè?'

'Je moet de naam van de Heer niet ijdel gebruiken, Melanie,' antwoordde ze kortaf. 'En ja, ik was dat van plan, maar aangezien jij er nu bent, bel ik wel om het af te zeggen.'

'Maak je maar niet druk om mij,' zei ze,terwijl ze opstond van het bed en zichzelf in de spiegel van de kaptafel bekeek. 'Ik was toch niet van plan om lang te blijven en je weet hoe tante Margot er de pest aan heeft als je niet komt opdagen.' Ze draaide aan het knopje in haar neusvleugel en toen Bethany dat zag, vertrok ze haar gezicht. Melanie keerde zich met een aarzelende glimlach van de spiegel. 'Dingen te doen, plekken te bezoeken – mensen te ontmoeten. Je kent het wel.'

Vroeger wel, dacht Bethany, maar dat is een mensenleven geleden. 'Blijf even,' pleitte ze. 'Het geeft niet als ik te laat kom en het is zo lang geleden dat we eens lekker gekletst hebben.' Ze pakte de magere, bleke arm vast. 'Ik ben zo nieuwsgierig hoe je reis naar het zuiden is gegaan, hoe de studentenhuizen eruitzien en of je je docenten al hebt ontmoet...'

Melanie maakte met een ongeduldige zucht haar arm los uit haar moeders greep. 'Het is alleen maar de universiteit, mam. Niks bijzonders.'

'Oké...' Bethany kon niets anders bedenken om te zeggen.

'Maar ik zou wel een kleine bijdrage kunnen gebruiken.' Haar stem klonk zachter, vleiend, en de bruine ogen keken op van onder puntige wimpers. 'Ik ben blut door die reis naar Sydney en Sophie moet binnenkort de huur van haar flat betalen.'

Bethany aarzelde. Ze wist dat Mel weg zou gaan zodra ze het geld had. 'Laat ik eerst even koffie voor je zetten en misschien heb je zin in een stuk slagroomtaart. Daar was je altijd zo dol op.'

Melanie haalde haar schouders op. 'Als je erop staat,' mompelde ze lomp en ze liep achter haar bedrijvige moeder aan de trap af naar de keuken. 'Maar ik heb niet echt honger,' voegde ze daaraan toe terwijl ze zich op een stoel liet vallen.

'Een klein stukje maar,' zei Bethany en ze sneed snel een punt uit de kleinste taart die voor de geldinzameling was bestemd. 'Ik zie je zo weinig sinds je bij Sophie bent ingetrokken en ik vind het leuk om je te verwennen als ik de kans krijg.' Ze legde de taartpunt op een bordje en schoof dat in haar richting. 'Kom op, schat, doe me een lol.'

Melanie knabbelde met tegenzin aan een hoekje en keek haar moeder uitdagend aan. 'Ik word dik,' zei ze met taart in haar mond. 'Deze rok zit al te strak.'

'Wat een onzin,' antwoordde ze streng. 'Je bent veel te mager en die rok zou om een bezemsteel nog strak zitten. Dat wil zeggen, als je dat lapje een rok kunt noemen,' voegde ze eraan toe. 'Echt schat, je zou je wat minder uitdagend moeten kleden...'

'Begin nou niet weer, mam.' Melanie ging rechtop zitten en streek met haar vingers door haar haar. De zilveren ringen glinsterden aan haar hand en haar toon en houding hielden de waarschuwing in dat ze niet van plan was kritiek aan te horen. 'Ik ben hier nog geen vijf minuten en je begint al.'

Bethany verdrong de zure gedachte dat haar dochter er als een del uitzag, zette snel koffie voor hen beiden en ging zitten. Ze wilde dolgraag genieten van die paar onverwachte ogenblikken met Mel en was vastbesloten deze kostbare verrassing niet te bederven door haar eigen bitterheid.

'Laten we het erop houden dat we het niet eens zijn,' smeekte ze zachtjes. 'Ik zie jou of de anderen nauwelijks nog. Binnenkort zit je in Sydney en dan krijgen we hier de kans niet meer voor.' Ze hoorde opnieuw haar eigen treurnis en ze voelde tranen prikken die ze haastig wegslikte.

Melanie drukte taartkruimels fijn met haar wijsvinger die ze vervolgens schoonlikte. 'Het is niet mijn bedoeling om weg te blijven,' zei ze binnensmonds. 'Maar de tijd gaat zo snel.'

Bethany wist een glimlach tevoorschijn te toveren. 'Ik weet het,' zei ze. 'Ik doe mijn best om het te begrijpen. Maar je vader is de hele dag weg en hij gaat in het weekend golfen. Jullie zijn allemaal druk met je eigen leven en ik voel me een beetje buitengesloten.'

Melanies uitdrukking verzachtte. 'Het spijt me, mam,' zei ze zacht. 'We zijn niet lief voor je, hè?'

De warmte die Bethany overspoelde had niets te maken met de overgang en ze stak haar hand uit naar die van haar dochter, klaar om vergiffenis te schenken. 'Het is alleen maar natuurlijk dat jullie uitvliegen. Maak je om mij geen zorgen. Denk er alleen aan dat ik altijd hier ben,' zei ze zacht, 'en als je me ooit nodig hebt, voor wat dan ook...'

De donkerbruine ogen keken haar een ogenblik strak aan en draaiden toen weg. 'Mam,' begon ze. 'Mam, er ís inderdaad iets... Maar je moet me belo...'

Ze werd onderbroken door het geluid van een autoportier dat dichtsloeg en ze trok snel haar hand terug. 'Zo te zien ga je toch lunchen,' mompelde ze en ze liet zich achterover in haar stoel vallen. 'Tante Margot is er.'

'Vertel het me snel, Mel. Voor ze binnenkomt. Wat is er aan de hand?'

'Maak je geen zorgen, mam. Alles is in orde met me.'

Zo zag ze er helemaal niet uit. Ze gedroeg zich ontwijkend, en dat was altijd een slecht teken.

Margot kwam de keuken binnen en nam het tafereel in één oogopslag in zich op. Ze knikte bij wijze van groet nauwelijks waarneembaar naar Melanie en wendde zich tot haar zus. 'Het is maar goed dat ik besloten heb je een lift te geven,' zei ze boos. 'Je bent duidelijk vergeten dat we zouden gaan lunchen.'

'Ik ben helemaal niets vergeten,' weersprak ze. 'Maar ik dacht dat het niet zo erg zou zijn als ik een beetje later zou komen, nu Mel onverwacht is langsgekomen.'

Melanie schoof met een schrapend geluid haar stoel naar achteren. 'Trek je van mij niets aan. Ik blijf niet.'

'Maar je bent er net,' zei Bethany die haar wanhopig graag bij zich wilde houden. 'En je stond net op het punt iets te vertellen toen Margot ons onderbrak.' Ze wierp haar zus een giftige blik toe voor ze zich weer tot haar dochter wendde. 'Vertel op, schat. Wat is er?'

'Niks aan de hand, het stelt niets voor,' antwoordde ze luchtig terwijl ze haar felgekleurde haar achterover gooide. 'Maar als je een paar dollar voor me hebt om de maand door te komen, dan zou ik je echt dankbaar zijn.'

'Natuurlijk,' zei Bethany zachtjes. Ze was van streek en in haar teleurstelling strooide ze onhandig munten uit haar portemonnee in het rond. Ze gaf Melanie driehonderd dollar. 'Als je meer nodig hebt, moet je het zeggen.' Ze greep haar hand. 'En ga er nou niet meteen vandoor. We kunnen praten als ik terug ben.'

'Dank je, mam.' Haar kus was licht, de omhelzing een verrassing, aangenaam en, zo leek het, gemeend. Maar het ging allemaal te snel en met een zorgeloos handgebaar rende ze de trap op naar haar weinig gebruikte kamer.

'Je verwent dat kind,' zei Margot die haar plek in de deuropening niet had verlaten, 'en je laat haar veel te vrij. Geen wonder dat ze eruitziet als een vluchteling uit Transsylvanië.'

'Wat weet jij daar nou van? Je hebt nooit kinderen gehad,' snauwde Bethany. 'En wat haar uiterlijk betreft, dat is de mode onder studenten en ik vind dat het haar goed staat,' voegde ze er opstandig aan toe en hoopte dat God haar dit leugentje zou vergeven.

Margot nam Bethany van top tot teen op. 'Modebewustzijn is duidelijk aan jouw kant van de familie voorbijgegaan,' zei ze hatelijk. 'Ga je nog iets anders aantrekken dan dat vreselijke gedoe?'

Bethany hield haar buik in en streek met haar handen over haar rok. 'Nee, dat doe ik niet. Dit zijn mijn beste blouse en mijn beste rok.'

Margot trok een zorgvuldig geëpileerde wenkbrauw op. 'Je ziet eruit als een bandenreclame,' zei ze vlak.

Bethany bloosde, getroffen door de stekelige opmerking. 'Ik zie er in elk geval niet uit als een wandelende tak,' kaatste ze terug, 'en die jurk is bedoeld voor iemand die minstens dertig jaar jonger is dan jij.'

Margot haalde met een elegant gebaar haar schouders op en hield de deur open. 'Als ik je advies nodig heb over hoe ik me moet kleden, dan zeg ik het wel,' zei ze, 'maar alleen als Pasen en Pinksteren op één dag vallen.'

'Je hebt me gisteren anders om hulp gevraagd,' antwoordde Bethany vinnig, 'dus ik ben wel ergens goed voor.'

Margot keek haar met een zuur gezicht aan. 'Geloof me, Beth, ik zou het niet hebben gevraagd als het niet absoluut noodzakelijk was dat we één front vormen tegen pap,' antwoordde ze. 'En schiet in godsnaam eens op. We komen nog te laat.'

Bethany sloeg haar armen over elkaar. 'Je moet niet zo godslasterlijk praten. Je weet dat ik daar een hekel aan heb, en ik ben trouwens van mening veranderd,' zei ze opstandig. 'Wat het ook is waar pap zich druk over maakt, dat kan wachten. Samenzijn met Mel is veel belangrijker.'

'Doe niet zo belachelijk,' snauwde Margot. 'Mel heeft jou duidelijk niet nodig, maar ik wel.' Ze haalde diep adem in een poging te kalmeren. 'Ik vraag niet veel van Fleur en jou, maar ik zou het voor deze ene keer fijn vinden als ik een beetje steun van mijn zussen kreeg.'

Bethany stond in tweestrijd. Ze wilde thuisblijven, maar Margot had haar nooit eerder om hulp gevraagd, laat staan om die van Fleur, dus het moest wel ernstig zijn. 'Kun je dan in elk geval een hint geven waar dit over gaat?'

'Niet echt. Pap is heel erg vaag, maar ik heb de voortekenen eerder gezien en geloof me, Beth, het kan ernstige gevolgen hebben voor een toch al explosieve situatie.'

'Goed dan,' zuchtte ze. 'Maar ik moet zo snel mogelijk weer terug zijn. Mel zal niet lang blijven en ik wil met haar praten.'

'Wat jij wilt,' snauwde Margot. 'Schiet nou maar op alsjeblieft. Pap haat het als hij moet wachten.'

'Het zou weleens goed voor hem zijn als hij niet altijd zijn zin kreeg,' zei Bethany binnensmonds terwijl ze snel een briefje schreef voor Mel en dat tegen de peperbus zette. Ze bedekte haar gebak met een schoon tafellaken, zette de kopjes en de bordjes in de gootsteen en weerstond de aandrang om ze af te wassen. Als Margot in zo'n stemming was kon je haar maar beter niet nog meer irriteren.

De bonkende muziek die van boven kwam, maakte een verder gesprek lastig. Het was een geluid waar Bethany een grondige hekel aan had gekregen, maar tegelijk vreselijk miste – en de wetenschap dat haar dochter maar een paar meter verderop zat, deed haar ernaar verlangen om te blijven.

'Lieve hemel,' zei Margot met een huivering. 'Is dat wat tegenwoordig doorgaat voor muziek?' Ze wachtte niet op antwoord, pakte de handtas van Beth en stak die naar haar uit. 'Laten we hier weggaan voor mijn trommelvliezen voor de rest van mijn leven beschadigd worden.'

Bethany nam de tas aan, pakte het toetje dat ze die ochtend had gemaakt en liep met tegenzin achter haar zus aan het keurige huis in de buitenwijk uit. Ze keek even omhoog naar het raam van de slaapkamer voor ze in de auto stapte, maar de gordijnen waren dicht. Als alles net zo verliep als anders, dan zou Melanie lang voor ze terugkwam zijn vertrokken en zou zij opnieuw alleen achterblijven in die vreselijke stilte.

Ze omklemde de schaal met het toetje terwijl Margot veel te snel de doodlopende weg uitreed en de hoofdweg opdraaide die zich door het heerlijk groene stadje Buderim slingerde en van de heuvel af daalde naar de kust.

De zee lag in de verte te glinsteren, de glazen torens van Mooloolaba en Maroochydore aan de met bomen bezaaide kust en landtongen schitterden in het zonlicht, maar Bethany zou er alles voor overhebben gehad om thuis te zijn, verdoofd te worden door haar dochters muziek en gefrustreerd te raken over haar onwil om te praten. Melanie had beslist op het punt gestaan om haar voor één keer in vertrouwen te nemen en ze had het gevoel dat het om iets ging wat veel belangrijker was dan wat haar vader zou gaan onthullen.

Fleur had de kap omlaag en INXS schalde uit de stereo terwijl ze over de Bruce Highway reed. Ze was dol op deze auto en het gevoel van vrijheid dat hij haar bezorgde. Greg en zij zouden zich hier doorheen weten te slaan. Ze zouden dit doorstaan, want een leven zonder elkaar was ondenkbaar.

Maar de pijn die hij had veroorzaakt zat er nog steeds en ze schroefde het volume op in een poging haar twijfels te overstemmen. Dat lukte natuurlijk niet en ze zette de muziek weer zachter toen ze bij de eerste verkeerslichten kwam. Zonder de wind in haar haar klonk de muziek oorverdovend en de twijfels en de pijn kwamen opnieuw naar boven.

De weg liep gestaag omhoog de heuvel op en slingerde wellustig langs de indrukwekkende herenhuizen die daar de afgelopen drie jaar waren gebouwd. Hekken van gietijzer en hoge muren verborgen lange oprijlanen en kortgeschoren gazons die in de schaduw lagen van palmbomen en bedden vol exotische bloemen. Dit was de miljonairswijk. Het leek in niets meer op het verlaten gebied vol struikgewas waar de helling met uitzicht op het ooit sjofel ogende stadje aan de kust vroeger mee vol had gestaan.

De projectontwikkelaars bouwden overal langs de oostkust en de meeste plekken die ze zich uit haar jeugd herinnerde, waren nauwelijks herkenbaar meer. Caloundra was een uitstekend voorbeeld, met zijn nieuwe promenade, dure hoge gebouwen vol luxeappartementen en hele rijen restaurants, elegante cafés en chique hotels. Er moest nog een en ander gebeuren voor het de chique cafés van Noosa naar de kroon kon steken, maar het kwam aardig in de buurt.

De motor draaide stationair terwijl zij op de afstandsbediening drukte en wachtte tot de zware poorten zouden openzwaaien. Ze had meegewerkt aan het ontwerp van dit huis toen ze nog bij Oz Architecten werkte en hoewel het haar het warme gevoel gaf iets te hebben bereikt, veroorzaakte het ook een steek van spijt omdat het een hele tijd kon duren voor ze weer iets zou kunnen ontwerpen.

De bestrate oprijlaan volgde gestaag de helling naar het huis dat op de top van de heuvel stond. Het bestond uit glas, staal en oogverblindend wit pleisterwerk. Het huis lag tegen de heuvel genesteld en elk van de drie verdiepingen leek een reusachtige trede van een trap die omlaag liep naar het enorme zwembad dat zich eindeloos leek uit te strekken en van waaruit de zwemmers uitzicht op zee hadden. De gazons waren zo groen en kortgeknipt als een biljartlaken en de palmen, varens en exotische planten groeiden weelderig in de paar bloembedden.

Fleur parkeerde tussen haar vaders nieuwste model landrover en de Mercedes van Margot. Ze bleef even zitten om tot zichzelf te komen en na te gaan of er sporen waren van de roetsjbaan aan emoties van de afgelopen anderhalve dag alvorens ze het huis binnen stapte. Pap was veel te scherpzinnig en als hij ook maar het vermoeden had dat ze iets voor hem achterhield zou hij haar blijven lastigvallen tot hij alles wist – en ze was allesbehalve toe aan een dergelijk melodrama.

De enorme hal was na de hitte buiten koel en verwelkomend en haar sandalen kletsten op het marmer terwijl ze naar de zitkamer liep. Dat was, in Fleurs ogen, de beste kamer van het huis, want achter de potten met palmen en de grote leren sofa's was een glazen wand die een panoramisch uitzicht bood op hemel en oceaan. Ze bleef even staan om het schouwspel in zich op te nemen en probeerde een beetje enthousiasme te voelen voor deze familiebijeenkomst. Ze had vandaag beslist zonder gekund, maar alles was beter dan thuis zitten – alleen met haar verwarde gedachten en sombere gevoelens. En misschien dat ze, als het juiste moment zich voordeed, achter de identiteit van de geheimzinnige Annie Somerville kon komen.

Ze haalde diep adem, stak de glimmend geboende cederhouten vloer over, ging naar buiten naar het eerste terras en daalde langzaam de trap af naar het tweede. Het geluid van stemmen zweefde haar op de stille, warme lucht tegemoet en ze bleef even staan in de schaduw van een grote, betonnen bloemenvaas. Het gebeurde niet vaak dat ze met zijn drieën bij elkaar waren en het was beslist interessant om ze te bestuderen.

Ze zaten aan een lange tafel naast het zwembad op het onderste terras, beschermd tegen het felle zonlicht door een enorme witte parasol. Haar vader, Don Franklin, zat op zijn favoriete plekje aan het hoofd van de tafel. Zijn bonte overhemd spande om zijn middel en uit zijn witte, korte broek die tot op zijn knieën viel, staken een paar merkwaardig haarloze, dikke benen. Hij rookte een van zijn stinkende sigaren en de diamant in zijn zegelring knipoogde in de zon terwijl hij met zijn vingers op de armleuning zat te trommelen. Hij was in elk opzicht een grote man en op zijn eenentachtigste nog steeds een factor om rekening mee te houden.

Ze voelde niet veel genegenheid voor hem. Hij was een afstandelijke, veeleisende vader geweest die meende dat dure cadeaus haar loyaliteit en gehoorzaamheid konden kopen. Het enige wat zij had gewild, was een teken dat hij haar niet zozeer als een bezitting beschouwde, maar als iemand van wie hij kon houden en op wie hij trots kon zijn.

Het was dat gebrek aan liefde geweest dat haar tot de vrouw had gemaakt die ze nu was – gedreven door de noodzaak om op eigen benen te staan en vastbesloten om de reeks echtscheidingen in de familie te doorbreken door een sterk en langdurig huwelijk te sluiten waarin van kinderen werd gehouden die niet werden gezien als een grondstof die in een bepaalde vorm geperst moesten worden. Ze glimlachte schamper. Het had er veel van weg dat de familievloek haar uiteindelijk toch had weten te vinden, maar dat wilde nog niet zeggen dat ze zich daarbij neer moest leggen.

Haar twee veel oudere halfzussen zaten aan weerszijden van de tafel. Margot zat van haar wijn te nippen en zag er onmogelijk koel en elegant uit naast de truttige, oververhitte Bethany die sinaasappelsap naar binnen klokte en druk praatte, ongetwijfeld om de stilte die zwaar tussen hen hing te verbreken.

Fleurs gevoel van medeleven was vermengd met schuldgevoel. Beth was altijd als een moeder voor haar geweest en die ronde armen hadden haar gedurende haar eenzame jeugd troost en zekerheid geboden. Het was al lang geleden dat ze bij haar op bezoek was geweest en ze zou zich wel eenzaam voelen, nu haar kroost de deur uit was.

Ze nam zich voor om haar binnenkort op te zoeken en richtte haar blik op Margot. Ze was bijna een vreemde, dankzij het leeftijdsverschil, maar ze had deze oudere halfzus altijd te frêle en te veel op zichzelf gevonden om haar vriendschap te zoeken.

'Wat sta je daar te loeren, kind?' bulderde Don Franklin. 'Kom hier met die magere reet van je.'

Fleur werd opgeschrikt uit haar mijmeringen en nam de tijd om de laatste trap af te lopen. Ze kuste vluchtig zijn wang zoals van haar werd verwacht, glimlachte naar Margot en ging naast Beth zitten die haar hand bij wijze van groet vastpakte.

'Je bent te laat,' gromde hij.

'Ik was bijna helemaal niet gekomen.' Ze stak haar hand uit naar de gekoelde witte wijn. 'En als je zo onbeschoft tegen me blijft schreeuwen, ben ik zo weer weg.'

Zijn blozende gezicht spleet in tweeën in een grijns en hij hamerde met zijn vuist op de leuning van zijn stoel. 'Ha!' Hij wierp een boze blik in de richting van de andere twee. 'Die meid heeft pit,' zei hij trots. 'Ze is niet bang om haar ouweheer lik op stuk te geven.'

'Precies haar moeder,' zei Margot droog.

De dikke wenkbrauwen zakten over de bleekblauwe ogen. 'Laat die slet erbuiten,' gromde hij. 'Fleur lijkt op haar oude vader, nietwaar, meid?'

Fleur haalde haar schouders op. Ze wist wel beter dan zich in deze discussie te mengen. Selina was een gevoelig onderwerp. Ze had haar vader en haarzelf nog geen twee jaar na hun huwelijk laten zitten. Voor zover Fleur wist was er nooit enig contact geweest, tot haar vader haar de dag na haar zevende verjaardag vertelde dat ze een paar jaar eerder was omgekomen bij een auto-ongeluk. Fleur had geen idee hoe ze eruitzag – alle foto's waren prooi geworden van een vreugdevuur – en dus was ze opgegroeid met de vraag wie Selina was en waarom ze niet genoeg van Fleur had gehouden om haar mee te nemen. Don had duidelijk een hekel aan haar gehad en dat was voor Fleur een stimulans geweest om te bewijzen dat ze helemaal niet op de vrouw leek die hen beiden in de steek had gelaten. Toch vond ze het moeilijk om de nieuwsgierigheid te bedwingen die nog steeds op de loer lag.

'Margot zei dat je iets belangrijks te bespreken had,' zei Bethany, daarmee de ongemakkelijke stilte doorbrekend. 'Nu we allemaal hier zijn, kunnen we het daar misschien over hebben.'

'Dat kan wachten tot na de lunch,' zei hij luchtig en hij trok zijn favoriete, met zweet doordrenkte honkbalpet over zijn witte lokken.

'Waarom kunnen we het nu niet bespreken? Ik moet naar huis naar Melanie.'

Hij keek Bethany van onder zijn wenkbrauwen boos aan. 'We bespreken het als ik daar klaar voor ben en eerder niet.' Hij draaide zich om toen zijn huishoudster verscheen met een grote schaal vis en zeevruchten. 'Precies op tijd, zoals altijd, April,' bulderde hij. 'Ik hoop dat je aan de Moreton Bay-garnalen hebt gedacht?'

'Natuurlijk, meneer Franklin,' antwoordde ze kortaf. Ze spoorde haar jonge hulpje aan dat grote schalen salade in haar handen had en toen het eten eenmaal naar haar tevredenheid op tafel stond, ging het tweetal het huis weer in.

'Dat is een goed mens,' zei Don, terwijl hij het linnen servet in de kraag van zijn overhemd propte. 'Als ze niet zo verdomd preuts was, zou ik erover denken om met haar te trouwen.' Hij greep een handvol garnalen en begon te eten alsof hij uitgehongerd was.

Fleur zag dat Margot een wenkbrauw optrok en dat haar uitdrukking op een vreemde manier alert was, maar ze dacht er verder niet over na terwijl ze haar aandacht bij het uitzicht hield en aan een kerstomaatje knabbelde. De eetgewoonten van haar vader waren walgelijk en ook al keek ze niet in zijn richting, ze kon zijn tanden de garnalen horen vermalen en hem horen smakken. Haar eetlust, toch al niet denderend door de recente gebeurtenissen, was volledig verdwenen.

De lunch leek eindeloos te duren en het was duidelijk dat geen van hen veel trek had, maar Don Franklin was een man die goed eten niet verspilde en hij weigerde iets te bespreken tot hij de schaal leeg had en een enorme portie van Bethany's toetje had weggewerkt. Eindelijk leunde hij achterover in zijn stoel, veegde zijn mond af en boerde in zijn servet voor hij het op tafel gooide.

'Nu je klaar bent met eten, kun je ons dan eindelijk vertellen waarom we hier moesten komen?' zei Margot.

'Ik denk erover om weer te trouwen.' Don keek hen kwaadaardig aan terwijl hij op hun reactie wachtte.

'Daar was ik al bang voor,' zei Margot droog. 'Maar je zou verwachten dat je gezien jouw geschiedenis je verstand zou gebruiken.'

'Margot heeft gelijk,' zei Bethany terwijl ze haar servet zorgvuldig dichtvouwde en naast haar lege bord legde. 'Toen moeder was overleden ben je veel te snel hertrouwd en kijk wat er is gebeurd.' Ze keek naar Fleur en glimlachte. 'Het spijt me, schat, ik weet dat het je moeder was, maar Selina...'

'Selina was een vergissing, dat geef ik toe,' onderbrak Don, 'en dat geldt ook voor Rachel en Dawn. Maar deze keer is het anders.'

'Het is bij iedere vrouw die je tegenkomt anders,' mopperde Margot kil. 'Als je je dubieuze gunsten wilt rondstrooien, waarom heb je dan niet gewoon je pleziertjes en ga je daarna weer verder? Je hóéft niet met ze te trouwen.'

'Jij vindt het misschien prettig om zo te leven,' sneerde hij. 'Maar vertel me nou niet dat je gelukkig wordt van die speeljongetjes.' De blik in zijn verbleekte blauwe ogen was scherp en wreed. 'Je bent een *cougar*, Margot, een oude vrouw die geilt op jonge dekhengsten. Je bent niet in een positie om kritiek te leveren.'

Margots mond werd een dunne, dieprode lijn. 'En jij bent een vieze ouwe bok,' antwoordde ze koeltjes. 'Mijn jonge minnaars beantwoorden aan hun doel, maar ik ben niet zo verdwaasd en stom als jij om er met een te willen trouwen. Niet dat het jou iets aangaat.'

Fleur en Bethany keken geschrokken, maar vol bewondering naar Margot. Ze zagen hun chique, koele zus in een heel nieuw licht.

'Het gaat me wel aan wat jullie allemaal uitspoken en dat hou ik ook in de gaten,' mompelde Don om de sigaar heen die hij opstak. 'Dat houdt jullie alert.'

Bethany depte haar bezwete gezicht met een servet. 'Ik keur het hebben van... minnaars niet goed,' ze struikelde over het woord, 'maar ik ben het ermee eens dat het geen enkele zin heeft dat je op zo'n hoge leeftijd nog gaat trouwen. Je hebt hier alles wat je hartje begeert en April zorgt fantastisch voor je.'

'Ze houdt mijn bed niet warm.'

'Je bent eenentachtig,' bracht Bethany uit terwijl ze haar best deed om haar kalmte te bewaren. 'Je hoeft... dát... toch zeker niet meer?'

Don stootte een rauwe lach uit. 'Er zit nog leven genoeg in deze ouwe bok, meisje – en dat is meer dan ik kan zeggen van die man van je. Zo te zien heeft hij je al in jaren geen beurt meer gegeven.'

Bethany's gezicht werd vuurrood. 'Ik geloof niet dat we behoefte hebben aan dergelijke praat, pap.'

Hij glimlachte kwaadaardig terwijl hij stukjes garnaal en sla van zijn overhemd veegde. 'Als je niet al je aandacht op God richtte, zou Clive misschien niet zo vaak gaan golfen – als dat tenminste is wat hij doet.'

'Wat bedoel je?' Beth' stem klonk klein en bevend.

'Dat was nergens voor nodig, pap,' zei Fleur die tussenbeide kwam voor Don nog meer gif kon spuwen. 'Als je op die manier verdergaat, dan vertrekken we.'

'Je blijft hier tot ik zeg dat je kunt gaan.' Hij keek ieder van hen doordringend aan. 'Ik ben nog niet klaar met mijn plannen uit de doeken te doen.'

'We zijn geen kinderen meer die je kunt koeioneren,' zei Fleur opgewonden. 'We zijn vrij om te doen en te laten wat we willen en als jij doorgaat zo akelig te doen, heeft het voor ons geen zin om te blijven.'

Margot draaide haar wijnglas tussen haar vingers rond waardoor de zon op het kristal speelde. 'Ik geloof dat we allemaal een beetje moeten kalmeren en luisteren naar wat pap te zeggen heeft,' zei ze zachtjes. 'We komen nergens als hij zijn zegje niet kan doen.'

Don knikte en zoog aan zijn sigaar. 'Precies,' gromde hij. 'Het werd tijd dat jullie eens een beetje respect tonen.'

'Respect moet verdiend worden,' snauwde Margot. 'Voor de draad ermee, pap.'

Hij keek hen een voor een aan en nam de tijd. Hij genoot er duidelijk van om in het middelpunt van de belangstelling te staan. 'Ik ben in betere conditie dan de meeste mannen van mijn leeftijd, maar over een paar jaar wil geen enkele vrouw me nog hebben. Je moet het ijzer smeden als het heet is, is mijn motto. Ik moet een of andere leuke Miep vinden die voor me zorgt voor ik te oud word.' Hij grijnsde toen hij hun geschokte uitdrukking zag. 'Het is ook niet zo dat ik op jullie kan rekenen.'

'Dat is niet eerlijk,' zei Beth. 'Ik kom voortdurend langs om te vragen of alles goed gaat, om je cake en jam te brengen en om je gezelschap te houden.'

'Ik hoef helemaal geen cake en die verdomde jam, mens!' brulde hij. 'Ik wil seks – en vaak.'

'Doe niet zo walgelijk.' Bethany huiverde en ze werd opnieuw vuurrood.

'Dat wordt je dood nog,' zei Margot lijzig, 'en dat is dan je verdiende loon.'

'Maar wat een manier om eruit te stappen, hè?' Hij grijnsde om zijn dikke sigaar heen en zijn worstenvingers lagen op zijn buik.

'Ik kan hier niet meer naar luisteren,' zei Bethany en ze schoof haar stoel achteruit.

Fleur pakte haar arm en hield haar tegen. 'Zie je dan niet dat hij expres zo ruzieachtig doet? Hij zit ons gewoon te stangen, zoals altijd.' Ze draaide zich om naar haar vader en keek hem koeltjes aan. 'Als je alleen maar seks wilt, waarom neem je dan geen professional? Als ze je dan gaat vervelen – zoals bij al je vrouwen gebeurt – kun je haar gemakkelijk vervangen.'

'Ik betaal er niet voor,' tierde hij. 'Ik heb er nog nooit van mijn leven voor betaald.'

'Je hebt anders een behoorlijke prijs moeten betalen om die laatste twee kenaus van je nek te krijgen,' snauwde Margot, 'én je hebt sindsdien andere vrouwen betaald – elke relatie die je hebt gehad sinds onze moeder is overleden heeft je geld gekost, en ons.'

Hij deed er het zwijgen toe en keek woedend naar de zee terwijl zijn mond bewoog alsof hij zijn woede wilde wegkauwen. 'Het wordt deze keer anders,' zei hij koppig.

'Dat waag ik te betwijfelen,' zei Margot. Ze keek hem met een blik vol walging aan. 'Wie het ook is, ze is waarschijnlijk ouder dan Fleur, maar jonger dan Beth. Ze moet wel blond zijn, met benen tot aan haar oksels, ze wil dolgraag een rijk leventje en een platina creditcard in ruil voor haar hart. Het woord "goudzoeker" komt bij me op. Ik vraag me af waarom?' Haar stem droop van het sarcasme.

Zijn gezicht kreeg de zelfvoldane uitdrukking van een wellustige oude man. 'Wat ken je mijn smaak wat vrouwen betreft toch goed, Margot,' zei hij lijzig. 'Maar dat ik een grijze kop heb, wil nog niet zeggen dat ik seniel ben. Ik laat haar een huwelijkscontract tekenen.'

'Die dingen zijn het papier waarop ze zijn geschreven nog niet waard,' zei Margot kortaf.

'Geen grotere dwaas dan een oude dwaas,' mompelde Bethany.

'Ik ben geen dwaas,' bulderde hij. 'Tiffany wil dolgraag...'

'Tiffany?' Margot zat stijf rechtop met een uitdrukking van afschuw op haar gezicht. 'Toch niet de Tiffany die de schoonheidssalon in ons hotel in Coolum runt?'

Hij grijnsde. 'Een en dezelfde. Ze is een leuke meid, en zo attent. Ik ben halsoverkop voor haar gevallen.'

'Op je achterhoofd, zeker,' hijgde Margot. 'Ze is verdorie nog jonger dan Fleur.'

'Wat zou dat?' Hij haalde zijn schouders op. 'Ik kan er ook niets aan doen dat jonge vrouwen me aantrekkelijk vinden.'

'Ze vinden je geld aantrekkelijk,' mompelde Fleur, 'en dit allemaal.' Het handgebaar omvatte de prachtige omgeving.

'Ben je nou werkelijk zo ijdel dat je denkt dat een jonge vrouw echt wil dat je haar elke nacht bepotelt?' Bethany leek oprecht verbaasd.

'Een man van mijn leeftijd heeft bepaalde vaardigheden die alleen ervaring naar de slaapkamer kan meebrengen. Ik heb tot dusver nooit klachten gehad,' zei hij zelfvoldaan.

Ze huiverden bij de gedachte.

Hij wendde zich tot Margot. 'Ik heb geregeld dat Tiffany de dagelijkse leiding over het Coolum Resort Hotel overneemt. Ik heb in je hoedanigheid van algemeen directeur je handtekening nodig op de papieren.'

Margot verbleekte en haar hand beefde toen ze om tijd te winnen een slok witte wijn nam. 'Daar zal de hele raad van bestuur over moeten oordelen voordat ik ergens een handtekening onder zet,' wist ze ten slotte uit te brengen. 'Tiffany heeft geen enkele ervaring met het runnen van een hotel. Ze is maar een schoonheidsspecialiste.'

'Ze is een slimme meid, met een paar verrekt goede ideeën.'

'Slim of niet, de raad zal nooit bereid zijn dat risico te nemen.'

'Ik ben nog steeds de voorzitter,' gromde hij. 'De raad zal precies doen wat ik zeg. We hebben zes vakantieoorden en een keten motels. Tiffany de leiding geven over het Coolum zal helemaal niets veranderen – en ik wil dat ze de leiding krijgt, Margot, dat heb ik haar beloofd.'

'Dan zul je op je belofte moeten terugkomen,' antwoordde Margot. 'Het bedrijf kan zich geen gok veroorloven en het Coolum in handen geven van zo'n onervaren onbenul als Tiffany is geen optie.'

Ze had eindelijk zijn volle aandacht en hij schoot naar voren in zijn stoel. 'Wat bedoel je met, dat kunnen we ons niet veroorloven?'

Ze stak haar hand in haar tas en haalde er wat papieren uit. 'Dit zijn de laatste cijfers,' zei ze rustig en ze schoof de papieren over tafel. 'We verwachten dat de inkomsten de komende paar maanden zullen stijgen in verband met de Olympische Spelen in september, maar die winst kunnen we niet bestendigen en als Kerstmis en de jaarwisseling achter de rug zijn, wordt het moeilijk om nog zaken te kunnen doen.'

Hij greep de papieren en nam snel de kolommen met cijfers door. 'Waarom heb je me dit niet eerder verteld?'

'Daar heb ik nooit de kans voor gekregen,' antwoordde ze. 'Je was altijd druk, met die bevallige Tiffany ongetwijfeld.'

'Maar ik heb jou de leiding gegeven over de kuuroorden omdat ik verdomme dacht dat je wist wat je deed.' Hij smeet de papieren op tafel.

'Dat weet ik ook,' zei ze kalm. 'Je hebt me goed opgeleid. Ik zit al vanaf dat ik van school kwam in deze branche en ik heb vaak genoeg opkomst en ondergang gezien om het te kunnen herkennen.' Ze keek met een grimmig gezicht de tafel rond. 'De luxe privéhotels maken een neergang door. Mensen willen gewoonweg niet betalen wat we moeten rekenen wanneer ze naar een van die internationale ketens kunnen waar ze hetzelfde krijgen voor de helft van de prijs.'

'Maar de boekingen zien er voor de rest van het jaar en voor januari volgend jaar solide uit,' zei Beth zacht terwijl ze de getypte pagina's doornam. 'Daar kunnen we toch zeker op verder?'

Margot schudde langzaam het hoofd. 'De Olympische Spelen zorgen na de viering van de millenniumwisseling weliswaar voor een adempauze,' zei ze, 'maar we zullen onder ogen moeten zien dat de inkomsten de afgelopen twee jaar gestaag minder zijn geworden en er zijn geen tekenen die erop wijzen dat het beter wordt. De banken worden al een beetje nerveus – we zijn ze een heleboel geld schuldig.'

'Dat klinkt allemaal nogal zorgwekkend,' zei Bethany. 'Wat voor maatregelen stel je voor?'

'We zouden de hotels moeten verkopen, nu het nog kan – de directie van Devonshire Hotels heeft al interesse getoond – en ons dan richten op de motelketen. Die houdt ons overeind. En de banken van onze nek.'

'Gaat het echt zo slecht?' zuchtte Fleur.

'Ik ben bang van wel.' Margot leunde achterover.

'O, hemel,' zei Bethany met bevende stem. 'We kunnen toch wel iets doen wat minder drastisch is dan verkopen?'

'Ik verkoop helemaal niks,' bulderde Don. 'Mijn vader is dit bedrijf begonnen en ik ben niet van plan mijn levenswerk te verpatsen alleen om die verdomde banken tevreden te houden.'

'Als je niet failliet wilt gaan, zul je wel moeten.'

'Failliet?' Zijn normaal gesproken blozende gezicht verbleekte en hij omklemde de armleuningen van zijn stoel. 'Dat meen je niet.'

'Ik ben bloedserieus,' zei ze rustig. 'Het geld stroomt er veel harder uit dan het binnenkomt. De rente op de bankleningen is al erg genoeg, maar het kost een heleboel om die hotels draaiende te houden. Dat opgeteld bij de uitgaven voor dit huis en je verkwistende levensstijl – om nog maar te zwijgen van de alimentaties en de uitgaven voor je scharreltjes – kunnen we ons hoofd maar net boven water houden.'

Don zei niets en staarde uit over het water. Er parelde zweet op zijn bovenlip en hij was doodsbleek. Fleur had voor het eerst in haar leven medelijden met hem. Ze had hem nog nooit zo ontmoedigd gezien, zo sprakeloos.

'Ik besef dat je het idee afschuwelijk vindt,' doorbrak ze de geschokte stilte op rustige toon, 'maar ik denk dat het verstandig zou zijn om Margots advies op te volgen. Als we verkopen, verminderen we ons tekort en stellen we de banken gerust. Dat geeft ons de ruimte om ons te concentreren op de winstgevende kant van de onderneming.'

'Daar ben ik het mee eens,' zei Bethany met onvaste stem. 'Het spijt me, pap, maar het klinkt me heel verstandig in de oren.'

'Wat weet jij daar nou van?' schreeuwde hij. 'Mevrouw het huisvrouwtje met niks anders in je gedachten dan God en je verdomde toetjes.' De kristallen schaal werd van tafel geveegd en viel op de vloer in diggelen.

Bethany kromp ineen en de tranen stonden in haar ogen. 'Dat was mijn mooiste schaal,' stamelde ze.

Zijn blik was dodelijk. 'Wat betekent zo'n verrekte schaal vergeleken met mijn levenswerk? Mijn ouders emigreerden vanuit Engeland met dank aan de overheid op een kaartje van tien pond. Pa begon als assistent-bedrijfsleider in dat eerste hotel in Sydney, werkte dag en nacht en besteedde nauwelijks aandacht aan Annie en mij, en aan onze arme moeder. Maar dat was het allemaal waard toen hij het kon kopen en tegen de tijd dat hij met pensioen ging, bezat hij drie van de beste hotels in Australië.' Hij richtte zijn woedende blik beurtelings op ieder van hen. 'Dat was zijn nalatenschap aan mij, de basis van alles wat we vandaag de dag bezitten en geen haar op mijn hoofd die eraan denkt om die aan een of andere anonieme keten te verkopen.'

'Daar heb je niet veel over te zeggen,' onderbrak Margot. 'Van wat ik vandaag heb gehoord is het duidelijk dat Fleur en Beth volledig achter me staan en de rest van de raad van bestuur heeft al aangegeven dat ze het voorstel zullen aannemen.'

'En wat moet ik Tiffany dan verdomme vertellen?'

'Vertel haar de waarheid. Als ze maar half de vrouw is die ik denk dat ze is, dan heb je het laatste van haar gezien,' zei Margot kortaf.

'Je bent een harteloze trut.'

'Dat moest ook wel, om met jou te kunnen omgaan.'

Fleur zag dat hij worstelde om de bittere waarheid te aanvaarden en hoewel ze geschokt was om te zien hoe makkelijk hij eronder was gekregen, verbaasde het haar niet echt dat het familiebedrijf in de problemen zat. Drie jaar geleden was een eventuele verkoop al eens ter sprake gekomen en sindsdien bij elke algemene vergadering, maar zijn overdonderende manier van doen had iedereen steeds de mond gesnoerd en nu stond het water hun aan de lippen.

Ze vond het zielig voor Margot die al jarenlang onvermoeibaar werkte voor de onderneming en haar best deed om hun vader in het gareel te houden. Het moest vandaag moeilijk voor haar zijn geweest.

Maar Fleur wist dat Margot een stevige schikking had getroffen bij haar scheiding en dat ze een aardig salaris had bedongen bij het bedrijf. Haar pensioen zou ongetwijfeld net zo ruimhartig zijn.

Maar Bethany? Arme Bethany die ondanks alles van hun vader hield en zo ontzettend haar best deed om hem te plezieren. Zij zou het jaarlijkse dividend missen als daar een einde aan kwam, want ze vermoedde dat die haar een zekere mate van onafhankelijkheid gaf.

Haar eigen annuïteiten werden sinds Greg salarisverhoging had gekregen, opgepot op een spaarrekening met een hoge rente. Zij zou er niet zo veel van merken als de anderen. En dan was er natuurlijk nog de mogelijkheid van die geheimzinnige erfenis.

Ze leunde achterover en nipte van haar wijn terwijl het gekissebis om haar heen verderging. Was Annie Somerville dezelfde Annie over wie haar vader het zojuist had gehad? Was ze misschien zijn zus? En als dat zo was, waarom had hij haar dan nooit eerder genoemd? Het zou zeker een gedeeltelijke verklaring kunnen zijn voor het testament. Maar waarom had de zus van haar vader dan alles aan haar nagelaten en het niet eerlijk verdeeld over haar stiefzusters en haar?

Fleur dronk haar glas wijn leeg en concentreerde zich op het uitzicht op zee. Het was opnieuw een dag vol schokkende onthullingen geweest. Dit was zeker niet het moment om in de familiegeschiedenis te gaan graven, maar er moest wel antwoord komen op die vragen – en snel.

3

Fleur bracht Bethany terug naar Buderim. Margot was achtergebleven om samen met hun vader het papierwerk nog eens grondig door te nemen en Bethany wilde graag naar huis om Melanie nog te zien.

'Ik hoop dat ze er nog is,' mompelde ze toen ze de kust achter zich lieten en aan de klim naar Buderim begonnen. 'Ik weet gewoon dat ze me iets belangrijks wilde vertellen.'

'Als het echt zo belangrijk is, dan zal ze het je snel genoeg vertellen,' zei Fleur en ze wierp haar halfzus een meelevende blik toe voor ze door het verkeer manoeuvreerde. 'Tienermeisjes kunnen zo vreselijk geheimzinnig doen en meestal maken ze van een mug een olifant. Ik weet zeker dat het niets ernstigs is.'

Bethany leek niet overtuigd. 'Heeft ze iets tegen jou gezegd? Ik weet dat ze je soms in vertrouwen neemt – en dat is prima – maar je zou het toch tegen me zeggen als er iets aan de hand was, hè?'

'Natuurlijk.' Fleur was altijd bang geweest dat Beth gekwetst of jaloers zou zijn omdat Mel naar haar kwam voor goede raad, maar het meisje had haar als klankbord gebruikt wanneer ze vermoedde dat haar moeder iets niet zou begrijpen of het niet zou goedkeuren. Tot dusver waren het problemen geweest die iedere tiener had die probeerde wijs te worden uit het leven.

'Ze was altijd zo'n lief meisje,' verzuchtte Beth. 'Ik weet zeker dat ik op die leeftijd niet zo afstandelijk was.' Ze klopte Fleur op haar knie en lachte flauw. 'Jij in elk geval niet,' voegde ze eraan toe.

Fleur gaf geen antwoord. Haar tienerjaren waren lastig genoeg geweest. Ze had alleen geen behoefte gehad haar duivelse gedachten en de wisselingen in zelfvertrouwen met iemand te delen – zelfs niet met de bemoederende Beth. Maar ze had altijd geweten dat Beth van haar hield en ze had ervoor gezorgd dat ze wist dat die gevoelens wederzijds waren. Ze deed er het zwijgen toe en concentreerde zich op het drukke verkeer. De duvel en z'n ouwe moer zaten vandaag op de weg.

'Ik begrijp haar niet,' ging Beth verder. 'Ze is de hele tijd zo agressief en zo grof. Het is net alsof ze de afgelopen maanden een totale persoonlijkheidsverandering heeft ondergaan.' Ze omklemde haar handtas. 'Wat heb ik fout gedaan, Fleur?'

'Je hebt helemaal niets fout gedaan,' suste Fleur. 'Ze is een gewone tiener die probeert te ontdekken wie ze is en waar ze bij hoort.' Ze glimlachte. 'Hormonen zijn verraderlijk spul, zoals je vermoedelijk zelf op dit moment ook wel merkt.'

Bethany zat met de hengsels van haar tas te spelen. 'Ik had me niet gerealiseerd dat het zo duidelijk was,' zei ze, bijna in tranen. 'O, hemel.' Ze snoot haar neus. 'Het is zo'n afschuwelijke dag geweest en ik voel me helemaal uitgeknepen.'

'Dat verbaast me niets,' zei Fleur vlak. 'Pap was nog erger dan anders.' Ze wierp haar een snelle blik toe toen ze moest stoppen voor een verkeerslicht. 'Maar wat vond je van Margot? Wie had dat gedacht?'

Beth glimlachte flauwtjes. 'Ik heb altijd gedacht dat ze lesbisch was.'

'Beth!'

'Nou ja,' zei ze verdedigend, 'ze is zo dominant als een vrouw maar kan zijn, ondanks de merkkleding en hoge hakken.' Ze sloeg haar armen onder haar boezem over elkaar. 'Ze is ook nooit hertrouwd en dat vond ik behoorlijk verdacht.'

Fleur beet op haar lip om te voorkomen dat ze zou gaan giechelen. Beth had die superieure blik waardoor ze ging lijken op een ontevreden keeshond. Om te voorkomen dat ze haar zou beledigen, besloot ze het gesprek weer op Beth' gezondheid te brengen. 'Ik wed dat Margot hormoontherapie heeft,' zei ze terloops. 'Heb je daar weleens aan gedacht?'

Beth knikte. 'Ik heb alleen nog geen tijd gehad om een afspraak met de dokter te maken.'

'Doe dat dan, Beth. Je zult alles zo veel makkelijker aankunnen, vooral nu de laatste van je kinderen het huis uit gaat.'

Beth deed er een tijdje het zwijgen toe en staarde uit het raam. 'Ik heb altijd een groot gezin gewild,' zei ze uiteindelijk, 'en ik was zo gelukkig toen ze nog klein waren. Maar nu voel ik me nutteloos. Ze hebben me niet meer nodig, Fleur, en ik weet niet wat ik moet doen.'

'Kunnen Clive en jij niet gaan reizen? Je zei altijd dat je wat meer van de wereld wilde zien.'

Beth zuchtte. 'Clive wil zijn bedrijf niet in de steek laten en als golf geen onderdeel uitmaakt van de vakantie, dan kun je het wel vergeten.' Ze trok aan de belachelijke strik van haar blouse. 'Bovendien,' voegde ze er zachtjes aan toe, 'we hebben tegenwoordig nog maar zo weinig gemeen. Wat zouden we in vredesnaam tegen elkaar moeten zeggen?'

Daar had Fleur geen antwoord op. Ze was al doodmoe van een rusteloze nacht en Beth' stemming putte haar zo uit dat ze geen gevoelens meer overhad.

'Ik heb me vaak afgevraagd waarom Greg en jij, nu jullie getrouwd zijn, niet aan kinderen zijn begonnen,' ging Beth verder, 'maar dat was misschien wel verstandig. Kinderen breken uiteindelijk alleen maar je hart.'

Fleur voelde een steek van pijn en beet op haar lip terwijl ze zich uit alle macht moest beheersen om Beth niet in vertrouwen te nemen en haar hart te luchten. Maar dit was iets wat alleen Greg en zij konden oplossen en het zou niet eerlijk zijn tegenover Beth om haar nog meer te belasten.

Het was tijd voor een ander onderwerp. 'Pap was behoorlijk van zijn stuk over het feit dat het niet goed gaat met het bedrijf. Ik heb hem nooit eerder zo geschokt gezien.'

'Het was voor mij ook een akelige schok,' zei Beth. 'Ik zal mijn dividend aan het einde van het jaar missen. Het was leuk om een beetje eigen geld te hebben en niet voor alles bij Clive aan te hoeven kloppen.'

'Er komt ongetwijfeld een regeling waarbij we een aandeel in de winst van de verkoop krijgen,' zei Fleur.

'Dat zou leuk zijn. Misschien dat pap dan eindelijk tot rede komt en ophoudt zich als een tiran te gedragen, al betwijfel ik of hij zal veranderen. Mannen als hij veranderen nooit,' zei ze met verdrietige berusting.

Fleur liet de genoeglijke stilte tussen hen even voortduren en voelde toen dat dit misschien wel het moment was om haar vragen te stellen. 'Pap noemde iemand die Annie heet toen hij het over zijn ouders had,' zei Fleur luchtig. 'Is dat soms zijn zus?'

'Dat klopt.' Beth omklemde plotseling gespannen haar handtas.

Fleur zag dat met interesse en ging voorzichtig door met graven. 'Ik heb nooit geweten dat hij een zus had. Waarom heeft hij het nooit eerder over haar gehad?'

Beth zat bestudeerd naar buiten te kijken naar het voorbijtrekkende landschap. 'Ze hebben jaren geleden ruzie gekregen,' mompelde ze. 'Lang voor Margot en ik geboren waren.'

Haar tegenzin om meer te zeggen, maakte Fleur alleen maar nieuwsgieriger. 'Dus je hebt haar nooit ontmoet?'

Bethany voelde zich duidelijk niet op haar gemak en ze aarzelde voor ze antwoord gaf. 'Ik heb een fotoalbum gevonden toen ik twaalf was. Dat zat vol met van die oude sepiafoto's: familiefoto's, trouwfoto's en studioportretten met de naam in schoonschrift eronder. Ik vroeg pap wie Annie was en hij rukte het album uit mijn handen en stopte het in zijn bureau achter slot en grendel. Hij zei alleen maar dat het zijn zus was en dat haar naam nooit meer genoemd mocht worden.'

Fleurs gedachten maalden door haar hoofd. Bethany verborg iets, maar wat? Haar godvrezende, pijnlijk eerlijke zus zou toch zeker niet zitten te liegen – en als dat wel zo was, waarom? 'Hun ruzie moet over iets ernstigs zijn gegaan. Heeft hij een hint gegeven waarover?'

Bethany tuitte haar lippen en schudde haar hoofd. 'Ik weet alleen dat ze elkaar niet meer hebben gesproken sinds haar huwelijk met John Harvey. Pap kennende, moet het wel over geld zijn gegaan. Dat is tenslotte het enige waar hij om geeft.'

Er ging een golf van teleurstelling door Fleur die er de oorzaak van was dat ze bijna door het rode licht reed. 'Annie is getrouwd met John Harvey, niet met Somerville?'

Ze zat te draaien in haar stoel, zocht naar sleutels in haar handtas en vermeed nog steeds oogcontact met Fleur. 'Dat zei ik,' zei ze binnensmonds. 'Maar ik meen me ergens te herinneren dat ze is hertrouwd en de naam Somerville komt me vaag bekend voor.' Ze keek bedachtzaam naar Fleur. 'Vanwaar die plotselinge belangstelling voor een oude tante van wie niemand in jaren iets heeft gehoord?'

Fleur minderde snelheid toen ze de cul-de-sac in de voorstad naderden. 'Gewoon nieuwsgierigheid,' draaide ze eromheen. 'Het gebeurt niet elke dag dat je erachter komt dat je vader een geheimzinnige zuster heeft over wie niemand praat.'

'Dat ligt ver in het verleden,' zei Beth, 'en ze is inmiddels waarschijnlijk al overleden. Ze was een paar jaar ouder dan pap.' Toen ze de oprit indraaiden zag ze de scooter die bij de garage stond en er verscheen een glimlach op haar gezicht. Alle spanning die er was geweest, vloeide weg. 'Zo te zien is Mel er nog steeds. Ik moet ervandoor. Bedankt voor de lift.'

'Ik zie je later in de week nog wel,' riep ze terwijl Bethany het pad op rende en het huis in ging.

Fleur reed in de richting van de snelweg. Ze was blij voor Bethany dat Mel nog gebleven was en hoopte dat wat het ook was dat het meisje dwarszat het haar moeder niet nog meer pijn zou bezorgen.

Maar Fleur had haar eigen besognes. Het leek mogelijk dat Annie niet het product was van een wrede en verknipte verbeelding en dat betekende dat de erfenis, ongeacht de omvang, misschien nog meer onenigheid in een toch al verdeelde familie zou brengen.

En dan was Greg er nog. Ze was niet zo dom om te geloven dat een meevaller in de vorm van een erfenis hem wat kinderen betreft van mening zou doen veranderen. Ze was niettemin vastbesloten een uiterste poging te wagen, om al haar energie erin te steken hem ervan te overtuigen dat hun huwelijk de moeite van het redden waard was en dat ze heel goed in staat waren om perfecte ouders te worden.

Bethany liep gejaagd de keuken in, gooide haar tas op tafel en stond op het punt om Mel te roepen toen die in de deuropening verscheen. Haar glimlach verflauwde toen ze de uitdrukking op het gezicht van haar dochter zag en ze zette zich schrap voor de storm die zou volgen. 'Ik zet gauw thee,' zei ze in een poging om tijd te winnen, 'en dan kunnen we even bijpraten.'

Melanie kwam langzaam de keuken binnen en trok een stoel van onder de tafel. 'Hoe was je lunch?' vroeg ze met een duidelijk gebrek aan interesse.

'Anders,' antwoordde Bethany terwijl ze de ketel vulde.

'Hoezo anders?' vroeg Mel oplevend. 'Is opa eindelijk omgevallen?'

'Dat is niet aardig,' zei Bethany bestraffend.

'Wat is er dan gebeurd?'

Bethany vertelde haar alleen de meest opvallende feiten. Melanie was veel te jong om verhalen aan te horen over de liederlijke levensstijl van haar grootvader en de voorkeur van haar tante voor jongemannen.

'Geen wonder dat het zo lang duurde.'

'We hadden een hoop te bespreken.' Beth zette kopjes en bordjes neer en sneed nog twee stukken van de taart. Ze was weer uitgehongerd, hoewel ze een uitgebreide lunch had gehad en twee porties van het toetje, voor pap de schaal aan stukken smeet.

'Ik stond op het punt om weg te gaan,' zei Melanie zachtjes. 'Sophie en ik gaan vanavond naar een optreden en ik moet me nog klaarmaken.'

'Je weet dat ik het niet leuk vind dat je daar naartoe gaat,' zei Bethany terwijl ze de theepot volschonk. 'Is er niet iets te doen wat beter geschikt is voor de zondagavond? Volgens mij is er vanavond dansen in het gemeenschapsgebouw van de kerk. Er zijn vast nog wel kaarten.'

Melanie huiverde. 'Ik steek nog liever mijn ogen uit. Bovendien, wat is er nou mis met naar een optreden gaan? Pap en jij gingen vaak genoeg voor wij geboren waren.'

'Dat was anders,' zei ze gedecideerd. 'Toen waren er niet zo veel drugs en copuleerden mensen niet waar en wanneer ze maar wilden.'

Melanie snoof spottend. 'Ja, hoor. Alsof de hippierevolutie nooit heeft plaatsgevonden. Je zult verdomme wel te druk zijn geweest met je door God opgezette oogkleppen om er iets van te merken.'

Beth zag de minachting in het trekje om de mond van haar dochter en dat sneed haar door de ziel. 'Geen godslastering in dit huis,' zei ze op vlakke toon, 'en ik zou het op prijs stellen als je niet zo grof deed.' Ze ging zitten en deed haar uiterste best om kalm te blijven, maar haar hand beefde toen ze thee inschonk. 'Ik heb een zware dag achter de rug, Melanie, en ik heb geen zin in ruzie. Je bent veel te jong voor dergelijke dingen en daarmee uit.'

Melanies ogen bliksemden terwijl ze zich inspande om zich in te houden. 'Ik ben geen kind meer,' antwoordde ze vinnig. 'Die kaartjes kosten een bom duiten en ik laat Sophie zakken als ik mijn deel niet ophoest.'

Bethany dacht aan de driehonderd dollar die ze haar die ochtend had gegeven en ze voelde zich verraden. Mel had tegen haar gelogen. Ze nam een slokje van haar thee, en weigerde koppig commentaar te geven en liet het meningsverschil voor wat het was. Ze wist zeker dat Mel stond te trappelen om erop door te gaan.

Melanie klemde haar handen om haar theekop en haar donkere ogen keken haar nadenkend aan over de rand. 'Als ik toegeef wat dat optreden betreft,' begon ze, 'beloof je dan dat je niet door het lint gaat als ik je iets vertel?'

Bethany voelde een koude rilling over haar rug lopen. O, god, laat haar alstublieft niet aan de drugs zijn – of zwanger – of een of andere vreselijke seksuele aandoening hebben, bad ze in stilte. 'Dat kan ik niet beloven, Mel, maar ik zal rustig luisteren naar wat je te zeggen hebt.' Haar mond was kurkdroog en ze moest zich tot het uiterste inspannen om uiterlijk kalm te lijken terwijl haar dochter op haar stoel zat te draaien en naar de juiste woorden zocht voor wat Beth vermoedde dat als een bom zou inslaan.

Het kopje van Melanie rammelde toen ze het op het schoteltje zette. Ze ging met haar tong over haar lippen en bestudeerde geconcentreerd de inhoud van het kopje tot ze er plotseling uitflapte: 'Ik heb besloten er een jaar tussenuit te gaan voor ik naar de universiteit ga.'

God had haar gebeden verhoord, maar het voelde toch alsof ze een stomp in haar maag had gekregen. 'Nee,' wist ze uit te brengen. 'Dat mag niet. Dat kan niet.'

'Waarom niet? Iedereen doet het.'

'Maar de universiteit is iets wat je al wilt sinds je klein was,' stamelde ze. 'En je hebt zo hard gewerkt om een plekje te veroveren. Waarom, Mel? Waarom gooi je dat allemaal weg?'

'Ik gooi helemaal niets weg,' antwoordde ze met haar armen over elkaar geslagen en een koppige uitdrukking op haar gezicht. 'De universiteit heeft er geen problemen mee. Ze hebben beloofd mijn plekje te reserveren voor volgend jaar.'

'Doe niet zo belachelijk,' zei Bethany kortaf. 'Als je er een jaar tussenuit gaat, ga je nooit meer naar de universiteit. Dat heb ik keer op keer zien gebeuren en...'

'O, verdomme, mam.' Melanie schoof haar stoel achteruit en ging staan, armen over elkaar, Dr. Martens stevig op de keukenvloer geplant. 'Ik ben absoluut van plan om naar de universiteit te gaan – maar nu nog niet. Geef me verdomme een kans.'

Bethany staarde haar dochter aan en wist niet wat ze moest zeggen.

'Het is anders dan in jouw tijd,' ging Melanie verder. 'Het barst in Australië van de jongeren die er een jaar tussenuit gaan. Ze komen van over de hele wereld en ik wil erbij zijn.'

Bethany sloeg haar handen voor haar gezicht en deed wanhopig haar best om haar tranen binnen te houden en de teleurstelling te verwerken. Ze wist dat wat Melanie zei waar was. Brisbane zat vol met rugzaktoeristen en hun eigen hotels namen hen vaak in dienst als ze een werkvergunning hadden. Maar ze had gedacht dat haar dochter verstandiger zou zijn, meer gericht op haar toekomst.

Ze wreef met haar handen over haar gezicht en vermande zich. 'Als je er een jaar tussenuit gaat, zul je dat zelf moeten betalen,' zei ze kalm. 'Pap en ik geven je geen cent.'

Melanie haalde haar schouders op. 'Dat geeft niks,' zei ze nonchalant. 'Ik blijf trouwens toch niet in de buurt. We reizen met een stel Australië door en werken onderweg.'

Bethany keek haar vol afschuw aan. 'Reizen?' zei ze ademloos. 'Australië door?'

Melanie ging weer zitten en legde haar armen op tafel. Haar gezicht straalde plotseling enthousiasme en opwinding uit. 'We hebben wat geld opzijgelegd om de eerste paar weken door te komen en dan gaan we werken waar we maar kunnen.'

'Dat klinkt helemaal niet veilig,' zei Bethany zacht en ze wrong rusteloos haar handen. 'Je vader en ik zullen doodongerust zijn bij de gedachte aan jou daar ergens...'

Melanie legde haar handen op Bethany's vingers en hield ze stil. Haar uitdrukking was ernstig, haar blik vast. 'Heb je enig idee hoe beu ik het ben om te studeren? Ik word gek bij de gedachte dat ik nog eens vier of zes jaar door moet. Ik moet wat van het leven zien, mam, vrij zijn en mijn eigen weg zoeken.'

'Dat kan ook zonder als een zigeunerin rond te trekken. De hemel mag weten wat de buren ervan zullen zeggen – of de kerkenraad.'

Melanie trok abrupt haar handen weg. 'De buren en de kerkenraad kunnen m'n rug op,' barstte ze uit. 'Dat gaat ze geen ene moer aan.' Ze schoof haar stoel weer achteruit en begon door de keuken te ijsberen.

'Maar het is wel belangrijk, Mel. Je wilt toch niet het risico lopen dat je een reputatie krijgt...'

'Dat is nou precies de reden waarom ik uit dit verrekte mausoleum weg moet. Weg van jou, van de kerk en die bemoeizuchtige buren om wie je je zo druk maakt. Ik moet de vrijheid hebben om mijn eigen weg te zoeken en ik ben het beu om me door jou te laten verstikken, naar je te moeten luisteren terwijl je me de godganse dag vertelt wat ik wel en niet mag doen.'

Bethany schoof haar stoel achteruit en gaf Melanie een klap met een kracht die voortkwam uit haar opgekropte woede en teleurstelling. Het geluid weergalmde in de geschokte stilte, maar de grove taal en de wrede schimpscheuten waren te kort gevolgd op de uitval van haar vader en het was meer geweest dan Bethany kon verdragen.

Maar het was nog niet gebeurd of ze had al vreselijke spijt. 'O, Mel,' zei ze door haar tranen heen, 'dat had ik niet willen doen.'

'Jawel, dat wou je wel.' Mel wreef over haar gloeiende wang. Haar ogen spoten vuur en haar wenkbrauwen waren gefronst in een woedende uitdrukking. 'En ik zal het je nooit vergeven.'

'Zeg dat nou niet.' Bethany strekte haar armen uit naar haar dochter, maar werd afgewezen. 'Het spijt me zo verschrikkelijk, Mel. Ik heb zonder erbij na te denken uitgehaald. Ik ben zo moe en van streek en ik ben uitgeput door deze afschuwelijke dag.'

'Dat is nog geen reden om me te slaan.'

'Dat weet ik, maar je bleef maar doorgaan en doorgaan tot je grove taalgebruik en je kwetsende houding me te veel werden.' Haar benen dreigden het te begeven en ze liet zich trillend op de stoel zakken. 'Probeer het alsjeblieft ook van mijn kant te bekijken, Mel. Ik ben boos, teleurgesteld en het beu om te moeten vechten. Waarom ben je niet zoals Angela, blij met wat je hebt?'

'Ik vroeg me al af wanneer je over háár zou beginnen,' snauwde ze. 'Lieve Angela, mijn grote zus die nooit iets fout doet. Je lievelingetje.'

'Ze is niet mijn lievelingetje. Ik heb geen lievelingetjes, en dat weet je,' ging Bethany ertegen in terwijl ze haar neus snoot. 'Maar, eerlijk is eerlijk, ze ging wel naar de universiteit en daarna linea recta in het ziekenhuis werken.'

'Natuurlijk deed ze dat,' klonk het bitter.

'Waarom heb je me niet laten weten dat je dit van plan was?'

Melanie ging weer zitten en keek uitdagend. 'Ik had het je eerder willen vertellen,' zei ze zacht, 'maar ik wist hoe je zou reageren en dat kon ik niet aan.' Ze keek woedend naar haar moeder. 'En kijk niet zo naar me. Het is niet mijn schuld dat je te veel van me verwacht. Ik ben niet zo perfect als Angela en ik zou vroeg of laat toch niet aan je verwachtingen hebben voldaan. Het is waarschijnlijk maar beter dat ik het nu doe, dan hoef je in de toekomst niet teleurgesteld te zijn.'

'Nee.' Bethany stak haar hand uit, maar haar dochter schudde hem af. 'Je hebt me niet teleurgesteld, je hebt me alleen overdonderd. Ik wil alleen maar het beste voor je en...'

'Dan zou je moeten respecteren dat ik oud genoeg ben om mijn eigen beslissingen te nemen. Ik ga reizen, mam, en daarmee basta.'

Ze bekeek haar dochter en voelde een nieuwe steek. Fleur had gezegd dat Mel erachter moest komen wie ze was en waar ze bij hoorde, maar dat betekende toch zeker niet dat ze alles moest opofferen waar ze zo hard voor had gewerkt? Ze werd bekropen door een akelige twijfel. 'Heb je dit met Fleur besproken?'

Melanie schudde haar hoofd. 'Dat was ik wel van plan, maar Fleur heeft het veel te druk. Trouwens, dit is iets tussen jou en mij.' Haar mond vertrok tot een flauwe glimlach. 'Maar ik ga, of je het er nou mee eens bent of niet. Dus het maakt niet echt wat uit, hè?'

Bethany had haar buik ervan vol. Ze balde haar handen die op tafel lagen. 'Het maakt een heleboel uit en ik verbied je te gaan.'

'De jongens zijn ook gaan reizen,' zei ze boos.

'Voor jongens ligt het anders.'

'Dat is zo oneerlijk,' zei ze dreigend kalm. 'Ik wil meer dan dit.' Ze maakte een gebaar met haar hand dat het keurige, burgerlijke huis omvatte. 'Ik ben jou niet, of Angela, of de blije huisvrouwtjes met niet veel meer aan hun hoofd dan wat ze voor hun echtgenoot gaan koken en welke kleur geraniums er in de bloembakken moet. Het is mijn leven, mam, en ik zal het op mijn eigen manier leven.'

Bethany had het gevoel alsof ze in een draaikolk van verwarring was terechtgekomen waaruit geen ontsnappen mogelijk was. 'Als je zou laten merken dat je volwassen bent, zou ik misschien zeggen dat je gelijk hebt.' Haar keel werd dichtgeknepen door frustratie en woede. 'Je hebt hier duidelijk niet goed over nagedacht. Reizen kost tijd, geld, moeite en vervoer, en die scooter daarbuiten komt niet verder dan Mooloolaba.'

'We lenen de camper van de vader van een vriend. Hij heeft hem helemaal opgeknapt en we gaan werken om benzine en eten te kunnen kopen.'

'Jullie zullen als zwervers leven en werken op plaatsen waar een fatsoenlijk meisje zich niet zou mogen vertonen.' Ze slikte haar tranen weg. 'Ik heb de kranten gelezen, Mel. Ik weet wat voor vreselijke dingen jonge meisjes kunnen overkomen. Denk er alsjeblieft nog eens over na voor je je hier halsoverkop in stort.'

'Ik begrijp werkelijk niet waar je je druk om maakt. Pap zal opgelucht zijn dat ik hem niet meer voor de voeten loop, als hij überhaupt merkt dat ik er niet meer ben. En als we allemaal het huis uit zijn, heb jij alle tijd om te doen en laten wat je wilt.'

Maar dan heb ik alleen maar dat, tijd, dacht Bethany, en Clive zal gewoon verdergaan alsof er niets is veranderd. Ze besloot te proberen het een beetje goed te maken. 'Ken ik die mensen met wie je op reis gaat?'

'Ze komen voornamelijk van de middelbare school,' zei ze ontwijkend, 'dus nee, waarschijnlijk niet.'

'Zijn er ook jongens bij?'

'Jezus, wat maakt dat nou uit?'

'Ik heb je geleerd om respect te hebben voor je lichaam, Melanie. Ik hoop dat wat slapen betreft...'

Melanie zakte in elkaar alsof alle fut uit haar was verdwenen. 'Ik kan dit niet aan, mam. Ik heb gezegd wat ik wilde zeggen en het spijt me dat je het er niet mee eens bent, maar het is niet anders.'

Bethany barstte in een luid gesnik uit dat ze niet leek te kunnen stoppen. Het was alsof er een dam was doorgebroken. Haar hele wereld stortte in en ze had geen flauw idee waar ze moest beginnen om dat proces te stoppen.

Melanie legde een arm om Beth' schouder en vlijde haar wang tegen de hare. 'Ik ben nog steeds van plan om te gaan studeren,' zei ze zachtjes, 'alleen dit jaar nog niet.' Ze ging op haar hurken naast de stoel zitten en pakte Bethany's handen. 'Ik heb mijn droom om dierenarts te worden niet opgegeven, maar ik moet eerst een beetje van het leven proeven. Huil nou niet, mam.'

'En als ik dat doe, maakt dat wat uit?'

Melanie schudde haar hoofd. Ze had een bedroefde, maar vastberaden uitdrukking op haar gezicht. 'We vertrekken aan het einde van de maand. De jongens hebben al werk gevonden bij het schapenscheren in West Wyalong en de vrouw van de bedrijfsleider heeft hulp nodig in de keuken.'

'Schapenscheren? O, Mel, ik was van plan een groot feest te geven voor je achttiende verjaardag,' snikte Bethany. 'Ik heb het kerkgebouw al afgehuurd en alles gepland, de taart en alles.'

'Ik ben geen klein meisje meer, mam,' vleide ze. 'Ik hoef geen feesten in kerkgebouwen.' Ze glimlachte, waardoor haar gezicht oplichtte en ze er plotseling vreselijk jong uitzag. 'Geef me je zegen, mam, en ik beloof dat als ik terugkom ik cum laude ga afstuderen en de beste veearts van heel Queensland word.'

Bethany nam haar dochter in haar armen. Het verdriet zat heel diep. Haar kleine meisje ging het huis uit, ging de wijde wereld in waar haar van alles en nog wat zou kunnen overkomen – en er was absoluut niets wat ze kon doen om haar tegen te houden.

Ze sloten voorzichtig een breekbare vrede en toen Melanie een uur later opgewekt afscheid nam, deed Bethany haar best om dapper te zijn, haar tranen in te houden en de vreselijke leegte die haar dreigde te overvallen te negeren. Maar ze stond nog lang nadat het geluid van de scooter was weggestorven in de deuropening. Het duurde een hele tijd voor ze langzaam de deur dichtdeed en werd verzwolgen door de stilte van een leeg huis.

Ze stond midden in de keuken en zag toen pas het briefje dat Clive achter een koelkastmagneet had gestopt. Hij zou pas laat thuiskomen; zijn golfvrienden gaven een etentje om te vieren dat ze een of andere beker hadden gewonnen.

Dat deed de deur dicht en Bethany liet zich op een stoel zakken, begroef haar gezicht in haar handen en liet haar overweldigende gevoelens van mislukking en eenzaamheid die zich niet langer lieten ontkennen, de vrije loop.

Toen Fleur thuiskwam, zag ze dat Greg er nog steeds niet was en ook geen berichten had achtergelaten. Ze belde naar zijn mobiele nummer, maar werd meteen doorverbonden met zijn voicemail. 'Hoi,' zei ze aarzelend. 'Als je dit hoort, wil je me dan even bellen? Kom alsjeblieft naar huis, Greg. We moeten praten.'

Ze maakte een boterham voor zichzelf klaar, merkte dat ze geen trek had en gooide hem weg. Ze schonk een glas wijn in en nam dat mee naar buiten naar het terras. Ze liet de deur openstaan, zodat ze de telefoon kon horen. De hitte van de dag had plaatsgemaakt voor een zekere loomheid die haar leek te omarmen. Terwijl de duisternis viel en de lichtjes van Brisbane beneden haar twinkelden, probeerde ze zich geen zorgen te maken over Gregs langdurige afwezigheid.

Er bestond weinig twijfel dat hij nog steeds boos op haar was, maar hij zou zich toch zeker wel realiseren dat ze het onderwerp niet zomaar konden laten rusten en verder leven alsof er niets was gebeurd?

Ze moesten praten, ze moesten de tijd nemen om echt naar elkaar te luisteren en te proberen tot een soort wederzijds begrip te komen. Het was duidelijk dat hij vastbesloten was geen kinderen te krijgen en dat beangstigde haar, want als er geen compromis mogelijk was, dan zaten ze op een dood spoor.

Toen de klok van het stadhuis elf uur sloeg, ging ze naar binnen. Ze was uitgeput van de dag die achter haar lag en Gregs stilte betekende dat hij hoogstwaarschijnlijk vanavond weer niet van plan was naar huis te komen.

Net toen ze het licht uitdeed, zoemde de intercom. Ze nam fronsend op. 'Ja?'

'Ik ben het, Mel. Mag ik boven komen?'

De moed zakte haar nog meer in de schoenen terwijl ze op de zoemer drukte en bij de voordeur wachtte tot de lift zou arriveren. Melanie had geklonken alsof ze in tranen was en ze wist niet zeker of ze nog meer emoties aankon.

De deur ging open en Melanie stortte zich in Fleurs armen. 'O, Fleur,' snikte ze. 'Godzijdank ben je thuis.'

Ze hield het radeloze meisje in haar armen tot er een einde kwam aan de stortvloed van tranen, trok haar toen mee naar binnen en leidde haar naar een van de zitbanken. 'Wat is er in vredesnaam aan de hand – en wat doe jij op dit uur in Brisbane?'

Melanie veegde haar haar uit haar ogen en snoot haar neus. De mascara liep in strepen over haar gezicht en ze zag er vreselijk uit. 'Een vriend gaf ons een lift naar een concert in Southbank, maar ik kon het niet aan. Niet na vandaag.'

'Waarom? Wat is er gebeurd?'

Ze keek het appartement rond. 'Waar is Greg?'

'Weg.'

'O, god, hebben jullie ook ruzie gehad?'

'Hij is in het ziekenhuis,' antwoordde ze. 'Ik ben meer geïnteresseerd in de reden waarom jij zo overstuur bent.'

'Mam en ik hebben knallende ruzie gehad en ik heb een paar vreselijke dingen gezegd. Dat zal ze me nooit vergeven, dat weet ik gewoon.'

'Natuurlijk wel,' troostte Fleur terwijl ze de lok oranje haar van haar voorhoofd veegde en over haar vochtige wang streek. 'Ze is je moeder en moeders vergeven alles.'

'Denk je echt?'

Fleur knikte. 'Wil je erover praten?'

Ze hield Mel tegen zich aan gedrukt terwijl ze luisterde naar het verhaal dat met een nieuwe stroom tranen gepaard ging. 'Het klinkt alsof jullie allebei een zware dag achter de rug hebben,' zei ze toen Melanie eindelijk stilviel. 'Jullie lijken in elk geval tot een soort overeenstemming te zijn gekomen.'

'Maar ik heb haar aan het huilen gemaakt,' snikte ze, 'en dat was nooit mijn bedoeling.'

Fleur maakte zich voorzichtig los uit de omarming en nam haar betraande gezicht in haar handen. 'Probeer jezelf eens voor te stellen dat je in Beth' schoenen stond. Dan besef je misschien waarom het nieuws zo hard bij haar aankwam.'

Mels gezicht stond strak, haar oogleden waren gezwollen van het huilen en haar lippen trilden. 'Ze wil me thuis houden en me geen eigen leven laten leiden. Dan kan ik net zo goed non worden – dat is zo'n beetje het enige waar ze het mee eens zou zijn.'

'Nu heb je alleen maar medelijden met jezelf – en dit gaat niet alleen om jou, weet je, hoe verrassend dat ook mag klinken. Je moeder heeft het er moeilijk mee om haar lege nest te aanvaarden. Ze heeft haar hele leven voor jullie gezorgd en jullie gaan een voor een bij haar weg zonder een woord van dank of waardering.'

'Ze heeft pap toch nog,' mompelde Melanie.

Fleur zuchtte. 'Maar die heeft zijn werk en zijn golf. Ik durf te wedden dat hij er niet was om haar gezelschap te houden toen jij wegging, hè?'

Ze schudde haar hoofd en haalde haar neus op. 'Hij kwam vanmiddag thuis en zei dat hij die avond met zijn vrienden op stap ging.' Ze barstte opnieuw in huilen uit. 'Ik ben vreselijk egoïstisch geweest, hè? Gelukkig heb ik jou nog om mee te praten. Arme mam.'

Fleur trok haar tegen zich aan en ze zaten een paar minuten in stilte op de bank, een stilte die alleen doorbroken werd door Melanies snikken. 'Ze houdt van je, ze wil het beste voor je. Natuurlijk is ze teleurgesteld dat je niet gaat studeren zoals de bedoeling was. Ze is heel erg trots op je, wist je dat?'

'Dat weet ik wel,' mompelde Melanie die zich uit de omhelzing losmaakte en haar tranen droogde. 'Daarom was het vandaag zo moeilijk. Ik wist dat ze uit haar vel zou springen, maar ik had niet verwacht dat ze me zou slaan.'

'Soms helpt een klap om je op de werkelijk belangrijke dingen te concentreren,' zei Fleur op zachte toon, 'en het klinkt alsof je hem had verdiend.'

Melanie snufte en ging met haar vingers over haar wang. 'Dat had ze nog nooit gedaan,' zei ze binnensmonds.

Fleur vroeg zich af of dat een deel van het probleem was, maar besefte dat het weinig zin had daar iets over te zeggen. Ze keek naar haar nichtje dat niet in een toestand verkeerde om die avond nog ergens heen te gaan. 'Je kunt maar beter blijven logeren en een nachtje lekker slapen. En morgen ga je naar huis en geef je je moeder een dikke knuffel, een grote bos bloemen en minstens drie uur van je tijd.'

'Ze wil me toch niet zien,' snotterde ze, opnieuw in tranen. 'Ze haat me.'

Fleur haalde diep adem. Het zou een heel lange nacht worden, na een heel lange dag.

Greg was in slaap gevallen in een van de kamers die voor chirurgen van dienst gereserveerd waren. Hij werd pas wakker toen de schoonmakers van de nachtploeg de vloer van de gangen aan het boenen waren. Slaapdronken keek hij op zijn horloge en zag dat het al na elven was, waarschijnlijk te laat om Fleur nog te bellen. Maar toen hij zijn voicemail afluisterde, wist hij dat hij wel moest.

Het duurde lang voor Fleur opnam. Hij nam aan dat ze al lag te slapen. Omdat hij haar niet wakker wilde maken, stond hij op het punt op te hangen, toen ze opnam. 'Hoi,' zei hij zachtjes. 'Het spijt me dat ik zo laat bel. Ik heb je toch niet wakker gemaakt, hè?'

'Nee,' antwoordde ze en haar stem klonk merkwaardig gedempt. 'Mel is hier. We zaten te praten.'

'O.' De teleurstelling toen hij besefte dat ze hem niet miste, was maar een fractie groter dan de opluchting dat hij niet de woedeaanvallen van een tiener hoefde aan te horen.

'Ben je nog steeds in het ziekenhuis? Ik dacht dat je dit weekend vrij was.'

Er klonk een beschuldigende ondertoon in haar stem en hij reageerde met een vleugje gerechtvaardigde verontwaardiging. 'Ja, ik ben nog steeds in het ziekenhuis en ja, ik had eigenlijk vrij moeten hebben. Maar een van de chirurgen is ziek geworden en ik heb zijn dienst overgenomen.'

'Oké.' Ze bleef even stil. 'Kom je vanavond naar huis?'

Eigenlijk zou hij naar huis moeten willen, maar het was een volle en drukke dag geweest en hij moest er niet aan denken om te moeten luisteren naar een van Melanies litanieën. 'Het is waarschijnlijk beter dat ik vannacht in het ziekenhuis blijf,' antwoordde hij. 'Ik ben heel lang aan het opereren geweest en ik ben te moe om te rijden.'

'Oké.'

Ze klonk vlak en hij voelde zich een beetje schuldig. 'Gaat het wel?'

'Het gaat prima met me,' zei ze en haar stem klonk plotseling sterker, vastberadener.

Hij hoorde Melanie op de achtergrond snikken, herkende de geluiden die duidden op een woelige nacht die voor Fleur in het verschiet lag en was blij dat hij in het ziekenhuis kon blijven. Toch wist hij dat Fleurs 'Het gaat prima met me' precies het tegenovergestelde betekende en dat hij de confrontatie alleen maar aan het uitstellen was. 'Ik kom naar huis als je dat per se wilt,' zei hij aarzelend.

'Mel houdt me gezelschap,' zei ze vlak. 'Dus dat hoeft niet.'

Nu wist hij dat hij in de problemen zat, maar hij ploeterde verder. 'Ik heb een volledig operatieprogramma morgen, dus dan ben ik pas laat thuis. Heb je zin om samen te gaan eten in die bistro die je zo leuk vindt?'

'Misschien,' antwoordde ze enigszins kortaf, 'maar we hebben een heleboel te bepraten en ik denk niet dat een bistro daar de juiste plaats voor is. Jij wel?'

Hij ging met zijn tong over zijn lippen. Hij kon blijkbaar niets goed doen.

'Ik moet ophangen, Greg. Ik zie je morgenavond hier.'

Hij fronste zijn voorhoofd toen de verbinding werd verbroken. Ze had hem duidelijk niet vergeven – ze kon het nauwelijks opbrengen om met hem te praten – en hij was er zeker niet toe in staat om de laatste restjes van hun eerdere ruzie te doven.

Hij zette zijn mobiel uit, controleerde of zijn pieper volledig was opgeladen en ging weer naar bed. Morgen beloofde een drukke dag te worden en hij vermoedde dat hij zich aan het einde ervan net zo uitgewoond zou voelen als nu. Daarom was hij niet in de stemming om zijn gekwetste, boze vrouw onder ogen te komen. En toch zou dat moeten als hij zijn huwelijk wilde redden.

Het duurde lang voor hij in slaap viel.

Het was een waardeloze dag geweest en Margot had meer gekoelde chablis gedronken dan goed voor haar was. Maar ze had het gevoel dat ze het had verdiend – net als de erotische sensatie die haar geliefde nu bij haar opriep.

Ze kromde haar rug en gaf zichzelf over aan de losbandigheid van de geoefende tong die voelde en plaagde en haar alles deed vergeten. Zachte, bedreven handen liefkoosden haar slanke lichaam, gingen als een zomerbriesje over haar huid, omvatten haar kleine borsten en kneedden en trokken tot haar tepels hard waren en pijn deden van verlangen.

Margot snakte naar adem toen de golven van begeerte hoger werden en ze stak haar vingers in het donkere haar op het hoofd dat tussen haar dijen lag en duwde harder, meer verlangend, ongeduldig wachtend op het moment dat de golven zouden breken en haar zouden meevoeren.

Het hoogtepunt kwam als een explosie en ze gilde het uit toen de bevrijding daar was, waarna ze krachteloos en bevredigd terugviel in de kussens.

Het lenige lijf gleed over het bed en strekte zich naast haar uit. 'Voel je je nu beter?'

Margot keek in de grote bruine ogen en glimlachte. 'O ja,' zuchtte ze. 'Dat doe je zo goed.'

'Ik vind het fijn als je bij je vader op bezoek gaat. Daarvan ga je naar seks verlangen.' Er verscheen een frons toen de ogen werden samengeknepen. 'Kan dat iets freudiaans zijn, Margot?'

'Absoluut niet.' Ze lachte en rekte zich uit als een kat. 'Het is alleen dat mijn vader denkt dat hij alles van me weet. En daar is hij trots op. Hij noemde me vandaag zelfs een *cougar*.'

De bruine ogen werden groot en fonkelden van plezier. 'Dat meen je niet.'

'Jawel, schat, dat meen ik wel,' mompelde ze terwijl ze met haar vingers over haar van alle kussen gezwollen lippen ging. 'Je had het gezicht van Beth en Fleur moeten zien. Over geschokt gesproken.' Ze lachte en kroop dichterbij. 'Ik dacht dat die preutse Beth ter plekke een hartaanval zou krijgen.'

'Ik krijg zo een hartaanval als ik nog langer op mijn beurt moet wachten. Ik heb de hele dag aan je lopen denken en jij lijkt te zijn vergeten dat ik ook mijn behoeftes heb.'

Margot kuste de lippen die nog steeds de geur van haar verlangen droegen en ging zachtjes met haar handen over de strakke, zijdezachte billen van de vrouw van wie ze al jaren hield. 'Ik word nog vergeetachtig op mijn oude dag,' mompelde ze terwijl de verrukkelijke sensatie van huid tegen huid opnieuw de kop opstak.

Fleur staarde lange tijd naar de telefoon. Er waren zo veel dingen die ze had kunnen zeggen, maar in plaats daarvan had ze vijandig gedaan, was ze te zeer in beslag genomen geweest door Mel om echt te horen wat hij zei.

Had ze zijn uitnodiging voor een etentje bij Bijou Bistro moeten accepteren? De sfeer was er rustig en het kaarslicht maakte het er romantisch. De geur van olijfolie, basilicum, knoflook en versgebakken brood waren perfecte voorboden van een nacht vol intimiteit. Als ze de intieme bistro zijn kleine wonderen liet verrichten, zou misschien niet alles verloren zijn en zouden ze nadat ze de liefde hadden bedreven in een betere stemming zijn om zaken te bespreken die gevoelig lagen.

Ze zuchtte toen haar nichtje op blote voeten uit de badkamer kwam en zich op de bank liet ploffen. Bijou was voor romantiek, niet voor zware discussies over gevoelens. Ze zou zelf koken.

Melanie was onder de douche geweest en had een van Fleurs dunne katoenen nachthemden aangetrokken. Zo opgekruld in de kussens en zonder make-up zag ze er een stuk jonger uit dan zeventien. Alle lompheid en bombarie waren weggevaagd door de wetenschap dat ze fout had gezeten en haar moeder verdriet had bezorgd.

Het was alsof ze Fleurs gedachten had gelezen. 'Je moet niet tegen mam zeggen dat ik naar jou ben gekomen, Fleur. Dat zou haar nog meer pijn doen.'

'Als jij belooft dat je doet wat ik je eerder heb gevraagd.'

'Dat kan ik niet. Nog niet.'

'Maar waarom niet? Hoe langer je wacht, hoe moeilijker het wordt en Beth moet weten dat het je spijt. Ze moet weten dat ergens onder die prikkelbare houding en dat geverfde haar haar kleine meisje nog steeds van haar houdt.'

Mel snufte en snoot haar neus. 'Ik ga toch op reis, Fleur. Ze kan me daar niet van weerhouden, hoezeer het me ook spijt dat ik haar van streek heb gemaakt.'

Fleur besloot een einde te maken aan het gesprek dat in kringetjes ronddraaide door het over een andere boeg te gooien. 'Toen ik zo oud was als jij, ben ik tussen de middelbare school en mijn studie in nergens heen gegaan. Daarna ging ik rechtstreeks naar het architectenbureau om mijn aanstelling als architect te krijgen. Ik ben in zekere zin jaloers op je.' Ze trok haar benen onder zich en leunde in de kussens terwijl ze het meisje in haar armen trok. 'Vertel me eens wat je allemaal van plan bent.'

'We zijn met z'n zessen. Liam is fantastisch, hij heeft alles geregeld, tot en met het lenen van zijn vaders camper aan toe.'

Ze voelde iets van ongemak toen de naam Liam viel. 'Het zal zwaar worden,' waarschuwde ze, 'en beslist geen vakantie.'

Melanie haalde haar schouders op. 'We zullen net zo lang werken tot we naar de volgende plek kunnen, of de daaropvolgende. We redden het wel.'

'Je zult er versteld van staan hoe lastig het is om in deze tijd van het jaar losse baantjes te krijgen. Je zult concurrentie krijgen van al die jongelui die geen werkvergunning hebben en bereid zijn om voor een schijntje te werken,' zei ze zacht.

'Dat weet ik heus wel, ik ben niet gek,' mompelde ze slaperig. 'Liam zorgt wel dat alles goed komt, geen probleem.'

Ze streelde het haar van het meisje terwijl haar gedachten door haar hoofd tolden. Liam en Melanie waren vanaf haar eerste semester op de middelbare school een stel. Hij had op de universiteit gezeten en was een slimme jongen die iedereen teleurstelde toen hij na een jaar stopte met zijn studie. Voor zover zij wist had hij het afgelopen jaar alleen maar ongeschoold werk gedaan en was hij nergens lang gebleven. Joost mocht weten hoe die twee dachten Australië rond te trekken.

'Ik vind dat je Beth moet vertellen dat Liam met je meegaat – eerlijk gezegd zou hij ook met haar moeten praten. Daarmee is de lucht waarschijnlijk niet meteen opgeklaard, maar dan weet ze in elk geval hoe de zaken er voor staan.'

Mel keek haar van onder haar wimpers aan. 'Kun jij dat niet tegen haar zeggen? Jij bent zoveel beter in dat soort dingen.'

'O nee.' Fleur maakte zich los en keek haar nicht streng aan. 'Dit is jouw zooitje, niet het mijne, Mel, en als je als een volwassenen behandeld wilt worden, dan zul je je daarnaar moeten gedragen.'

'Maar ik...'

'Denk na, Mel. Voor Beth ben je nog steeds haar kleine meisje, maar je bent van plan om met je vriendje door Australië te trekken. Ze mag dan misschien niet zo dol zijn op Liam, zal het zeker niet goedkeuren dat je met hem naar bed gaat, maar ze kent in elk geval zijn ouders en vindt die respectabel. Dat zal haar een beetje geruststellen.'

'Ze had het er al over dat we met elkaar naar bed gingen.' Mel huiverde. 'Dat was vreselijk.'

'Ik hoop wel dat je de pil slikt,' zei Fleur streng. 'Anders neem ik je mee naar mijn dokter.'

'Maak je niet druk,' zei ze luchtig. 'Ik slik al twee jaar de pil. Maar ik begrijp nog steeds niet waarom jij mam niet over Liam kunt vertellen.'

'Als Beth erachter komt dat je eerst mij in vertrouwen hebt genomen, zal ze ons dat geen van tweeën vergeven. Iets dergelijks kan een vreselijke ruzie veroorzaken en er zijn al genoeg problemen in deze familie zonder dat jij het nog erger maakt.'

'Je hebt wel gelijk, geloof ik,' mompelde ze, 'maar ik weet niet zeker of Liam mam onder ogen wil komen. Hij is doodsbang voor haar.'

'Als hij mans genoeg is om je mee te nemen door heel Australië, dan moet hij Beth toch ook onder ogen durven komen.' Fleur stond op en trok het tegenstribbelende meisje overeind. 'Ik weet niet hoe het met jou zit, maar ik ben op en ik wil naar bed.'

'Ja, ik ook. Bedankt, Fleur.'

Ze maakte zich los uit de stevige omhelzing en zwaaide haar haar naar achteren. 'We hebben morgenochtend niet veel tijd om te praten omdat ik een hoop te doen heb, maar je moet me beloven dat je Beth alles vertelt voor je op reis gaat.'

Mel knikte met tegenzin en weigerde haar aan te kijken.

Fleur trok met een vinger de kin van het meisje omhoog tot ze haar aankeek. 'Beloof je dat, Mel?' zei ze kalm.

'Oké.' Ze zuchtte. 'Ik zal haar over Liam vertellen.'

Fleur liet haar achter bij de deur naar de logeerkamer en vluchtte naar de beslotenheid van haar eigen slaapkamer. Nadat ze had gedoucht en haar tanden had gepoetst, klauterde ze in het enorme, lege bed en trok het laken over haar hoofd. Het kussen rook nog steeds naar Greg, maar de warmte en het vertrouwde van zijn lange lichaam ontbraken en de lakens waren koel.

Ze begroef haar gezicht in het kussen. Ze verlangde naar de veiligheid en de troost van haar echtgenoot die ze zo vanzelfsprekend had gevonden. Maar er zou geen respijt zijn in die lange nacht voor de ziel.

4

Fleur ging de deur uit terwijl Mel nog lag te slapen. Ze bleef een uur in de sportschool waar ze zich in het zweet werkte voor ze begon aan haar gebruikelijke twaalf baantjes in het zwembad. Ze voelde zich energiek en was klaar voor alles wat de dag zou brengen. Ze belde Jason en sprak af om samen koffie te gaan drinken.

De koffiebar lag in het hartje van de stad en het was hun favoriete plek wanneer ze even aan kantoor konden ontsnappen. Jason was zoals altijd te laat en Fleur bestelde twee koffie met magere melk voor ze een tafeltje zocht.

Hij arriveerde, smetteloos gekleed in een pak en een opvallende, roze zijden das. De das was een beetje flamboyant, maar aan de andere kant, zo was Jason nu eenmaal. 'Hallo daar,' zei hij terwijl hij zich in de stoel naast haar liet vallen. 'Hoe gaat het ermee?'

'Ik heb dit horrorweekend maar net overleefd,' zei ze met een wrange glimlach. 'En jij?'

Jason nam een slok van zijn koffie. 'Vertel mij wat, schat. Je zou eens een weekend moeten doorbrengen met dat zootje van Enrique. Echt waar, lieve vriendin, die Spanjaarden zijn écht gevaarlijk als ze bij elkaar zijn. Ik weet niet hoe ik het heb overleefd zonder een alcoholvergiftiging of een gebroken neus op te lopen.'

Toen Fleur flauwtjes glimlachte, verdween de fonkeling uit zijn bruine ogen en liet hij die overdreven nichterige houding varen waarmee hij haar altijd vermaakte. 'Ik heb de indruk dat jouw weekend erger was dan een familieruzie. Wil je erover praten, schoonheid?'

'Mijn familie heeft de gouden medaille ruziemaken,' zei ze droog. 'Ik zou er zo onderhand aan gewend moeten zijn.'

Hij keek haar aandachtig aan. 'Nee,' zei hij zacht. 'Er is meer aan de hand. Wat is er gebeurd, Fleur?'

'Greg en ik hebben ruziegemaakt. Hij is sinds zaterdagochtend niet meer thuis geweest.'

'Hommeles in het paradijs, hè?' zei hij met een zucht. 'Ik wist dat het te mooi was om waar te zijn. Vertel, waar ging die ruzie over?'

Fleur vertelde het hem, maar ze koos haar woorden zorgvuldig. 'Ik weet zeker dat we er wel uitkomen,' zei ze ten slotte. 'We houden van elkaar, we vinden wel een manier.'

'Ik hoop dat je gelijk hebt.' Hij dronk zijn koffie op en leunde achterover in zijn stoel. 'Greg en jij zijn perfect samen.' Hij zuchtte dramatisch en sloeg zijn ogen ten hemel. 'Zó'n heerlijke man, zó jammer dat hij niet gay is.'

'Jammer voor het nichtendom, maar fijn voor mij. Bovendien ga je al veel te lang met Enrique om naar mijn echtgenoot te lonken,' zei ze en ze lachte. Jason was een uitstekend medicijn. Hij wist haar altijd uit de put te halen. 'Wil je nog een kop koffie en misschien een van die taartjes waar je de hele tijd al van loopt te kwijlen?'

Hij trok zijn neus op. 'Dat is heel verleidelijk, maar ik hoef maar aan gebak te ruiken en ik kom al kilo's aan. Ik wil nog wel een koffie – en zwart, alsjeblieft. Ik heb vreselijke koppijn.'

Fleur liep naar de bar om de koffie te bestellen terwijl Jason naar het toilet ging. Jason was vijfendertig jaar geleden geboren op een veeboerderij in de outback als zoon van een vader die weigerde te accepteren dat hij 'van de verkeerde kant' was en een moeder die geen mening durfde te hebben over dit onderwerp voor het geval haar dat een blauw oog zou opleveren. Hij was aan de kritische sfeer van dat bekrompen gemeenschapje ontsnapt om kunst en architectuur te gaan studeren en had in Brisbane uiteindelijk zijn plekje gevonden. Zijn moeder had na verloop van tijd haar moed bijeengeraapt en woonde nu in een aanleunwoninkje naast het huis aan de rivier dat hij al tien jaar met Enrique deelde. Hij was een fat en een modegek, een roddelkont en vreselijk nichterig, maar hij was ook een getalenteerde, fantasierijke architect en Fleur rekende hem tot haar beste vrienden.

Ze kwam terug bij het tafeltje en keek op haar telefoon of er berichten waren. Er was niets, niet van Greg en niet van Mel, en hun telefoons stonden uit. Ze had het akelige gevoel dat het meisje zou terugkrabbelen wat haar belofte betrof om het met Beth uit te praten – en dat bracht Fleur in een lastige positie. Vertellen of niet. Ze was hoe dan ook de klos.

Haar mobieltje ging net over op het moment dat ze het wilde wegstoppen. Ze deed het open in de hoop dat het Greg was, maar ze herkende het nummer niet. 'Fleur Mackenzie.'

'Mevrouw Mackenzie, goedemorgen.' De geaffecteerde Engelse stem verraste haar.

'U spreekt met Philip Raynor van Hart, Raynor en Hart in Sydney.'

Fleurs hart sloeg over. 'Môgge, Philip. Hoe gaat het?'

'Eh, heel goed. Dank u.' Hij was waarschijnlijk nog maar pas in het land aangezien hij slecht op zijn gemak was met de informele manier van begroeten die in Australië werd gehanteerd. 'Ik reageer namens mevrouw Jacintha Wright op uw telefonische boodschap. Zij is al onderweg naar Brisbane voor de jaarlijkse bijeenkomst van de Law Society. Ik begrijp dat u haar brief hebt ontvangen en dat u zich afvraagt of de brief echt is.'

'Ik dacht dat het om een grap kon gaan,' gaf ze toe terwijl ze het mobieltje tegen haar oor drukte.

'Zeer terecht dat u zich dat afvraagt,' antwoordde hij en zijn ronde klinkers klonken door de telefoon nog ronder. 'Men kan niet voorzichtig genoeg zijn, nietwaar?'

'Dat kan men zeker niet.' Fleur onderdrukte een glimlach, want ze zag de ongetwijfeld gezette man in het krijtstreeppak voor zich die hoogstwaarschijnlijk in een leren stoel in zijn kantoor zat uit te kijken over Darling Harbour. Waarom klonken advocaten altijd zo hoogdravend?

'Ik kan u verzekeren dat de nalatenschap echt is, mevrouw Mackenzie, en dat mevrouw Wright zich erop verheugt u te ontmoeten.' Hij wachtte even en ze hoorde het geluid van papieren die verschoven werden. 'Aangezien de brief zo mooi op tijd is gearriveerd, vroeg mevrouw Wright zich af of het u misschien beter uitkomt om haar vandaag te spreken. Ze heeft om vijf uur een gaatje in haar agenda.'

Haar hart bonsde. 'Vandaag is prima,' antwoordde ze snel en ze negeerde het feit dat ze zich dan zou moeten haasten om op tijd thuis te zijn om zich te verkleden voor ze met Greg ging eten.

'Dat is geweldig. Met zo'n grote erfenis is het vaak beter om de zaken zo snel mogelijk af te handelen, zodat we ratificatie van het testament kunnen aanvragen.'

Fleur ging met haar tong over haar lippen. 'Ik neem aan dat u me niet een idee kunt geven van de omvang van de nalatenschap?'

'Niet over de telefoon,' antwoordde hij. 'Mevrouw Wright zal u vanmiddag alle relevante informatie geven. Goedemorgen, mevrouw Mackenzie.'

'Opgeblazen pad,' mompelde ze terwijl ze de telefoon dichtdeed. 'Je had me best een hint kunnen geven.'

'De zaken moeten er wel heel slecht voor staan als je in jezelf begint te praten,' zei Jason die eindelijk uit de toiletten tevoorschijn was gekomen. De zorgvuldig geblondeerde pieken in zijn haar waren in de gel gezet en de heerlijke geur van Paco Rabanne golfde door het café. Hij ging op het puntje van zijn stoel zitten en keek haar openlijk nieuwsgierig aan.

'Je zou eens moeten leren je met je eigen zaken te bemoeien,' zei ze vriendelijk terwijl ze haar best deed niet in de lach te schieten. 'Hoeveel heb je precies opgevangen?'

'Ik spitste mijn oren bij het woord "nalatenschap",' zei hij. 'Wie is er dood?'

'Een ver familielid,' antwoordde ze kortaf terwijl ze haar aandacht op haar koffie richtte.

Dat flintertje informatie was niet genoeg om zijn nieuwsgierigheid te bevredigen. 'En nu krijg je wat geld?' Hij boog zich naar haar toe en bedwelmde haar bijna met de exotische geur van zijn aftershave. 'Kom op, schoonheid, voor de draad ermee. Hoeveel heb je gekregen?'

Ze wilde haar fantastische nieuws graag delen, maar omdat ze het nog steeds niet kon geloven, bleef ze afhoudend. 'Ik heb geen idee,' zei ze naar waarheid, 'maar zodra ik het weet, ben jij een van de eersten die het hoort, dat beloof ik. Drink nou je koffie maar op.'

De uren vlogen niet bepaald voorbij, ook al hadden Jason en zij langs de winkels gezworven en ergens aan de rivier geluncht. Toen Jason halverwege de middag wegging omdat hij met Enrique had afgesproken, ging ze naar huis om zich om te kleden en een paar telefoontjes te plegen. Ze liet boodschappen achter voor Beth, Greg en Mel en gaf het op. Waarom was er niemand bereikbaar als zij iemand nodig had om mee te praten?

Fleur ruimde gefrustreerd en rusteloos het appartement op, keek in de koelkast, maakte een boodschappenlijstje en werkte haar make-up bij. Ze bekeek zichzelf in de slaapkamerspiegel en was, ondanks de kringen onder haar ogen, tevreden over het effect.

Ze had haar haar uitgeborsteld tot het als een glanzende waterval over haar schouders stroomde. De schelpvormige knopjes in haar oren en de dunne gouden ketting om haar nek oogden discreet en zakelijk – en de linnen witte hemdjurk bevatte net genoeg kunststof om niet al te veel te kreuken.

Ze was klein en dat was altijd een probleem als het erom ging dat mensen haar serieus namen – gebrek aan lengte leek in de ogen van sommige mensen synoniem met onvolwassen zijn – maar met hakken van een centimeter of zeven voelde ze zich een stuk vlotter en beter in staat om wat er ook voor haar lag onder ogen te zien. Ze keek op haar horloge, pakte haar handtas en ging het appartement uit. Het was nog geen kwart over vier en ze was veel te vroeg voor haar afspraak, maar ze kon naar de bar van het Hilton gaan en alvast een koud drankje nemen.

De ingang van het Hilton lag aan Elizabeth Street en terwijl ze de paar treden naar de hal met de receptie op liep, kwam ze langs een bord waarop de deelnemers aan de conferentie van de Law Society werden verwelkomd. Ze vertelde de receptioniste van haar afspraak en liep door naar de bar, bestelde een glas gekoeld sinaasappelsap, ging zitten en pakte een tijdschrift.

Het was druk in het hotel. Gasten kwamen en gingen, hadden klachten of namen brochures mee. Het tijdschrift bleef ongeopend en het sap nauwelijks aangeroerd terwijl Fleur de bedrijvigheid gadesloeg, aangenaam gerustgesteld door het schouwspel dat zo aan haar jeugd deed denken.

Ze hadden destijds in het appartement op de bovenste verdieping van het familiehotel in Brisbane gewoond en ze had vaak stilletjes in een hoekje van de foyer haar huiswerk zitten maken terwijl haar vader bezig was zijn koninkrijk te besturen. Ze had altijd genoten van de rustige efficiëntie van het personeel en de voortdurende stroom keurig geklede mensen over wie ze allerlei verhalen verzon. Tegen de tijd dat ze op de middelbare school zat mocht ze een paar diensten meedraaien achter de balie, maar het werd haar al snel duidelijk – tot teleurstelling van haar vader – dat ze niet in de wieg gelegd was voor het hotelvak.

'Mevrouw Mackenzie?'

Fleur schrok op uit haar mijmeringen en zag een keurig geklede, tamelijk aantrekkelijke vrouw van middelbare leeftijd met een strak kapsel en een op maat gemaakte rok en jasje. 'Mevrouw Wright?' Ze stond op; ze gaven elkaar een stevige hand en stelden zich met hun voornaam voor.

Jacintha Wright droeg schoenen met lage hakken, maar torende desondanks boven Fleur op haar naaldhakken uit. Haar make-up was vlekkeloos, ze droeg nauwelijks sieraden, ze had een vriendelijke glimlach en sprak met een Zuid-Australisch accent met een zacht brouwende r. 'Ik heb geregeld dat we een directiekamer kunnen gebruiken,' zei ze. 'Daar kunnen we ongestoord praten.'

Fleur pakte haar tas en liep met bonzend hart en droge mond achter haar aan de lift in. Niet op haar gemak deed ze er het zwijgen toe terwijl Jacintha haar telefoon raadpleegde om te zien of er berichten waren en de lift hen naar de twintigste verdieping bracht.

Terwijl de deuren openschoven en Fleur de gedempte stilte van het exclusieve vertrek binnenstapte, voelde ze haar hart zo stevig tegen haar ribben bonzen dat ze ervan stond te kijken dat Jacintha het niet kon horen.

'Ik heb koffie en water besteld, maar als er iets anders is...' De woorden bleven tussen hen in hangen en Fleur schudde haar hoofd. 'Water is prima,' wist ze uit te brengen.

Ze gingen in comfortabele stoelen zitten die om een ronde tafel stonden. Fleur dronk uit het kristallen glas en klokte het water naar binnen alsof ze zojuist een marathon door de woestijn had afgelegd. Ze ving Jacintha's blik op en grijnsde. 'Ik ben nogal zenuwachtig,' verklaarde ze.

'Dat begrijp ik,' reageerde ze zacht terwijl ze haar aktetas opendeed en er een dikke map uithaalde, samen met een paar documenten die zorgvuldig waren opgerold en bijeen werden gehouden met een roze lint. 'Maar ik denk niet dat het vandaag een vreselijke bezoeking voor je wordt.' Ze legde een introductiebrief van haar advocatenkantoor tussen hen in op tafel. 'Ik heb begrepen dat je graag zeker wilde weten dat het hier niet om een of andere grap gaat,' zei ze met een glimlach terwijl ze achteroverleunde en haar handen losjes op schoot vouwde.

Fleur wierp een blik op de brief en voelde zich een beetje belachelijk.

'Heb je nog vragen voor ik begin?'

'Een stuk of duizend.' Fleur wierp haar een nerveuze glimlach toe. 'Maar ik vermoed dat de belangrijkste is of Annie Somerville echt mijn tante is.' Ze schoof heen en weer in haar stoel. 'Tot gisteren wist ik niet eens van haar bestaan af.'

Jacintha trok een zorgvuldig geëpileerde wenkbrauw op en schoof vervolgens het uitpuilende dossier naar zich toe. 'De vervreemding van haar familie heeft ze altijd heel pijnlijk gevonden,' zei ze. 'Maar ze was inderdaad de oudere zus van je vader.'

'Heb je haar ontmoet?'

'Pas in de laatste maanden van haar leven. Daarvoor hadden we per post of via de telefoon contact met elkaar. Ze was een heel lieve dame.' Jacintha haalde een foto uit het dossier. 'Ze wilde dat ik deze aan je gaf.'

Fleur zag het glimlachende gezicht van een vrouw die ondanks het verstrijken der jaren mooi was gebleven. Ze droeg een bloemetjesblouse en een goed zittende broek, haar dikke, witte en golvende haar was weggeborsteld van een breed voorhoofd, ze had gebogen wenkbrauwen, diepliggende ogen en hoge jukbeenderen. Haar kin was wilskrachtig, maar er blonk plezier in haar ogen terwijl ze in de camera keek.

'Ik heb die foto de laatste keer dat ik bij haar op bezoek ging gemaakt. Ze wist dat ze stervende was, maar dat zou je niet zeggen, hè?' Haar stem klonk zacht en verdrietig en de woorden bleven in de stilte hangen.

Fleur voelde een golf van verdriet. 'Wat was het? Kanker?'

Jacintha knikte.

'Ik wou dat ik haar had gekend,' zei Fleur, 'maar als ik hiernaar kijk, komt ze me op een vreemde manier zo bekend voor. Misschien zijn het alleen de familietrekken die ik zie.'

Jacintha schraapte haar keel en kwam ter zake. 'Ik moet een identiteitsbewijs van je zien, Fleur. Het spijt me, maar dat is nu eenmaal de wet.' Ze nam het rijbewijs van haar aan, noteerde de gegevens en gaf het weer terug. Ze pakte het dikke dossier en haalde twee kopieën van Annie Somervilles testament tevoorschijn.

'Het is waarschijnlijk het handigst als ik het voorlees en jij meeleest op je eigen exemplaar. Afgezien van een paar kleine legaten, gaat het merendeel van de nalatenschap onder een paar beperkende voorwaarden naar jou. Er zullen uiteraard successierechten moeten worden betaald, maar Annie had duidelijk een uitstekende financieel adviseur en zelfs na de verkoop van verschillende zaken zal de erfenis nog aanzienlijk zijn. Als je vragen hebt of als er iets is wat je niet begrijpt, dan moet je het zeggen.'

Jacintha's stem leidde haar rustig door het juridische jargon en ging vervolgens naar de ruime legaten voor verschillende kinderfondsen. Fleur merkte op dat het merendeel te maken had met de kinderen van 'Empty Cradle' en 'Stolen Generation', waar de laatste tijd zo veel over te doen is geweest in de media.

'Waarom heeft Annie voor die fondsen gekozen? Was dat omdat ze zelf geen kinderen had?'

Jacintha keek haar over haar halvemaanvormige bril aan. 'Annie was zeer begaan met rechtvaardigheid – vooral waar het kinderen betrof. Zij was een van de eersten die zich inzette voor hun zaak en voelde zich in het gelijk gesteld toen zowel de Australische als Britse regering ermee instemde om de mogelijkheid van het aanbieden van excuses te bespreken – maar het kan natuurlijk nog wel een tijdje duren voor het zover is.'

Fleur knikte begrijpend en Jacintha boog zich weer over het testament.

'Ik laat tienduizend dollar na ten behoeve van het voortdurende onderhoud van het kerkhof en het familiegraf en nog eens tienduizend dollar aan de Flying Doctors als blijk van erkenning voor het geweldige werk dat ze in de afgelegen gebieden verrichten.'

'Ik laat aan mijn nicht Fleur Leanora Mackenzie (geboren Franklin) het beheer over de veeboerderij Savannah Winds, Postbus 1459 in de Northern Territories na, met een levenslange pacht voor mijn vriend en jarenlange metgezel Djati Wishbone. Fleur Leanora Mackenzie zal een jaarlijkse uitkering uit deze trust ontvangen, alsmede veertig procent van de winst.'

Jacintha kwam aan het einde van de eerste pagina en keek Fleur over haar bril aan. 'De papieren van de trust zal ik bij je achterlaten zodat je die op je gemak kunt bekijken. Laat ik voorlopig volstaan met te zeggen dat de bewindvoerende bank verantwoordelijk is voor het beheer van de trust en ervoor zal zorgen dat het aandeel in de winst jaarlijks wordt uitgekeerd. Bij je overlijden komt er een einde aan de trust en zal het eigendom worden verdeeld onder je kinderen.'

'En als ik geen kinderen heb?' Fleur had een droge mond en haar hart klopte pijnlijk in haar borst.

'Dan wordt alles verkocht en wordt de opbrengst verdeeld onder verschillende goede doelen.'

'Wie is Djati Wishbone?'

Jacintha zette haar bril af en glimlachte. 'Djati is een oorspronkelijke Australiër die al sinds zijn jeugd daar woont. Hij is nu een oude man, maar zijn gezin en hij runnen het bedrijf al sinds Annie een jaar of dertig geleden naar Queensland verhuisde. Annie wilde ervoor zorgen dat de boerderij niet plotseling zou worden verkocht en dat hij een rustige oude dag zou hebben.'

Ze keek Fleur bedachtzaam aan. 'Het is uiteraard aan jou en aan de bewindvoerders wat er moet gebeuren als hij het tijdelijke met het eeuwige verwisselt, maar ik zou tekortschieten als ik je niet waarschuwde dat Djati en zijn familie daar geworteld zijn en dat zijn zoons en kleinzoons er goed voor zorgen.'

Fleur nam een slokje water en merkte dat haar handen trilden. 'Wat mij betreft kunnen ze blijven,' zei ze onzeker. 'Ik weet helemaal niets van veeboerderijen, behalve dat ze meestal heel uitgestrekt zijn en erg geïsoleerd liggen.' Ze keek Jacintha bijna argwanend aan. 'Hoe groot is Savannah Winds?'

Jacintha glimlachte. 'Het beslaat zo'n tweehonderdvijftigduizend goed geïrrigeerde hectares. In lekentermen uitgedrukt, is dat een gebied van ongeveer vijftig bij vijftig kilometer.'

Fleur probeerde zich een gebied van dergelijke omvang voor te stellen, maar slaagde daar niet in.

'Ik begrijp dat de boerderij écht afgelegen is, maar er lopen redelijke wegen naartoe en Cloncurry ligt maar een paar dagen rijden in het oosten. Het bestaat voornamelijk uit grasland en moerasland, maar er zijn ook wat graanvelden en vijf huizen, een paar schuren en accommodatie en kookgelegenheid voor minstens twintig veedrijvers die in het seizoen het vee verzamelen. De machines en al het overige horen er uiteraard allemaal bij.'

Jacintha pakte een stapeltje papieren bij elkaar en aarzelde even voor ze die overhandigde. 'Je zult zien dat de waarde van Savannah Winds geschat wordt op 8,5 miljoen dollar.'

'Acht miljoen?' zei Fleur ademloos. 'Niet te geloven.' Ze staarde Jacintha aan, niet in staat om zich te bewegen of na te denken terwijl die enorme som door haar hoofd spookte.

'Nogal een bedrag, hè?' lachte Jacintha. 'Misschien kun je beter eerst even op adem komen voor we verdergaan. Bedenk wel, je hebt alleen maar recht op een jaarlijkse uitkering. Het hele bedrag wordt pas gerealiseerd als de boerderij wordt verkocht. En de waarde fluctueert,' waarschuwde ze.

'Over wat voor jaarlijkse uitkering hebben we het hier?' vroeg ze afwezig.

'Afhankelijk van de markt en hoe het seizoen op Savannah Winds verloopt, wordt die geschat op ergens tussen de vijftigduizend en tweehonderdduizend dollar.'

Fleur werd licht in het hoofd en had vlinders in haar buik van opwinding. 'Ik moet iets sterkers hebben dan water,' bracht ze uit. 'Kunnen we wijn laten komen?'

Jacintha knikte en liep naar de telefoon aan de muur, vroeg Fleur wat ze het liefste dronk en bestelde een fles Jacob's Creek pinot noir. 'Dat is ook mijn favoriet,' zei ze terwijl ze weer ging zitten.

Fleur hoorde haar nauwelijks, want ze was nog steeds verbijsterd over Annies enorme erfenis en de veranderingen die hij in haar leven teweeg zou brengen. Ze zaten in stilte te wachten tot de serveerster de wijn kwam brengen. Ze schonk voor hen in en zette vervolgens de fles in een houder op tafel. Toen de deur achter haar dichtviel, hieven de vrouwen het glas en brachten een toost uit op Annie Somerville.

'We moeten verder,' zei Jacintha. 'Ik heb een afspraak om te gaan eten en ik mag niet te laat komen.' Ze raapte haar papieren bij elkaar en zette haar bril goed. 'Verschillende kleinere bezittingen zijn bestemd om te worden verkocht om de successierechten te kunnen betalen, net als een groot deel van Annies investeringen. Haar portefeuille is uitstekend beheerd en er zal ongeveer tienduizend dollar aan aandelen en obligaties overblijven. Dat is voor jou als het testament is erkend.'

Fleur nam een slokje van haar wijn en probeerde te verwerken wat Jacintha allemaal vertelde, maar het was alsof haar stem van heel veraf kwam.

'Birdsong is het tweede onroerend goed dat Annie je heeft nagelaten, Fleur. Dat was dertig jaar lang Annies thuis en ze was er dol op.' Jacintha kreeg tranen in haar ogen en haar uitdrukking werd teder. 'Het is een prachtig oude Queenslander, gelegen ten noorden van Cairns in een privébaai die Annie Kingfisher Bay noemde. Ze runde het in de beginjaren als een klein hotel en heeft het vol gezet met antiek en souvenirs die er vandaag de dag nog steeds zijn. Haar vriendin Amy Parsons zorgt er nu voor en alles is precies zo gebleven als het was – zoals Annie wilde – speciaal voor jou. Ze dacht dat je misschien wel iets over haar leven te weten wilde komen.'

Fleur knikte, te geëmotioneerd om iets te zeggen.

'Het heeft zes slaapkamers, met alle voorzieningen op het gebied van water en elektriciteit. Het huis staat op twaalfduizend vierkante meter grond met de voorkant vlak bij de hoogwaterlijn en het heeft toegang tot het Daintree regenwoud. Projectontwikkelaars hebben Annie voortdurend benaderd met waanzinnige aanbiedingen, maar ze was vastbesloten het te houden als toevluchtsoord en veilige haven, niet aangetast en niet bedorven door de buitenwereld.'

Jacintha keek haar weer over haar bril aan. 'Ik heb begrepen dat je architect bent en daardoor op beperkte schaal betrokken bij de golf van projecten langs de oostelijke kust. Annie was heel erg geïnteresseerd in je opleiding en je carrière en ze had het gevoel dat je een dergelijk toevluchtsoord met respect zou behandelen.'

Fleur vroeg zich af hoe Annie haar carrière had gevolgd en waarom ze zo geïnteresseerd was geweest. Maar ze had het gevoel dat Jacintha niet beschikte over de antwoorden op die vragen en dat die alleen gevonden konden worden in een van Annies huizen.

'Ik ben blij dat ze vertrouwen heeft in mijn beoordelingsvermogen,' antwoordde ze, 'en ja, ik benader al mijn projecten met oog voor de omgeving. Er zijn zo veel prachtige oude gebouwen die zijn opgeofferd aan de projectontwikkelaars, en als we zo doorgaan zal er niet veel overblijven van de breekbare erfenis van de geschiedenis van Australië.'

'Dat vind ik ook.' Jacintha zette haar bril af en nam een slok van haar wijn. 'Plekken als Birdsong zijn uniek, maar zijn helaas zeer geliefd onroerend goed geworden in de jacht op verdere ontwikkeling. Ik moet je waarschuwen, Fleur. Het laatste bod dat Annie heeft afgeslagen bedroeg vier miljoen dollar.'

Greg stroopte de dunne rubberhandschoenen af en zette zijn mondkapje af terwijl een verpleegster zijn operatieschort losmaakte en alles in de stortkoker voor het wasgoed gooide. 'Dank je, Susie. Het team heeft goed gepresteerd vandaag. Ik denk dat we ons eten wel hebben verdiend.'

Susie Chapman knipperde met haar wimpers terwijl ze naar hem opkeek. Haar grote, blauwe ogen boven haar masker waren net schoteltjes. 'Het is een lange dag geweest. Ik ben toe aan een borrel.'

Greg hoorde de uitnodiging in haar stem en negeerde die. Zuster Chapman had een oogje op hem en in de aparte sfeer van de operatiekamer waar een chirurg het verschil tussen leven en dood in handen had en waar de spanning hoog opliep, was dat een risico en het diende ten koste van alles te worden vermeden.

'Ik ga vanavond met mijn mooie vrouw eten,' zei hij terwijl hij zijn horloge pakte en op weg ging naar de kleedkamer en douches. 'Tot morgen, Susie.'

Hij liep de kleedkamer binnen, kleedde zich uit, stapte onder de douche en genoot van de hete waterstralen. Zijn rug deed pijn en er zat een knoop in zijn nekspieren, maar ondanks zijn vermoeidheid keek hij er niet echt naar uit om naar huis te gaan. Hij vermoedde dat daar een storm broeide.

Andere dokters kwamen binnen en gingen weer weg terwijl hij zich langzaam aankleedde en tijd verknoeide met loze babbels. Hij besefte dat hij gevaar liep te laat te komen, pakte zijn weekendtas en liep naar de parkeerplaats.

Zijn pieper ging af op het moment dat hij het autoportier had dichtgeslagen.

Binnen enkele seconden rende hij terug over het parkeerterrein en stormde door de deuren naar binnen. Hij liet de lift links liggen en vloog met twee treden tegelijk de trap op en was buiten adem toen hij op de kinderafdeling kwam.

De gordijnen om het bed in de hoek waren dichtgetrokken en Greg hoorde de bijna zwijgende wanhoop van de verpleegsters en coassistenten terwijl ze de noodprocedure uitvoerden. Hij greep de stethoscoop van een assistent en luisterde naar de nauwelijks waarneembare hartslag die haperde en stopte terwijl Shane Philips voor zijn leven vocht.

'Hij heeft een inwendige bloeding.' Greg was al bezig het bed naar de deur te duwen. 'Roep het operatieteam op en zeg dat we onderweg zijn.'

Met een grimmige uitdrukking op zijn gezicht reed hij het bed door de gangen naar operatiekamer 2. Shane was pas vijf en had zo dapper geknokt om zijn vaders klappen en zijn moeders verwaarlozing te overleven – maar Gregs grootste angst werd bewaarheid. Het lichaam van het kind was te vaak gebroken geweest en nu stond zijn beschadigde hart op het punt het te begeven.

Hij wendde zich tot de verpleegster die naast hem rende. 'Bel mijn vrouw en zeg dat ik laat thuis ben en bel dan de moeder. Als ze ook maar een beetje aangeschoten klinkt, hou je haar in de familiekamer en geef je haar een grote pot koffie.'

Greg was binnen een paar minuten geboend en voorzien van een operatieschort en zijn gedachten waren volledig bij de ophanden zijnde operatie. Toen hij naar zijn patiëntje liep en zijn hand klaar hield voor het scalpel, bad hij dat zijn vaardigheden het kind niet in de steek zouden laten en dat hij op tijd was om hem te redden.

Fleur had het gevoel dat ze zweefde toen ze het Hilton uit liep. Haar omgeving was in een kleurige, vormloze massa verdwenen en de geluiden gingen verloren in een mist van verbazing en opwinding terwijl ze over de markt zwierf en inkopen deed voor een bijzonder etentje en een grote bos bloemen kocht.

Ze had geen flauw idee hoe ze erin was geslaagd om zonder ongelukken terug te rijden naar het appartement, want ze kon zich niets van de rit herinneren. Ze legde haar aankopen op het aanrecht, zette haar favoriete muziek op en probeerde zichzelf te kalmeren terwijl ze onder de ontspannen, romantische orkestklanken de bloemen in een vaas zette.

Al snel vulde de geur van witte lelies het appartement en hulden rode rozen zich in wolken gipskruid. Ze stond in het woongedeelte haar vreugde en opwinding te koesteren en een sensuele, intieme avond te plannen. Allereerst zou ze zich onderdompelen in een geurig en langdurig bad, vervolgens haar haar opsteken, zich mooi opmaken en dat frivole zwarte jurkje en de sandalen met hoge hakken aantrekken die Greg zo sexy vond. Het eten klaarmaken zou niet veel tijd in beslag nemen. De kreeft en de garnalen waren al gekookt en ze hoefde alleen nog maar de zelfgemaakte dressing door de salade te doen. Daarna waren er aardbeien met slagroom en geschaafde chocola en uiteraard champagne.

Ze poetste de glazen eettafel tot hij glom en dekte vervolgens met kristal, zilver en een schaal perfect witte rozen. Tevreden haastte ze zich naar de slaapkamer. Het was bijna zeven uur en Greg zou zo thuiskomen.

Het zwarte jurkje zat een beetje krap en ze fronste haar voorhoofd terwijl ze het gladstreek over haar heupen en haar spiegelbeeld bekeek.

Ze had vergeten dat het zo kort was. De stof kleefde van de diep uitgesneden hals tot halverwege de slanke dijen als een tweede huid aan haar lichaam. Ze grinnikte toen ze in de sandalen met hoge hakken stapte. Het was maar goed dat ze vanavond niet uitgingen, want haar kleding grensde aan het pornografische en ze hoopte eerlijk gezegd dat Greg dat ook zou vinden en haar er binnen een paar minuten na zijn thuiskomst van zou ontdoen.

Ze was vol verwachting en de adrenaline maakte haar gezicht en de manier waarop ze bewoog levendiger. Ze haastte zich de slaapkamer uit en trof de laatste voorbereidingen voor het eten. Ze deed folie over de borden en zette ze samen met de salade en de aardbeien in de koelkast. Het was al acht uur. Greg was laat.

Ze rukte haar schort los, deed een beetje parfum op haar hals en polsen en dwaalde vervolgens doelloos door het appartement, te rusteloos om te gaan zitten, te afgeleid om zich op iets anders te kunnen concentreren dan Gregs thuiskomst.

Greg keek op de klok in de operatiekamer. 'Tijdstip van overlijden, twintig uur vijfenveertig,' zei hij in de onwerkelijke stilte die in de operatiekamer hing, nu alle machines waren stilgezet.

De dood bracht altijd verdriet en het vreselijke gevoel te hebben gefaald met zich mee voor het personeel en dat werd weerspiegeld in de manier waarop ze nu in een stil eerbetoon om de operatietafel stonden en naar het kleine lichaam keken. De dood van een kind raakte hen allemaal en degenen met kinderen zouden die avond naar huis gaan en ze stevig in hun armen nemen, dankbaar dat ze veilig waren, dat het lot hen had gespaard.

Er brandden tranen in Gregs ogen toen hij het gezichtje aanraakte en zachtjes de lok blond haar wegstreek die over het gladde voorhoofd lag. Hij wou dat hij in God kon geloven, wenste dat hij geloof kon hechten aan het idee dat kinderen werden opgenomen in de liefhebbende armen van Jezus. De werkelijkheid van het leven – vooral van het leven van dit kind – maakte dat onmogelijk, want als God bestond, waarom had hij Shane dan zo laten lijden? Waarom hem het leven schenken als dat hem zou veroordelen tot jaren van pijn en angst?

'Ik maak het hier wel af,' zei Susie Chapman zachtjes. 'Ga naar huis, dokter Mackenzie.'

Greg deed zijn rubberhandschoenen uit, rukte zijn groene schort af en gooide ze aan de kant. Hij was uitgeput en terneergeslagen, maar zijn plicht was nog niet volbracht en hij zag vreselijk op tegen de komende paar minuten. 'Ik moet het eerst aan de moeder vertellen. Waar is ze?'

Naarmate de tijd verstreek was Fleur steeds zenuwachtiger gaan ijsberen. Pas toen ze naar de telefoon keek en zich afvroeg of ze het ziekenhuis zou moeten bellen, zag ze het lichtje van het antwoordapparaat knipperen.

Ze zette het aan en hoorde de stem van de verpleegster en liet zich tegen de muur zakken. Greg zou doodmoe en geprikkeld zijn van de spoedoperatie en als het niet goed was verlopen... Het liet zich niet voorspellen in wat voor stemming hij dan zou zijn. Ze zuchtte en vroeg zich af wat ze nu het beste kon doen. Ze kwam tot de slotsom dat ze gewoon zou moeten wachten en dan maar zien. Ze schopte haar schoenen uit en liep naar de koelkast.

Ze dimde de lichten en met de gevoelige stem van Mick Hucknall op de achtergrond maakte ze de fles champagne open, zakte in de zachte kussens van de bank en liet haar verbeelding de vrije loop. Ver beneden haar twinkelden de lichtjes van Brisbane; de zwartfluwelen hemel die zich over de stad en het land erachter uitstrekte was bezaaid met sterren en de sikkelvormige maan had de kleur van goud.

Terwijl ze zich langzaam door de fles champagne dronk en haar gedachten alle kanten opgingen, keek ze naar de sterrenhemel en vroeg zich af hoe die er boven de Savannah zou uitzien waar geen sprake was van lichtvervuiling. Zou het echt zo adembenemend zijn als mensen beweerden? Had Annie naar de sterren gekeken en zich net als zij verwonderd over de enorme uitgestrektheid? Keek ze nu op Fleur neer en glimlachte ze vanwege de vreugde die ze haar had gebracht? Ze hoopte van wel.

Greg stapte de lift uit en nam het tafereel in zich op. Fleurs hooggehakte sandalen lagen midden in de kamer en het strakke zwarte jurkje was omhooggeschoven terwijl ze op de bank lag te slapen zodat haar parmantige kontje zichtbaar was. Er stond een bijna lege champagnefles op de grond naast haar, in haar hand hield ze een leeg glas. De tafel was gedekt met hun mooiste zilveren bestek en kristal, overal stonden bloemen en er klonk romantische muziek. Hij schopte zijn schoenen uit en liep naar de keuken waar hij in de koelkast kreeft, garnalen, aardbeien en nog meer champagne zag.

Hij leunde tegen het aanrecht en keek hoe ze lag te slapen. Zijn hart zwol van liefde, maar hij zuchtte vermoeid en ongerust. Fleur wilde blijkbaar tot het uiterste gaan in haar pogingen om hem over te halen kinderen te nemen, maar champagne en lekkere hapjes konden dat niet voor elkaar krijgen – zeker niet na vandaag.

Hij wilde haar niet wakker maken, nam een pak sap uit de koelkast en liep op zijn tenen in de richting van de logeerkamer. Hij wist dat hij laf bezig was, maar hij zou beter aan haar verwachtingen kunnen voldoen als hij een nacht behoorlijk had geslapen.

'Greg?'

Verstijfd bleef hij in de deuropening staan.

'Wanneer ben je binnengekomen?' vroeg ze en haar stem klonk onduidelijk door de slaap en de alcohol. 'Waarom heb je me niet wakker gemaakt?'

Hij draaide zich om terwijl ze onhandig opstond, haar jurk rechttrok en een poging deed haar haar te fatsoeneren. 'Je lag zo lekker, ik wilde je niet storen,' zei hij en hij zette het vruchtensap op de eetbar.

'Maar ik heb op je liggen wachten,' zei ze en ze pakte de fles champagne en mikte het laatste beetje in haar glas. 'En, o jongen, Greg, ik heb je toch zoiets bijzonders te vertellen.' Ze nam een slokje en gaf toen het glas aan hem. 'Hier,' zei ze, 'neem een slok. Het is feest.'

Hij probeerde redelijk te blijven en zijn uitdrukking warm en niet bedreigend te laten zijn. 'Zo te zien heb je al genoeg gefeest,' zei hij zacht, terwijl hij het glas van haar overnam en haar opving toen ze tegen hem aan viel.

Ze gooide haar hoofd achterover en keek hem aan. 'Ik ben nog maar net begonnen,' zei ze met fonkelende ogen en op een uitdagende toon. 'Relax, Greg. Neem een borrel.'

Hij had haar nog nooit zo gezien en het baarde hem zorgen. Het haalde herinneringen naar boven waarvan hij dacht dat die al lang begraven waren. Maar hij wist dat het geen zin had haar tegen te spreken. En als ze nog meer dronk, bestond het risico dat de boel uit de hand liep en ze weer ruzie zouden krijgen.

'Laten we maar zorgen dat je in bed komt,' zei hij en hij sloeg zijn arm om haar middel zodat hij haar in de richting van de slaapkamer kon manoeuvreren.

'Graag,' giechelde ze, 'maar alleen als je belooft heel ondeugend te worden.'

'Ik bedoel om je roes uit te slapen,' zei hij kalm. 'Het was geen aanbod.'

Fleur dook bij hem weg en keek hem pruilend aan. 'Ik wil niet slapen,' mompelde ze en ze stak haar handen uit naar de knoopjes van zijn overhemd. 'Kom op, Greg, uit de kleren.'

Hij legde zijn hand op haar friemelende vingers. 'Hou op, Fleur. Ik ben uitgeput en absoluut niet in de stemming.'

Ze keek hem lodderig aan en fronste haar voorhoofd. 'Je bent toch niet boos meer op me, hè?'

'Natuurlijk niet.' Hij probeerde zijn ongeduld te temperen, streek haar haar naar achteren en kuste haar voorhoofd. 'Maar ik heb een vreselijke dag achter de rug en het enige wat ik wil is gaan slapen en het allemaal vergeten.'

'Maar dat kan niet,' protesteerde ze. Ze draaide zich onvast om en wees naar de tafel. 'Ik had de hele avond gepland, zodat we het konden vieren.'

Er begon iets kils te knagen in zijn trage hersenen. 'Vieren?' vroeg hij behoedzaam.

'Ja,' zei ze terwijl ze vergeefs probeerde haar sandalen aan te trekken. 'Ik heb je iets heel belangrijks te vertellen, maar eerst moet je eten en champagne drinken.' Ze liet de hoge hakken voor wat ze waren, zwalkte blootsvoets naar de koelkast en haalde de tweede fles tevoorschijn.

'Die hoef je voor mij niet open te maken,' zei hij haastig. 'En wat eten betreft, ik heb in het ziekenhuis al gegeten omdat ik dacht dat je onderhand wel zou slapen.'

Ze keek naar de klok en haar ogen vernauwden zich. 'Sinds wanneer ga ik voor tienen naar bed?' Ze trok het goudkleurige folie van de fles, draaide aan het ijzerdraad en wurmde vakkundig de kurk uit de fles. Ze keerde zich van hem af en schonk de champagne voorzichtig in twee schone glazen. 'Je hoopte toch niet dat je me zou mislopen, hè?' Haar stem was laag en op een vreemde manier gespannen.

Hij ging met zijn handen door zijn haar voor hij ze weer in de zakken van zijn laaghangende spijkerbroek stopte. 'Natuurlijk niet, maar het is laat en ik ben uitgeput na een lange, moeilijke dag. Het enige wat ik wil is naar bed.'

'Klinkt als een goed plan,' mompelde ze. 'Maar laten we eerst champagne drinken. Misschien dat je humeur dan wat beter wordt.'

Hij deed even zijn ogen dicht en haalde een keer diep adem. 'Er is niets wat mijn humeur vanavond kan verbeteren,' antwoordde hij bedachtzaam, 'en champagne al helemaal niet. Misschien is het verstandiger als ik in de logeerkamer ga slapen.'

'Waarom?' Haar toon werd scherp, ze plaatste de glazen op de eetbar en zette haar handen in haar zij. Ze leek plotseling een stuk ontnuchterd, meer ontvankelijk voor zijn stemming en dientengevolge agressiever. 'Wat is er met je aan de hand? Je wilt niet vrijen, je wilt geen champagne en nu ben je ook nog van plan om apart te gaan slapen. Ben ik zo'n vreselijke echtgenote dat je er niet aan moet denken om met mij in één ruimte te zijn?'

Hij voelde de uitdaging, zag de rode kleur op haar wangen, de krijgslustige blik en slaakte inwendig een diepe zucht. 'Ik wou dat je niet dronk, Fleur. Daar word je zo... onredelijk van.'

Ze sloeg met een onwrikbare blik haar armen over elkaar. 'Tjonge, jij weet hoe je een meisje een compliment moet maken.'

'Hier begin ik niet aan,' zei hij moedeloos en hij draaide zich om naar de logeerkamer.

Ze overbrugde verbluffend snel de afstand tussen hen en versperde hem de weg. 'Ben je niet nieuwsgierig naar wat ik vanavond wilde vieren?'

Het kille gevoel kwam terug. 'Ik betwijfel of het zo belangrijk is dat het niet tot morgen kan wachten,' zei hij binnensmonds. Hij popelde om bij haar weg te komen, doodsbang om de woorden te horen waarvan hij vermoedde dat ze op het punt stonden uit haar mond te tuimelen; er was maar één nieuwtje dat er de oorzaak van kon zijn dat ze zich zo gedroeg.

Ze deed een stap opzij, zodat hij niet langs haar kon en haar uitdrukking verzachtte, terwijl het licht terugkeerde in haar lieve ogen en ze gloeide van opwinding. 'Wat ik je te vertellen heb, zal ons leven veranderen,' zei ze zachtjes. 'En als je eenmaal hebt gehoord wat het is, zul je vergeten dat je moe bent, alles vergeten over je dag en de stomme ruzie die we hadden.'

Zijn hart ging als een razende tekeer terwijl hij op haar neerkeek. 'Je bent toch niet...? Niet?'

Ze schudde ongeduldig haar hoofd. 'Nog niet,' zei ze bijna achteloos, 'maar daar zou ik binnenkort weleens aan kunnen gaan werken.'

Ze ging haastig verder voor hij haar kon onderbreken. 'Ik heb plotseling een fortuin gekregen, Greg. Ik ben stinkend rijk.'

Hij staarde haar aan, terwijl zijn hersenen probeerden te verwerken wat ze had gezegd. 'Een fortuin?' wist hij uit te brengen. 'Van wie?'

Ze haalde diep adem, weer nuchter nu. Haar opwinding werd een beetje getemperd door de behoefte hem alles te vertellen en door alles wat het voor hun toekomst samen kon betekenen.

Hij stond met zijn armen over elkaar tegen de deurpost geleund. Zijn gedachten tolden in het rond en de moed zakte hem in de schoenen toen de volle betekenis van Annie Somervilles erfenis tot hem doordrong.

Fleur leek niet te merken wat voor effect haar nieuws op hem had en praatte maar door. 'De veeboerderij zou zo veel geld moeten opleveren dat ik samen met Jason een eigen bureau kan beginnen,' zei ze ademloos. Haar stem werd hoger van opwinding terwijl ze hem bij zijn armen pakte en hem toelachte. 'Dat inkomen van Savannah Winds betekent dat we ons nooit meer druk hoeven te maken om geld, Greg. Is dat niet geweldig?'

Greg voelde hoe haar nagels in zijn armen groeven, maar hij was zich alleen maar bewust van de angst die hem bij de keel greep. Hij wist wat er ging volgen.

'Denk je eens in, Greg,' ging ze verder zonder acht te slaan op de behoedzaamheid in zijn blik en zijn starre houding, 'we zouden ons een van die huizen aan de rivier kunnen veroorloven en er een echt gezinshuis van kunnen maken. Ik kan een inwonende kinderjuffrouw in dienst nemen en er is niets wat ons ervan weerhoudt om een hele bende ki...'

'Nee.' Het kwam er scherper uit dan zijn bedoeling was geweest, maar ze hield in elk geval op met kletsen en schonk eindelijk aandacht aan hem.

'Wat bedoel je?' Haar stem beefde.

'Het is jouw erfenis en je kunt ermee doen wat je wilt. Maar geld is niet overal het antwoord op en als je denkt dat je mooie huis aan de rivier mij van gedachten zal doen veranderen over een gezin, dan heb je het bij het verkeerde eind.'

Hij zag de drang om te vechten in haar groeien terwijl ze haar armen over elkaar sloeg en hem rustig opnam. 'Waarom? Een van je bezwaren was dat dit appartement niet kindvriendelijk is – dat ons werk het opvoeden van kinderen in de weg zou staan en dat we de tijd en het geld niet hadden om een gezin te beginnen. Dankzij Annies geld kunnen we een inwonend kindermeisje betalen en...'

'Hou op,' snauwde hij. 'Hou ermee op, Fleur, nu. Het gebeurt niet.'

Er stonden tranen in haar ogen – tranen en ongeloof – en haar vreugde verdween tegelijk met de kleur uit haar gezicht. 'Jawel,' fluisterde ze. 'Het gebeurt wel. Alsjeblieft, Greg, zeg niet...'

Hij gedroeg zich als een klootzak, deed haar meer pijn dan hij voor mogelijk had gehouden, maar er was geen andere manier om haar te laten ophouden. 'Het spijt me, Fleur,' zei hij en hij kreeg een brok in zijn keel, 'maar ik zal niet van mening veranderen. Er komen geen kinderen, hoeveel geld je ook hebt.'

Ze stond te tollen op haar benen, maar ze sloeg zijn handen weg toen hij haar probeerde te ondersteunen. 'Raak me niet aan,' siste ze.

'Fleur, alsjeblieft...'

'Alsjeblieft, wat?' gilde ze. 'Wat wil je van me, Greg? Ben ik niet goed genoeg om de moeder van je kinderen te zijn? Ben je bang dat ik net zo word als Selina en ervandoor ga zodra het lastig wordt?'

'Helemaal niet,' zei hij terwijl hij wanhopig zocht naar een manier om uit te leggen dat het niet aan haar lag, maar aan hem. 'Je zou een fantastische moeder zijn.'

'Waarom ontzeg je me die mogelijkheid dan?' Ze spoog vuur, haar gezicht was rood van woede, haar blik angstig.

'Omdat ik een lafaard ben,' gaf hij met zachte stem toe en de vermoeidheid en de pijn klonken in zijn woorden door. De tranen welden op terwijl hij zijn best deed alle oude angsten en twijfels te weerstaan toen hij zei wat hij gehoopt nooit tegen haar te hoeven zeggen. 'Als je niet zonder kinderen kunt, dan moet je bij me weggaan en iemand anders zoeken.'

Fleur staarde hem aan terwijl de vreselijke woorden nagalmden in haar hoofd. 'Ik ben met jóú getrouwd,' zei ze in tranen. 'Ik wil niet iemand anders.'

'Dan zul je je erbij moeten neerleggen dat er geen kinderen komen.'

Ze voelde de vreugde en opwinding van die dag uit zich wegvloeien en ze was leeg en plotseling broodnuchter. Toen ze hem aankeek, zag ze zijn eigen pijn, maar weigerde die te erkennen. 'Dat zou ik niet laf willen noemen,' zei ze. 'Maar gewoon egoïstisch.'

Hij haalde zijn schouders op. Zijn kin lag op zijn borst, hij had zijn armen stevig over elkaar geslagen alsof hij zich tegen haar woorden wilde beschermen, afstand wilde scheppen tot de woede en de pijn die van haar afstraalden. Maar ze liet zich niet afschepen.

'Je kunt niet zo'n ingrijpende uitspraak doen zonder er een reden voor te geven,' zei ze woedend. 'Kijk me aan, Greg. Heb in elk geval het fatsoen om uit te leggen waarom je zo vastbesloten bent.'

Hij keek op en Fleur deed een stap achteruit vanwege de verzengende intensiteit van zijn blik. 'Ik ben vandaag een kleine jongen kwijtgeraakt op de operatietafel,' zei hij met een stem die vlak was van onderdrukte emotie. 'Hij was pas vijf, maar omdat zijn vader hem zo ongenadig sloeg, kon zijn hart de spanning van nog een operatie om hem weer op te lappen niet meer aan.'

'O, Greg.' Het gevoel van wroeging was overweldigend. 'Ik had me niet gerealiseerd...'

'Natuurlijk niet. Waarom zou je? Je was te druk met koeren vanwege je erfenis, te druk bezig met je eigen behoeften om je af te vragen hoe ik me voelde.' Hij balde zijn vuisten, liep met stijve passen door de kamer naar het raam en staarde naar de fonkelende stad ver beneden zich.

'Ik besefte wel dat je moe was,' begon ze.

'Waarom heb je dat dan genegeerd en was je vastbesloten ruzie te maken?' Hij haalde uit, stootte een vaas op de grond en leek zich niet bewust van de scherven of van de plas water aan zijn voeten. Hij had een donkere, bijna dreigende uitdrukking op zijn gezicht terwijl hij woedend naar haar keek. 'Drijf het niet op de spits, Fleur.'

Fleur voelde een steek van angst. Ze had altijd vermoed dat er bij hem ergens diep vanbinnen een woede zat die hij tot vandaag strak onder controle had gehouden. Het kostte hem vanavond duidelijk moeite om die boosheid binnen te houden. Ze voelde het van hem afstralen, voelde dat hij op het punt stond zijn zelfbeheersing te verliezen.

'Praat dan met me,' zei ze zacht. 'Vertel me wat je zo vreselijk veel pijn doet.'

'Ik heb vandaag een kind verloren. Is dat niet erg genoeg?'

'Dat is vreselijk,' stemde ze in. 'Arme kleine jongen – arme jij.' Ze deed geen poging om hem aan te raken, kwam geen stap dichterbij. 'Maar ik heb het gevoel dat zijn dood iets in je heeft wakker gemaakt wat niet langer genegeerd kan worden. En het vreet aan je. Laat je gaan, Greg. Laat het er allemaal uit komen zodat je kunt beginnen beter te worden.'

Greg gleed langs de muur omlaag, sloeg zijn armen om zijn knieën en boog zijn hoofd. Hij zei lange tijd niets, zat daar alleen maar, diep in gedachten, met gebogen schouders en zijn gezicht verborgen in zijn armen.

Fleur ging naast hem op de grond zitten en wachtte.

'Shane was bijzonder,' zei hij nauwelijks hoorbaar, 'maar ik heb hem in de steek gelaten, net als iedereen. Hij was pas vijf, maar hij heeft het grootste deel van zijn korte, trieste leven in angst en pijn doorgebracht.' Hij slaakte een diepe, sidderende zucht. 'Ik lap hem al op sinds hij negen maanden was, maar na dat laatste pak slaag was zijn geest gebroken en ik was niet in staat om hem erdoorheen te slepen.'

Fleur zag tranen in zijn ogen schitteren en weerstond de drang om een arm om hem heen te slaan. Hij begon zich eindelijk open te stellen en ze was bang dat één aanraking of geluid van haar kant de betovering zou verbreken en hij zich weer als een oester zou sluiten.

Greg was verloren in de wereld van pijn die hij al sinds zijn kindertijd met zich meedroeg. Het tragische leven van Shane en zijn dood hadden inderdaad de wonden geopend die hij zo wanhopig graag wilde laten genezen. Het had de wankele muren neergehaald die hij had opgetrokken om zichzelf tegen zijn verleden te beschermen en had de angst versterkt dat zijn vader gelijk had. Dat hij een mislukkeling was.

Ze woonden in een keurige, rustige buitenwijk van Sydney. Hun huis was precies als alle andere, maar hun buren hadden nooit vermoed dat de bewoners ervan in voortdurende angst leefden voor de keurig geklede zakenman die elke ochtend de deur uit ging op weg naar zijn kantoor in de stad.

'De vader van Shane was net zo'n klootzak als de mijne,' zei hij nauwelijks hoorbaar, 'al was die van mij een veel slimmere sadist. De blauwe plekken waren niet te zien, de klappen werden met net genoeg venijn uitgedeeld om pijn te doen, maar niet hard genoeg om botten te breken – en hij koos zijn doelwitten zorgvuldig. De zachte onderbuik, de heupen, borst of dijbeen.'

Hij hoorde hoe Fleur naar adem snakte en wist dat zijn woorden haar pijn deden, maar de sluizen stonden nu open en hij had niet de kracht of de wil om de stroom te stoppen. 'Mam en ik wisten nooit in wat voor stemming hij zou zijn als hij thuiskwam van kantoor, maar je kon je laatste cent eronder verwedden dat hij iets wist te vinden om kritiek op te hebben en dan begon het slaan.'

Zijn stem klonk zacht, de bittere herinneringen kwamen als gal naar buiten. 'Het meest beangstigende aan die rospartijen was de afwezigheid van woede. Als hij had geschreeuwd, of gevloekt of door het dolle heen was geweest, dan zou het misschien makkelijker te verdragen zijn geweest. Maar hij was kil, zijn gezicht uitdrukkingloos en zijn blik keihard terwijl hij sloeg en schopte tot hij uitgeput was. Hij ging er nauwelijks van zweten en als hij klaar was, ging hij rustig zitten, zei dat hij een kop thee wilde en begon zijn krant te lezen.'

Greg wreef met zijn handen over zijn gezicht en leunde met zijn hoofd achterover tegen de muur. 'Ik was tien toen ik werd weggehaald en in een kindertehuis werd gestopt.' Hij kreunde. 'Ik heb mam nooit meer gezien. Tegen die tijd was ze aan de drank en ze overleed binnen een jaar.' Hij zuchtte. 'Waarschijnlijk een hele opluchting voor haar,' voegde hij er bitter aan toe.

'O, Greg.'

Er klonken tranen door in haar stem, maar ze deed nog steeds geen poging om hem aan te raken en daar was Greg haar dankbaar voor. Als ze hem had aangeraakt, zou hij zijn ingestort, want het lijntje waarmee hij zijn emoties in bedwang hield, was zo dun dat het gemakkelijk zou breken.

'Ik overleefde het kindertehuis, omdat ik voor het eerst besefte dat ik niet de enige was – dat andere kinderen dezelfde hel hadden meegemaakt. Dat maakte me sterk en vastbesloten te bewijzen dat ik iets waard was, dat die ouwe het bij het verkeerde eind had gehad.' Hij deed er het zwijgen toe terwijl hij terugdacht aan die jaren, zich de geluiden en de geuren herinnerde van dat oude volgepakte huis in de buitenwijken van Sydney, zich de vriendschappen herinnerde en de lessen die hij had geleerd.

'Ik zat in mijn eerste jaar op de universiteit toen ik onderzoek begon te doen naar mijn vaders gedrag. Ik had al besloten dat ik dokter wilde worden, maar wist nog niet goed in welke tak van de geneeskunde ik me wilde specialiseren. Ik vermoedde al een hele tijd dat mijn vader geestesziek was en door het onderzoek kwam ik erachter dat hij een psychopaat was met gewelddadige neigingen, die zijn macht over degenen die zwakker waren dan hij moest versterken om zijn eigen tekortkomingen te compenseren.'

Hij sloot zijn ogen. 'Ik deed een heleboel onderzoek naar de reden dat hij geen emoties leek te voelen tijdens de afranselingen – waarom hij nooit iets liet merken van spijt of verdriet over wat hij had gedaan. Zijn ziekte hield in dat hij niet in staat was tot gevoelens, niet in staat was om het verschil tussen goed en kwaad te onderscheiden of te begrijpen. Dat was het moment dat ik me voornam om nooit het risico te lopen kinderen van mezelf te hebben, want er zijn sterke aanwijzingen dat ik zijn ziekte kan hebben geërfd.'

'Maar jij bent niet geestelijk labiel,' gooide Fleur eruit.

'Ik heb last van woedeaanvallen,' mompelde hij, 'en hoewel ik die weet te onderdrukken, word ik soms zo boos dat ik bang ben dat ik uit elkaar klap.'

'Daar heb je nooit iets van laten merken,' hield ze vol. 'Ik geloof dat het eerder frustratie en verborgen pijn uit het verleden zijn die je hebt gekoesterd en met hulp en therapie zul je erachter komen dat je net zo normaal bent als willekeurig wie.'

'Sinds wanneer ben jij psycholoog?'

'Sinds wanneer jij?' Ze raakte even zijn arm aan en hij schrok. 'Therapie zou weleens het antwoord kunnen zijn, Greg. Wijs dat niet op voorhand af.'

'Geen duizend therapiesessies kunnen mijn besluit veranderen, Fleur. Ik ben niet bereid risico te nemen met een kinderleven, alleen om iets te bewijzen.'

'Maar ik zal er zijn om je te helpen, om ons kind te beschermen en lief te hebben. Laat me alsjeblieft niet in de steek, sluit de mogelijkheid van kinderen krijgen niet uit. Laat je vader niet winnen – niet na al die tijd.'

'Je hebt geen woord begrepen van wat ik heb gezegd,' siste hij terwijl hij overeind krabbelde en naar de slaapkamer wankelde. Hij begon met snelle, boze bewegingen een tas in te pakken. Hij negeerde Fleurs smeekbeden en weigerde naar haar met tranen besmeurde gezicht te kijken toen ze achter hem aan door de kamer liep.

'Ik kan hier niet blijven,' zei hij terwijl hij zich langs haar heen wrong naar de voordeur.

'Maar waarom niet?' snikte ze. 'Waar ga je naartoe?'

'Weet ik niet. Maar het is voorbij, Fleur. Ik kom niet meer terug.'

5

Twee dagen na de familielunch besloot Bethany eindelijk om Fleurs raad op te volgen en een afspraak te maken met haar dokter. Ze was heel begripvol geweest en Bethany was de praktijk uitgewandeld met een maandvoorraad hormonen en een dieet. Ze had zich optimistischer gestemd gevoeld dan ze in maanden had gedaan. De rest van de ochtend had ze doorgebracht in een schoonheidssalon en daarna was ze gaan winkelen en naar de kapper geweest.

Nu was het avondeten klaar en de tafel was gedekt met haar mooiste porselein en bestek. Bethany trok de nieuwe lichtgewicht broek aan en de lange, ruimvallende kaftanachtige blouse die het blauw in haar ogen accentueerde en bewonderde zichzelf in de spiegel. Ze grijnsde opgetogen, want de eenvoudige snit van haar kleding verborg duizend zonden en maakte haar kilo's slanker.

Haar haar was niet langer grijs, maar een tint lichter dan het kastanjebruin uit haar jeugd. Het korte, glanzende kapsel dat haar gezicht omkranste viel in een lage pony tot haar wenkbrauwen. Het was gewaagd en modieus en terwijl ze haar lippenstift bijwerkte en een beetje parfum opdeed, moest Bethany wennen aan haar nieuwe zelf. Clive zou staan te kijken.

Ze hoorde zijn auto op de oprit en haastte zich naar beneden.

Clive kwam door de hordeur naar binnen gestapt en zette zonder naar haar te kijken zijn aktetas op tafel. 'Ik heb een waardeloze dag achter de rug,' zei hij terwijl hij in de koelkast naar een koud biertje zocht. 'Wat eten we, Beth? Ik ben uitgehongerd.'

Beth omklemde de rugleuning van de stoel terwijl hij het blikje opentrok en uit het raam staarde. 'Hamsalade,' antwoordde ze.

'Hamsalade? Wat voor eten is dat nou als je de hele dag hard...?' Zijn ogen werden groot toen hij zich eindelijk omdraaide en naar haar keek. 'Krijg nou wat, Beth. Wat heb je met jezelf uitgespookt?'

'Dat lijkt me nogal duidelijk,' antwoordde ze, er niet zeker van hoe hij haar beoordeelde. 'Vind je het leuk?' vroeg ze aarzelend.

'Nou en of.' Hij grijnsde breed. 'Verdorie, meid, je ziet er vijftien jaar jonger uit.' Hij liet zijn blik waarderend over haar gaan. 'Hoe is dit zo gekomen?'

'Ik heb besloten geen tut meer te zijn,' zei ze vastberaden, 'dus heb ik er wat aan gedaan.'

'Fantastisch,' zei hij enthousiast. 'En ik weet zeker dat je er nog beter uitziet als je een paar kilo weet kwijt te raken.'

Hij zag altijd kans om het te bederven. 'Ik heb een dieet gekregen van de dokter,' zei ze stijfjes. 'Daarom eten we salade.' Ze zag dat hij op het punt stond om te protesteren en voegde er snel aan toe: 'Ik doe er aardappelen en eieren bij, dus je zult niet omkomen van de honger.'

Terwijl hij zich ging opfrissen en andere kleren aantrok, bakte Bethany twee eieren en legde die op Clives bord met de goudkleurige geroosterde aardappelen en de ham. Ze negeerde vastbesloten de geur van de aardappelen en eieren waarvan het water haar in de mond liep en bracht de borden naar de eetkamer. Ze moest een hoop overtollig gewicht kwijt en als ze daarin wilde slagen, dan mocht ze niet bij de eerste horde al struikelen.

Clive kwam naar beneden en ging aan tafel zitten. Hij keek achterdochtig naar de servetten en de bloemen. 'Ter ere waarvan is dat?'

'Nu de kinderen de deur uit zijn, leek het me aardig om ons nieuwe leven samen te beginnen met een beschaafde maaltijd. We hebben alle tijd en misschien kunnen we het hebben over onze plannen voor de toekomst.'

Hij keek bedenkelijk terwijl hij een stuk aardappel door het geel van zijn ei haalde. 'Ik zie eigenlijk niet wat er te bespreken valt. Ik ben de eerste vijftien jaar nog niet van plan om te stoppen met werken en ik heb geen tijd voor vakantie of hobby's, als je daar soms aan dacht.'

Bethany nam een slok water om het plotseling smakeloze eten weg te spoelen. 'Het is jouw accountantskantoor,' zei ze rustig. 'Je kunt vakantie nemen wanneer je maar wilt.'

'Ja, dat weet ik wel.' Hij nam een slok van zijn bier en keek haar vanaf de andere kant van de tafel aan. 'Maar de vier weken voor mijn jaarlijkse golfreisje is meer dan genoeg. Ik kan niet van mijn vennoten verwachten dat ze langer voor de zaak zorgen. Anders willen ze straks hetzelfde. En de praktijk zou gewoon niet zo efficiënt functioneren.'

'Je zou het golf een keer kunnen laten schieten en me meenemen naar Engeland,' antwoordde ze. 'Je hebt me altijd een reisje naar Engeland beloofd.'

'Ik heb gezegd dat we dat misschien zouden doen als ik eenmaal met pensioen ben,' zei hij met zijn mond vol. 'En wat het afzeggen van de golftrip betreft, dat kan gewoon niet, hè? Dat is een jaarlijks ritueel; een moment voor mijn vrienden en mij om te relaxen en even niet aan zaken te denken. Ze rekenen erop dat ik het allemaal organiseer en ik kan ze toch niet teleurstellen, of wel soms?'

'God verhoede,' verzuchtte ze.

Hij legde met een hoop lawaai zijn bestek neer. 'Wat is er met je, Beth? Waarom doe je zo?'

Ze keek hem over de tafel aan. Het was duidelijk dat hij in de war was door deze meer uitgesproken Bethany. Ze ging met haar tong over haar lippen, proefde haar nieuwe lippenstift en bracht zichzelf in herinnering waar het deze dag allemaal om was gegaan. Ze was geen deurmat, een trut of een zeurend vrouwtje. Clive kreeg al veel te lang zijn zin. Ze was een vrouw die op het punt stond een nieuw leven te beginnen en ze was vastbesloten er het beste van te maken.

'Ik ben het beu om geen leven te hebben buiten deze vier muren,' zei ze kalm. 'Jij gaat en staat waar en wanneer je wilt, je hebt je werk en je golf – maar zonder de kinderen in huis blijft er voor mij maar weinig over. Ik dacht dat dit een moment voor verandering kon zijn voor ons allebei.'

'Je zou een baantje kunnen zoeken,' antwoordde hij en hij sneed een stuk van zijn ham. 'Al zou ik niet weten wat voor baantje.'

'Dat zou ik kunnen doen, ja,' gaf ze met tegenzin toe, 'maar dat is niet wat ik van plan was. Ik zou liever meer tijd met jou doorbrengen – misschien zelfs gaan golfen.'

Zijn ogen werden groot van paniek. 'Zo moet je niet denken, Beth,' zei hij haastig. 'De jongens en ik genieten van golf zonder vrouwen. Wat meer tijd thuis doorbrengen betreft, zal ik zien wat ik kan regelen, maar we hebben het op het ogenblik erg druk op kantoor.'

'Heb je een verhouding?'

Zijn wangen werden plotseling rood. 'Wat is dat nou voor vraag?'

'Een directe,' zei ze kalm. 'En ik zou het op prijs stellen als je me de waarheid vertelt, dan weet ik waar ik aan toe ben.'

'Doe niet zo stom, mens,' brulde hij. 'Natuurlijk heb ik geen verhouding.'

Beth wilde hem geloven, maar de twijfel bleef. Zijn reactie was een beetje te krachtig geweest en hij had ontwijkend gekeken. Ze voelde zich plotseling misselijk. 'Ik begrijp het,' zei ze zacht.

'Wat moet dat nou weer betekenen?'

Ze haalde haar schouders op en begon af te ruimen. 'Wat jij wilt dat het betekent,' antwoordde ze. Terwijl ze haar emoties in bedwang hield, kwam ze terug uit de keuken met twee schalen fruitsalade en een kan room. Clive keek nog steeds ongemakkelijk.

'Als je niet bereid bent met me op vakantie te gaan of tijd met me door te brengen, nu we daar de kans voor hebben, dan regel ik zelf wel wat.'

Hij hield plotseling op met room over zijn fruit te schenken. 'Regelen? Wat regelen?'

Ze beheerste zich, trots dat ze, eindelijk, voor zichzelf opkwam. 'Ik heb besloten me op te geven voor line-dancing en naar de sportschool te gaan. Als ik ben afgevallen, zal ik waarschijnlijk een vakantie voor mezelf boeken. Ik heb altijd al naar Bali gewild.'

'Groot gelijk, mam. En hé, wat is dat voor nieuw kapsel? Je ziet er fantastisch uit.'

Ze draaiden zich om en zagen Melanie in de deuropening staan. Beth voelde een plotselinge, aangename gloed toen haar dochter haar omhelsde en een kus gaf. 'Blij dat je het leuk vindt,' zei ze zachtjes, maar haar glimlach verflauwde toen ze Liam uit de keuken zag komen. 'We hebben al gegeten, maar er is nog genoeg, mochten jullie honger hebben.'

'Nee, dank u, mevrouw Wells.' Liam kwam langzaam dichterbij en ging achter Melanie staan alsof hij probeerde buiten de vuurlinie te blijven.

'Ik ben hier om jullie meer te vertellen over de reis,' zei Melanie gehaast. 'Weet je, Liam gaat mee. We lenen de camper van zíjn vader.'

'Goed zo, Liam. Blij te weten dat mijn dochter in goede handen is.' Clives enthousiasme kon niet helemaal verbergen dat hij opgelucht was over deze tijdige interruptie.

Bethany wierp hem een furieuze blik toe. Liam was een buitengewoon onbetrouwbare jongeman, ook al kwam hij uit een keurig gezin, en de gedachte dat ze samen zouden reizen – samen zouden slapen –

maakte haar nog ongelukkiger over het hele voornemen. 'Ik wou dat je er nog eens goed over nadacht,' zei ze zachtjes tegen Melanie. 'Je bent nog zo jong en Liam is nou niet bepaald het soort jongen...'

'Begin nou niet weer, mam. Ik dacht dat als ik eerlijk tegen je was, je het wel zou begrijpen. Fleur zei...'

'Je hebt dit met Fleur besproken?' Er ging een steek van jaloezie door Bethany.

Melanie beet op haar lip en bloosde. 'Ik wilde weten hoe zij erover dacht voor ik het jou vertelde,' gaf ze toe.

'Maar ik ben je moeder. Je had meteen naar mij toe moeten komen.'

'Fleur zei al dat je boos zou zijn, maar...'

'Dat kun je wel zeggen, ja,' antwoordde ze boos, 'en ik neem aan dat Fleur dit soort gedrag wel goedkeurt, hè? Dat ze het niet onbehoorlijk vindt dat je door heel Australië zwerft met... met hém?' Ze wierp Liam een giftige blik toe voor ze woedend naar haar dochter keek.

Melanie sloeg haar armen over elkaar. 'Ze maakte er in elk geval geen drama van,' mompelde ze. 'Ik had kunnen weten dat je zo zou reageren. Logisch dat ik naar Fleur ga als ik verstandig advies nodig heb.'

'Hoe dúrf je!'

'Ik ben het met Mel eens,' onderbrak Clive. Hij had nog een blikje bier opengetrokken en dat aan Liam gegeven. 'Je maakt een hoop drukte om niks, Beth. Dit is het nieuwe millennium en alles is anders dan toen wij jong waren. Mel en Liam zijn verstandige jongelui en als jij in je eentje naar Bali kunt, zie ik niet hoe je bezwaar kunt hebben tegen hun plannen.'

Bethany staarde hem aan, geschokt door zijn gebrek aan begrip en steun. 'Als je niet ziet dat die twee hun hoofd er ongeveer net zo bij houden als twee parkieten in een graansilo, dan ben je getikt.'

Ze kwam overeind van haar stoel en keek hen trillend van woede aan. 'Het is duidelijk dat mijn mening er niet toe doet,' zei ze bitter, 'dus zal ik mijn adem sparen.' Liam deed snel een stap achteruit toen ze met een vinger in zijn richting wees. 'En als jij niet heel erg goed voor mijn dochter zorgt, jongeman,' siste ze, 'krijg je met mij te maken.'

'Natuurlijk, mevrouw...'

Bethany drong langs hem en ging naar boven. Ze kon haar woede en teleurstelling nauwelijks onderdrukken en ze kon het gewoon niet verdragen om nog een minuut langer naar die twee te moeten kijken.

Wat Fleur betrof, haar jongere zus zou er snel genoeg achter komen dat Bethany genoeg had van haar bemoeienissen. Eerlijk gezegd, zou haar hele familie er binnenkort achter komen dat Bethany Wells het beu was om gekoeioneerd en gekleineerd te worden, het beu was om genegeerd te worden. Het werd tijd om voor zichzelf op te komen.

De volgende ochtend vroeg stevende Margot het Coolum Resort Hotel binnen. Haar scherpe blik zag het stof op de palmen in de bloembakken, zag dat de spiegels niet blinkend gepoetst waren en de ongeïnteresseerde manier waarop de receptioniste in haar stoel hing. Ze beende naar de balie en zag dat ze verdiept was in een roddelblad. 'Dat doe je maar in je eigen tijd,' snauwde ze. 'Bel de huishoudelijke dienst en zorg dat de schoonmakers terugkomen. Het is hier een zwijnenstal.'

'Maar ze zijn hier net klaar.'

'Spreek me niet tegen,' zei ze woedend. 'Ik wil dat het hier smetteloos schoon is tegen de tijd dat ik terugkom en jij kunt beginnen met de balie op te ruimen.' Tevredengesteld dat het meisje voldoende aangespoord was, liep Margot in de richting van de fitnessclub en sauna. Haar hoge hakken tikten op de vloer. Geen wonder dat het met de hele hotelketen bergafwaarts ging met zulk slecht onderhoud en lui personeel. Het zou een hele opluchting zijn als de contracten getekend waren en ze dat hele zooitje de rug kon toekeren.

De fitnessclub was een oase van rust. De geur van massageolie hing in de lucht, evenals de rustgevende geluiden van watervallen en vogelgezang dat overal uit het geluidssysteem klonk. Het keurig verzorgde vrouwelijke personeel droeg lichtlila schortjurken en sprak op gedempte toon terwijl ze doelbewust heen en weer liepen tussen receptie, zwembaden en behandelkamers.

Tiffany keek op van het afsprakenboek en verstijfde zichtbaar toen ze Margot zag komen. Haar ogen waren groot en blauw, omkranst door valse wimpers. Haar mond was een vuurrode streep, maar de fluwelen bloem die ze achter haar oor had gestoken zag er lichtelijk belachelijk uit. Haar dikke, hoogblonde haar zat keurig in een vlecht die over een schouder viel en het was duidelijk dat ze onder het nauwsluitende lila uniform maar heel weinig aanhad.

Margot bleef haar negeren terwijl ze geheel overbodig de tijdschriften op de lage salontafel recht legde en met haar vinger over de ingelijste diploma's ging om te zien of er stof op lag. Tiffany zag er misschien als een leeghoofd uit, maar Margot moest toegeven dat ze de zaken strak in de hand had en duidelijk goed was in haar werk.

'Goedemorgen, Tiffany,' zei ze ten slotte, haar stem laag en niet dreigend. 'Kan iemand het even van je overnemen aan de balie? Ik zal je niet lang nodig hebben.'

Tiffany's blik was achterdochtig en ze glimlachte aarzelend. 'Ik zal kijken of Chloë vrij is,' zei ze zacht en ze haastte zich naar een van de massagekamers.

Margot liep haar kantoor binnen, ging zitten en wachtte. Ze had er diep en lang over nagedacht hoe ze dit gesprek moest voeren en nadat ze het met haar minnares, Helena, had besproken was ze er helemaal klaar voor.

Tiffany kwam het vertrek binnen en bracht de scherpe geur van citroen en jasmijn met zich mee. Het lila uniform ruiste tegen de vergrote borsten en lange, gebruinde benen toen ze ging zitten. De bruine kleur was net zo vals als de wimpers en de borsten en Margot vroeg zich afwezig af of het gladde voorhoofd en de volle lippen te danken waren aan plastische chirurgie – en of haar vader dat had betaald.

'Ik heb niet veel tijd,' zei ze zacht terwijl ze nerveus aan de verlovingsring met de grote diamant draaide. 'Chloë heeft over een kwartier een klant.'

Margot zette een glimlach op. 'De schoonheidssalon doet je eer aan, Tiffany, je bent duidelijk een efficiënt en toegewijd manager. Maar dat is niet de reden dat ik hier ben.' Ze pauzeerde even en zag dat de argwaan terugkeerde in Tiffany's blik. 'Ik begrijp dat felicitaties op hun plaats zijn,' zei ze opgewekt. 'Mijn vader heeft ons verteld over jullie verloving.'

Tiffany ontspande zichtbaar. 'Dank je,' zei ze zacht en haar lange valse wimpers knipperden terwijl ze omlaag keek naar de belachelijke ring. 'Ik ben zo blij dat jullie het leuk vinden, want ik weet hoeveel jullie goedkeuring voor Don betekent.'

Margot wist te voorkomen dat ze minachtend snoof en bleef rustig en vriendelijk kijken. 'We zijn gewoon blij dat hij iemand heeft gevonden die hem in de laatste jaren van zijn leven bijstaat.'

'Don is een fantastische man,' koerde ze, 'en ik ben van plan alles te doen wat in mijn vermogen ligt om ervoor te zorgen dat hij weet hoeveel ik van hem hou.'

Margots maag kromp ineen bij dat zoete, sentimentele gedoe. 'Dat is geweldig,' antwoordde ze. 'Je bent heel dapper.'

Tiffany trok een wenkbrauw op. 'Dapper?'

Margot knikte. 'Er zijn niet veel jonge vrouwen die zich aan mijn vader zouden binden – zeker gezien de omstandigheden waarin hij nu verkeert. Ik moet zeggen, Tiffany, mijn zusters en ik hebben de grootste bewondering voor je.'

'Omstandigheden? Wat voor omstandigheden?' De frons was dieper geworden en ze draaide de ring aan haar vinger met hernieuwde energie rond.

'Nou, hij is in de tachtig.'

'Dat zou niemand hem geven,' zei ze verdedigend. 'Don heeft het scherpste verstand van alle mannen die ik ooit heb ontmoet en een ongelooflijke energie. Ik moet soms mijn uiterste best doen om hem bij te houden.'

Margot was verbijsterd toen ze zag dat het meisje bloosde. 'Hij heeft zeker een robuuste gezondheid,' zei ze droog, 'maar in deze moeilijke tijden kun je natuurlijk niet garanderen dat het zo blijft.'

Tiffany's ogen werden nog groter. 'Moeilijke tijden? Hij is toch niet ziek?'

'Nee, nee. Hij zal ons waarschijnlijk allemaal overleven.' Margots glimlach was niet bepaald warm.

'Dan begrijp ik het niet.'

Margot zuchtte even. 'O, hemel,' zei ze spijtig. 'En ik maar denken dat pap je in vertrouwen had genomen.' Ze zag dat de ogen onder de zorgvuldig geëpileerde wenkbrauwen zich samenknepen. 'Maar ik weet zeker dat hij het je binnenkort wel zal vertellen en als hij eenmaal weet hoeveel je van hem houdt en hoe trouw je bent, zal hij dit laatste dilemma ook wel redelijk ongeschonden doorkomen.'

'Welk dilemma?' Haar blik was plotseling vast en argwanend.

Margot wuifde met haar handen. 'Dat zou pap je moeten vertellen,' zei ze, 'het is per slot van rekening niet echt...' Ze zuchtte diep. 'We dachten dat je wist dat de hotelketen in financiële moeilijkheden zit.'

Er blonk iets in Tiffany's ogen en ze ging met haar tong over haar lippen. 'Don heeft nooit gezegd dat de hotels in de problemen zaten,' mompelde ze. 'Dat kan niet kloppen. Het is hier al weken volgeboekt en het schoonheidscentrum heeft het drukker dan ooit.'

'Hij is een trotse man, Tiffany, en ik vermoed dat hij bang was om het je te vertellen. De waarheid is dat de hotels verkocht zullen moeten worden om zijn schuldeisers te kunnen betalen.' Ze hield Tiffany's blik gevangen. 'Ik weet zeker dat hij beseft hoe dom het is geweest om dat voor je te verzwijgen. Het is tenslotte duidelijk dat je van hem houdt en we zijn zo blij dat hij deze nogal moeilijke tijden niet in zijn eentje hoeft door te maken.'

'Ik weet zeker dat je je vergist,' zei Tiffany die haar handen stijf gevouwen in haar schoot hield. 'Don gedraagt zich helemaal niet als een man die financiële problemen heeft. Moet je de ring zien die hij voor me heeft gekocht.'

'En dat is ook een heel mooie,' zei Margot, die er nauwelijks een blik op wierp. 'Pap heeft duidelijk oog voor een bijzonder sieraad, maar ja, hij heeft altijd al een dure smaak gehad.' Ze zuchtte nog eens diep. 'Dat is voor een deel ook de reden dat hij nu in de financiële problemen zit.'

Tiffany glimlachte onzeker. 'Zo erg kan het toch niet zijn,' zei ze aarzelend. 'Hij heeft het huis en dat zomerhuis in de bergen en dan nog die motelketen.'

Margot schudde haar hoofd met een opzettelijk verdrietige uitdrukking. 'Ik ben bang dat het huis in Caloundra verkocht zal moeten worden.' Ze leefde een beetje op. 'Maar het huis in de Snowy Mountains zal aardig wat opbrengen – genoeg voor een bescheiden plekje ergens op het platteland in het westen. Ik heb begrepen dat er in sommige gebieden nog steeds bungalows met twee slaapkamers te krijgen zijn voor onder de tweehonderdduizend dollar.'

Ze zocht in haar handtas en haalde een stapel folders van verschillende makelaars tevoorschijn. 'Hier moet je later maar eens naar kijken.' Ze glimlachte. 'Ik ben dol op huizenjacht, jij niet?'

Tiffany werd duidelijk bleek onder haar dikke laag make-up toen haar blik op de mogelijke huizen viel die Margot had uitgekozen. Het idee van een houten hut in de rimboe sprak haar duidelijk niet aan.

Margot klopte haar op haar koude handen. 'Het spijt me, Tiffany, maar dat is nog niet alles.'

Tiffany deinsde terug voor haar aanraking en de uitdrukking in haar ogen was ondoorgrondelijk toen ze naar Margot keek. 'Dan kun je het me maar beter vertellen,' zei ze kalm.

'Ik weet dat pap je beloofd heeft dat je manager van het Coolum Resort Hotel zou worden, maar dat zal eenvoudigweg niet kunnen, nu de nieuwe eigenaren de boel overnemen. Je zult zien dat ze iemand uit hun eigen gelederen aanstellen, een man die al jaren voor hen werkt en een reputatie heeft opgebouwd wat betreft het nieuw leven inblazen van hotels die het niet zo goed doen.'

'En mijn baantje hier?'

Margot haalde haar schouders op. 'Dat heb ik niet in de hand, vrees ik. Maar je kunt wat mij betreft rekenen op een heel goede referentie, mocht dat nodig zijn.' Ze glimlachte. 'Het ziet er nu misschien niet zo rooskleurig uit, Tiffany,' zei ze op zachte toon, 'maar voor elke deur die dichtslaat, gaat er een andere open. Ik weet zeker dat als pap en jij eenmaal getrouwd zijn, je erachter zult komen dat je het veel te druk hebt met voor hem te zorgen en met je nieuwe huisje om er zelfs maar aan te denken dat je hier zou moeten werken.'

'Maar ik vind mijn werk leuk,' zei ze. 'Is er een kans dat de nieuwe eigenaren me willen aanhouden?'

'Misschien, maar ik denk dat pap liever heeft dat je thuisblijft. Hij vindt het niet fijn om alleen te zijn en hij zou zich misschien geïsoleerd voelen daar in de rimboe.'

Tiffany kreeg een gejaagde blik in haar ogen toen de harde werkelijkheid tot haar doordrong en Margot maakte daar handig gebruik van.

'Mijn zussen en ik zullen regelmatig langskomen en uiteraard zit ik aan de andere kant van de telefoon, mocht je me nodig hebben als pap een beetje... Nou ja, hij wordt al wat ouder en misschien heb je hulp en goede raad nodig over hoe je het beste voor hem kunt zorgen. Hij heeft altijd een hekel gehad aan verpleeghuizen,' voegde ze er met een trieste glimlach aan toe. 'Hij noemt ze de wachtkamer van de duivel. Ik heb wel een lijst van gerespecteerde agentschappen die voor verpleging kunnen zorgen – niet dat je die binnen afzienbare tijd nodig hebt, natuurlijk,' voegde ze er haastig aan toe.

'Dat is heel aardig van je,' stamelde Tiffany.

'Daar heb je zussen voor,' zei Margot, 'en we zijn zo blij dat je in de familie komt. Ik weet zeker dat we uitstekend met elkaar zullen kunnen opschieten.' Ze pauzeerde net lang genoeg om de paniek in de ogen van het meisje op te merken. Een slimmer meisje zou allang door haar toneelstukje heen hebben gekeken, maar Tiffany was niet de slimste van de klas en Margot had bijna medelijden met haar. 'Hebben pap en jij al een datum geprikt? De hotels zullen binnenkort dichtgaan voor de renovatie en een trouwerij zou ons afleiden van al die onaangename dingen en ons geweldig opvrolijken.'

Tiffany had een akelige kleur gekregen en ze moest een paar keer slikken voor ze een woord kon uitbrengen. 'Dicht? Wanneer?' Haar stem klonk onvast en ze had haar handen nog steviger gevouwen.

Margot sloeg het ene slanke been over het andere en leunde ontspannen achterover in haar stoel. 'De laatste handtekeningen zijn gisteren onder de contracten gezet,' loog ze – ze lagen nog in de la van haar bureau te wachten op de laatste aanpassingen. 'De nieuwe eigenaren staan te trappelen om met de renovatie te beginnen, dus ik denk dat die binnen een paar weken van start gaat.'

'Wanneer wordt het personeel officieel op de hoogte gebracht?' Tiffany's stem klonk helderder en haar houding werd plotseling doelgerichter terwijl ze haar mogelijkheden afwoog.

'We hebben alle personeelsleden een brief gestuurd. Die zou morgenochtend bezorgd moeten worden.' Margot pakte een zakdoek uit haar tas en depte haar neus. 'De nieuwe eigenaren zullen uiteraard ander personeel willen aannemen, maar ik denk dat ze een kern van betrouwbare, efficiënte mensen willen houden. Zou je een lijst willen maken van meisjes die jouw functie zouden kunnen overnemen en me die voor vanavond geven? Ik zal ervoor zorgen dat jouw aanbevelingen bij de juiste mensen terechtkomen.'

Tiffany stond op en ging met haar handen over haar heupen zodat de lila stof zich naar haar benijdenswaardige vormen voegde. 'Dat zal niet nodig zijn,' zei ze vastberaden. 'Ik heb te hard gewerkt om dit centrum tiptop in orde te krijgen om het zomaar uit handen te geven. Ik ben van plan naar mijn eigen functie te solliciteren.'

'Dan neem je misschien te veel hooi op je vork,' waarschuwde Margot, 'met de bruiloft en de verhuizing en zo.'

'Er komt geen bruiloft,' zei Tiffany terwijl ze haar best deed om de ring van haar vinger te krijgen.

Margot deed net of ze verrast en verdrietig was. 'Geen bruiloft? Maar Tiffany, ik dacht...'

'Don had eerlijk tegen me moeten zijn,' zei ze met een nuffigheid waarvoor Margot haar een draai om haar oren had willen geven. 'Ik hou er niet van om voor gek te worden gezet.' Ze hield de ring in haar uitgestrekte hand. 'Geef deze maar terug. Hij zal het geld nodig hebben om zijn privéverpleegster van te betalen.'

Margot nam de ring aan en draaide hem zodat het kunstlicht erin weerkaatste. Het was een prachtige ring en waarschijnlijk enkele duizenden dollars waard. Ze stond ervan te kijken dat Tiffany hem niet wilde houden. Alle andere vriendinnen van haar vader hadden zich vastgeklampt aan hun juwelen.

'Hij zal vreselijk van zijn stuk zijn,' zei ze zacht, 'en ik vind echt dat je er nog eens over na moet denken. Op zijn leeftijd is het niet goed om met zo'n teleurstelling te worden geconfronteerd.'

'Daar had hij aan moeten denken toen hij besloot dat hij alleen maar een verpleegster nodig had voor zijn oude dag,' zei ze nuffig. 'Als je het niet erg vindt, ik moet een gezondheidscentrum leiden en Chloës klant zal er al zijn.'

Margot dacht er een tiende van een seconde over na of ze de ring weer aan Tiffany zou geven en liet hem toen in haar handtas vallen. 'Het spijt me dat het zo gelopen is,' zei ze zachtjes terwijl ze naar de deur liep. 'Ik weet zeker dat je baan hier veilig is als ik mijn aanbeveling doe bij de nieuwe eigenaren. Tot kijk.'

Ze liep met grote passen door het centrum, zag hoe keurig opgeruimd en schoon het er was, en beende de deur door. Ze nam aan dat ze medelijden moest hebben met haar vaders voormalige verloofde, maar de Tiffany's van deze wereld waren net katten – ze kwamen altijd op hun pootjes terecht en vonden de warmste en meest luxueuze plekjes om zich te nestelen. Tiffany zou het wel overleven.

Greg was al een week weg – zeven hele dagen waar Fleur zich in een waas van verwarring en pijn doorheen had geworsteld. Toen het ochtend werd, kroop ze uit bed en bleef onder de douche staan tot het water koud werd. Maar haar oogleden bleven gezwollen, de bron van haar tranen was nog niet opgedroogd en haar hart voelde loodzwaar.

Greg had niet gebeld en ze had geen idee waar hij was. Fleur had geprobeerd hem te bellen, maar zijn telefoon stond uit en in het ziekenhuis zeiden ze alleen maar dat hij niet bereikbaar was. Hij had overduidelijk gezegd dat ze haar moesten afpoeieren.

Ze was terneergeslagen en kapot van alle emoties. Ze had een knetterende hoofdpijn en het laatste waar ze vandaag behoefte aan had, was haar familie onder ogen komen. Helaas was daar geen ontkomen aan. De contracten waren klaar om te worden getekend en de verkoop van de hotelketen stond op het punt te worden afgerond. Ze haalde een borstel door haar haar, bracht make-up aan in een poging het effect van haar tranen te verbloemen en stapte in de eerste de beste jurk die ze te pakken kreeg. Ze zag er nog steeds niet uit, maar dat kon haar eerlijk gezegd niets schelen. Wat deed uiterlijk er nog toe wanneer alles wat echt belangrijk was in het leven verloren was gegaan?

De vestiging in Brisbane van het kantoor van de Franklin hotelketen bevond zich op de bovenste verdieping van een van de glazen torens die aan de rivieroever hoog boven de stad uitstaken. Terwijl ze met de lift naar boven ging, zette Fleur zich schrap voor de reactie van haar familie en belandde midden in een hoogoplopende ruzie tussen Margot en hun vader.

'Het was helemaal haar eigen beslissing,' snauwde Margot. Ze keek hem zonder al te veel genegenheid aan. 'Ze was in elk geval zo fatsoenlijk om de ring terug te geven.'

'Als ik erachter kom dat jij hier iets mee te maken hebt, dan...'

'Je moet me niet bedreigen, pap.' Margot stak haar kin naar voren. 'Je zou blij moeten zijn dat je haar kwijt bent. Zelfs jíj zult moeten toegeven dat dit bewijst dat ze alleen maar op je geld uit was.'

'Jij bent echt een achttien karaats kreng van een wijf,' blies hij.

'Dat helpt me de dag doorkomen,' antwoordde ze vinnig, 'vooral met een vader als jij. Hier,' zei ze en ze stak hem de ring toe. 'De juwelier zal je waarschijnlijk het grootste deel van je geld teruggeven – en na vandaag zul je elke cent hard nodig hebben.'

Fleur besloot dat het tijd werd om haar aanwezigheid kenbaar te maken voor de zaken verder uit de hand liepen. 'Is onze familie zo ontwricht dat we niet meer bij elkaar kunnen komen zonder dat het op een knokpartij uitloopt?'

'Verdorie, Fleur. Je ziet eruit alsof je onder een bus hebt gelegen.' Don klemde de sigaar tussen zijn tanden en de stinkende rook vulde de kamer terwijl hij zijn ogen wraakzuchtig samenkneep. 'Heeft die aansteller van een echtgenoot van je je van streek gemaakt? Want als dat zo is, dan zal ik hem laten zien dat ik nog niet te oud ben om hem een flink pak slaag te geven.'

'O, pap,' zuchtte ze. 'Word toch eens volwassen. Ik heb gewoon slecht geslapen vannacht.'

'Het ziet er ernstiger uit,' mompelde hij. 'Heb je gehuild?'

'Nee,' loog ze. 'Ik heb een kater.' Ze glimlachte flauwtjes naar Margot en hem. 'Te veel champagne.'

'Je hebt nooit tegen drank gekund,' zei hij snuivend. Hij hield zijn hoofd schuin en zijn ogen namen haar aandachtig op. 'Iets te vieren gehad?'

Fleur voelde de bekende steek van ongemak toen haar vader haar doordringend bleef aankijken. Ze keerde hem de rug toe en schonk een kop koffie voor zichzelf in. 'Je hóéft niet iets te vieren te hebben om champagne te drinken,' zei ze.

'In mijn tijd wel,' zei hij. 'Die echtgenoot van je heeft blijkbaar meer geld dan verstand,' sneerde hij.

Toen Fleur ging zitten, schoof Margot een paracetamol over de tafel in haar richting. 'Dit helpt misschien een beetje tegen de hoofdpijn,' zei ze zacht. Ze draaide zich naar Don. 'Onze accountants en advocaten houden op dit moment in de directiezaal hun tegenhangers bezig. Ze zouden zo'n beetje klaar moeten zijn met hun lunch en dan zijn ze gereed om de deal af te ronden. Er zijn op het laatste moment nog een paar aanpassingen in de contracten gekomen en ik hoop dat jullie die gelezen en begrepen hebben, want als er eenmaal is getekend, is er geen weg meer terug.'

'Ik ben niet achterlijk,' blafte hij.

'Natuurlijk niet,' mompelde ze droog terwijl ze een blik wierp op het slanke, gouden horloge om haar pols. 'Beth is te laat, zoals gebruikelijk. Ik kan haar maar beter even bellen.'

Ze was nog niet klaar met het kiezen van het nummer toen Bethany het vertrek kwam binnengestormd en haar handtas op tafel kwakte. 'Met jou heb ik een appeltje te schillen, Fleur Mackenzie.'

Deze bijzonder ongewone binnenkomst werd begroet met een ongemakkelijke stilte en iedereen was stomverbaasd over de enorme verandering in haar uiterlijk. Fleur voelde zich in het nauw gedreven door Bethany die boven haar uittorende, haar hoofdpijn maakte haar traag en ze keek alleen maar naar haar, niet in staat om te antwoorden.

'Wat zit jou nou weer dwars, mens?' De stem van Don klonk luid in de stilte. 'En wat is dat allemaal met dat haar en die troep op je gezicht?'

Bethany negeerde iedereen behalve Fleur. 'Sinds wanneer heb jij het recht om mijn dochter tegen me op te zetten?'

Fleur voelde een steek van ongerustheid. 'Ik weet niet waar je het over hebt,' stamelde ze.

'Dat weet je donders goed,' site Bethany, 'dus maak het allemaal niet nog erger door te liegen.' Ze sloeg haar armen onder haar zwoegende boezem over elkaar en bleef Fleur woedend aankijken. 'Nou?' blafte ze, 'wat heb je te zeggen?'

Fleur raakte nog meer terneergeslagen. Mel had duidelijk iets losgelaten over die avond dat ze in het appartement had gelogeerd. 'Ik geloof niet dat ik mezelf tegenover jou hoef te rechtvaardigen,' zei ze met een kalmte die haar zelf verbaasde.

'O, jawel,' snauwde Bethany. 'Wat heb je die avond tegen mijn dochter gezegd?'

Fleur beantwoordde Bethany's blik, vastbesloten zich niet te laten intimideren. 'Ze was heel erg overstuur na die ruzie tussen jullie over die reis. Het enige wat ik heb gedaan, is tegen haar zeggen dat ze een egoïstisch, onnadenkend meisje was geweest en dat ze jou haar excuses moest aanbieden en het weer goed met je moest maken voor ze op pad ging.'

Bethany ging met een plof zitten. 'Maar dat was niet alles, hè?'

'Ze vertelde me dat ze haar plannen niet met jou had kunnen bespreken omdat je weigerde te luisteren. Ik heb haar haar zegje laten doen en haar toen aangespoord om je alles te vertellen.'

'Dus je was het eens met haar plan om met Liam te gaan reizen.'

'Ze zal met hem veiliger zijn dan in haar eentje.'

'Maar haar kuisheid loopt gevaar,' snauwde Bethany. 'Je weet dat ik het nooit goed zou vinden dat ze met hem op reis ging – en alles wat daarbij hoort. Ik vind het afschuwelijk dat je meende jouw dubieuze advies aan zo'n jong, kwetsbaar meisje te moeten geven.'

'Melanie is bijna achttien,' zei Fleur gevaarlijk kalm. 'Ze is niet kwetsbaar en ze slikt al twee jaar de pil. Ze weet wat ze doet, Bethany, en hoe eerder dat tot je doordringt, hoe beter het voor iedereen is.'

Bethany verbleekte en keek haar vol afschuw aan. 'De pil?' wist ze uit te brengen. Toen werd ze rood en haar ogen spuwden vuur. 'Ik neem aan dat dat ook aan jou te danken is?'

'Om heel eerlijk te zijn had dat niets met mij te maken, maar het is beter om aan de pil te zijn dan opgezadeld te worden met een ongewenste zwangerschap,' snauwde ze terug. 'Of had je liever dat ze een abortus moest ondergaan?'

Bethany hield haar blik een ogenblik gevangen voor ze zich vol afschuw afwendde. 'Je zou je met je eigen zaken moeten bemoeien en het welzijn van mijn dochter aan mij overlaten.'

Fleur haalde diep adem. Ze had de wil of de energie niet om ruzie te maken, maar ze was vastbesloten voet bij stuk te houden. 'Dus de volgende keer dat Mel me om raad komt vragen, moet ik haar maar wegsturen?'

Bethany gaf met haar vlakke hand een klap op tafel. 'Je bent haar moeder niet,' blafte ze. 'Je bent om precies te zijn moeder van niemand, dus hou op je te bemoeien met dingen die je niet aangaan. Krijg zelf kinderen en hou op de mijne te stelen.'

Fleur staarde Bethany aan, niet in staat om te bevatten wat ze hoorde. Ze werd verscheurd door pijn en dreigde in tranen uit te barsten. 'Dat was akelig en wreed om te zeggen,' antwoordde ze schor, 'en als je ook maar een beetje een fatsoenlijke moeder was geweest die echt luisterde, had Mel nooit naar mij toe hoeven komen.' Ze duwde haar stoel naar achteren en probeerde te gaan staan, maar het duizelde haar en ze moest weer gaan zitten.

'Gaat het?' Margot schonk een glas water in en gaf dat aan Fleur.

Ze haalde een paar keer diep adem, dronk wat water en voelde zich een beetje beter. 'Het gaat wel,' mompelde ze.

'Ik ben niet onder de indruk van dat hypocriete gedoe van je,' snoof Bethany. 'Er is niets met je aan de hand, dus hou maar op met doen alsof.'

'Laten we die contracten tekenen en dan klaar,' zei Margot rustig. 'Waar zitten ze allemaal?'

Alsof er een sein was gegeven, ging de deur open en er kwamen acht mannen binnen achter een aantrekkelijke vrouw van middelbare leeftijd die de directeur bleek te zijn van de hotelketen die de aankoop deed. Nadat ze waren gaan zitten, begonnen de zaken van die dag met het voorlezen van de concepten en de aanpassingen van de voorstellen waarin de details van de verkoop van het bedrijf waren vastgelegd. Binnen een uur waren de contracten getekend en handdrukken en felicitaties uitgewisseld. Er viel een diepe stilte toen de deur achter hen dichtviel.

'Dat was het dan,' zuchtte Don terwijl hij de dop op zijn gouden vulpen schroefde. 'Een leven lang hard werken door de plee gespoeld. Mijn vader draait zich om in zijn graf.'

'We hadden geen andere keuze,' zei Margot. 'De banken worden in elk geval afbetaald, we krijgen allemaal een bedrag en dan blijft er nog aardig wat over om in de motels te investeren.' Ze lachte haar vader kil toe. 'Je kunt zelfs je huizen houden.'

'Die vormen maar een armzalig surrogaat voor de hotels,' mopperde hij en hij knipte een stukje van een verse sigaar.

'Sommige mensen zijn nooit tevreden.' Margot klikte het slot van haar aktetas dicht en zette die zorgvuldig naast zich op de grond. 'Omdat we hier toch allemaal zijn, heb ik een mededeling te doen.' Ze wachtte even om er zeker van te zijn dat ze ieders aandacht had. 'Nu de hotelketen verkocht is, heb ik besloten met pensioen te gaan.'

'Dat kun je niet maken,' bulderde Don. 'Hoe moet het dan met de motels?'

'Die komen in goede handen. Harry Dawkins neemt de zaken over en aangezien hij al twintig jaar mijn rechterhand is, heb ik er absoluut vertrouwen in dat hij het prima zal doen.'

'Ik had niet gedacht dat ik dit nog zou meemaken,' mompelde Bethany, die een stuk gekalmeerd leek. 'Het bedrijf was je leven. Wat ga je in hemelsnaam doen?'

'Plezier maken.' Margots glimlach was warm en oprecht en haar gezicht lichtte op.

'Dat is verdomme belachelijk. Een vrouw van jouw leeftijd,' sneerde Don om zijn sigaar heen. 'Je gunt mij m'n pleziertjes niet, maar dat weerhoudt jou er niet van om achter de jonge knullen aan te zitten.'

Fleur zag de strijdlust in Margots ogen branden en voor ze in de gaten had wat ze deed, flapte ze haar eigen nieuws eruit. 'Ik heb ook wat te vertellen,' zei ze snel. 'Ik ben er vorige week achter gekomen dat ik een aanzienlijk bedrag heb geërfd – en het komt uit een verrassende hoek.'

'Nou, vertel op, meid. Ik heb niet de hele dag.'

Ze keek naar haar vader en verstrengelde de vingers van haar handen die in haar schoot lagen. 'Doet de naam Annie Somerville een belletje rinkelen?'

Hij werd bleek en de sigaar viel uit zijn mond. 'Annie? Is Annie dood?'

Fleur knikte. 'Het verbaast me dat je daar zo van schrikt. Je hebt haar per slot van rekening al jaren niet meer gesproken, dus wat kan jou het schelen?'

'Dus daarom vroeg je naar haar,' zei Bethany ademloos.

'Ik dacht dat het allemaal een slechte grap was, maar toen pap het over zijn zus had, raakte ik geïntrigeerd. Maar ik wilde niets zeggen voor ik zekerheid had.'

'Nou, ik vind het achterbaks,' snoof Bethany. 'En waarom zou Annie alles aan jou nalaten? Hoe zit het met Margot en mij?'

'Ik heb geen flauw idee,' gaf Fleur toe.

'Mazzelkont,' zei Margot lijzig. 'Het werd tijd dat iemand in de familie eens een beetje de wind in de zeilen kreeg – en ik misgun het je absoluut niet.'

'Ik vind het niet eerlijk,' mompelde Bethany. 'Waarom zou Fleur wel moeten erven en wij niet?'

'Hoeveel heeft ze nagelaten?' Dons ogen werden spleetjes onder de dikke wenkbrauwen.

'Een aanzienlijk bedrag,' antwoordde ze, onwillig om de verbijsterende waarde van de nalatenschap te onthullen voor het geval dat voor nog meer problemen zou zorgen.

Don sloeg met zijn vuist op tafel. 'Hou me niet aan het lijntje, meid,' schreeuwde hij. 'Hoeveel heeft ze je verdomme nagelaten?'

'Dat gaat je niks aan,' antwoordde ze boos.

'Dat doet het wel,' gromde hij. 'Dat geld behoort mij toe – en je had het moeten vertellen voor we de hotels van de hand deden.'

'Hoezo behoort het jou toe?'

'Al het geld dat ze had is van mij,' stoof hij op. 'Alleen van mij.'

'Pap.' Margot legde kalmerend een hand op zijn arm, maar hij schudde die met een snauw van zich af.

'Blijf van me af,' brulde hij paars aangelopen en met bloeddoorlopen ogen. 'Dat geld is van mij, Fleur, en ik wil dat je het onmiddellijk aan me overdraagt.'

'Geen sprake van.' Fleur voelde zich ijzig kalm terwijl ze haar vaders blik weerstond.

'Dat doe je wel, als je tenminste weet wat goed voor je is. Vader heeft dat kreng een bedrag ineens gegeven toen ze met die verdomde John Harvey trouwde – geld dat hij mij had beloofd, geld dat ik had willen gebruiken om zelf uit te breiden. En ik zal het terugkrijgen ook, tot op de laatste cent.'

'En hoe denk je dat precies te bereiken?'

'Door het testament aan te vechten.'

'Pap, zo is het wel genoeg.' Margot wuifde met haar handen terwijl haar koele houding haar voor één keer in de steek liet. 'Als Annie Fleur dat geld heeft willen nalaten, dan kun je daar niets tegen doen.'

'Dat zullen we nog weleens zien,' mompelde hij terwijl hij zichzelf uit de stoel hees. 'Ik ga mijn advocaat bellen en een kopie van het testament opeisen.'

'Je steekt je in een wespennest,' waarschuwde ze. 'Ik zou het niet doen als ik jou was.'

Don aarzelde en keek strak naar Margot voor hij zich met een ondoorgrondelijke uitdrukking weer in zijn stoel liet zakken.

'Wat bedoel je daar precies mee, Margot?' Fleur proefde een ondertoon van onuitgesproken zaken. 'Kom op. Meestal ben je niet bang om de dingen recht voor z'n raap te zeggen.'

'Ik wilde alleen maar zeggen dat het het beste is om de dingen te laten voor wat ze zijn,' zei ze met herwonnen kalmte. 'Annie en pap hebben jaren geleden ruzie gekregen en het is niet goed om oude zaken en familieruzies op te rakelen. Een testament aanvechten is niet eenvoudig – en niet goedkoop ook. Geen enkele advocaat die naam waardig zou hem willen vertegenwoordigen.'

Fleur stond op het punt om die uitleg te slikken, toen ze de snelle, waarschuwende blik zag die Margot Don toewierp. 'Dit gaat niet alleen om geld dat opa al die jaren geleden aan Annie heeft gegeven. Er is nog iets, hè?'

'Natuurlijk niet,' snauwde Don. 'Het is al erg genoeg dat ik van mijn erfdeel ben beroofd en dat mijn zus niet het fatsoen heeft gehad om het me terug te geven.' Hij kauwde met een giftige blik in zijn ogen op zijn sigaar. 'Maar jij kunt het allemaal weer recht breien, Fleur. Geef me het geld dat ze me schuldig was, inclusief de rente, en we hebben het er niet meer over.'

'Als Annie vond dat je recht had op dat geld, dan zou ze je het inmiddels wel hebben teruggegeven. Vecht het testament maar aan als je dat graag wilt, maar als je dat doet, zeg ik nooit meer een woord tegen je.'

'Maar dat geld zou de hotels kunnen redden. Ik kan die verdomde contracten verscheuren en tegen ze zeggen dat ze die maar in hun je-weet-wel moeten stoppen.'

'De hotels zijn een gepasseerd station,' zei Margot die de contracten pakte en ze veilig in haar aktetas opborg. 'Bovendien zijn dit alleen maar onze kopieën en als we ons nu terugtrekken, zullen ze onze laatste cent als schadevergoeding eisen.'

'Annie is niet de enige die me geld schuldig is,' snauwde hij in de richting van Fleur. 'Waar blijft het geld dat ik je heb geleend voor de aanbetaling op dat buitenissige appartement?'

Ze verkilde. 'Dat krijg je zodra de nalatenschap is geratificeerd. En maak je niet druk, pap, ik zal de rente tot op de laatste cent doorrekenen.'

'Dat is je geraden,' grauwde hij.

Bij het opstaan merkte ze dat ze even op de tafel moest leunen. De giftige sfeer in het vertrek benauwde haar en ze voelde zich licht in het hoofd en misselijk. Ze was vastbesloten niet flauw te vallen, haalde diep adem en liep snel de kamer uit.

Ze haalde het damestoilet maar net. Daar gaf ze hevig en herhaaldelijk over.

6

Het was een afgrijselijke week geweest en Greg zat moedeloos onderuitgezakt in zijn bureaustoel. Toen klonk er een klop op de deur die hem terug sleurde naar het heden.

John Watkins, die er afschuwelijk fit en vrolijk uitzag, kwam het kantoor binnen, nam een pakje sap uit Gregs kleine koelkast en ging zitten. 'Ik wilde je eigenlijk vragen of je zin had om nog een keer ingemaakt te worden met squash,' zei hij terwijl zijn glimlach vervaagde, 'maar je wekt niet de indruk dat je daarvoor in de stemming bent.'

Greg wreef met zijn handen over zijn gezicht. 'Ik zit er helemaal door. Het is een heftige week geweest.'

'Dat heb ik gehoord, ja.' Hij nam met een bedachtzame uitdrukking op zijn gezicht een slokje van zijn vruchtensap. 'Je moet jezelf niets kwalijk nemen wat Shane betreft. Dergelijke dingen overkomen ons allemaal en we kunnen er geen moer aan doen.'

'Ja,' verzuchtte hij. 'Maar het blijft moeilijk.'

'Je moet proberen te denken aan de duizenden kinderen die je hebt geholpen,' zei hij nuchter. 'Dat is iets om trots op te zijn.' Toen Greg niet reageerde, ging hij verder. 'We doen dit werk allemaal om een bepaalde reden. Ik ben gynaecoloog geworden omdat mijn zus bij de geboorte van haar eerste kind bijna was gestorven. Dat was in de jaren zestig, toen het niveau nog niet zo hoog lag als nu. De dokter was een incompetente kluns en had allang geschorst moeten zijn. Ik was vastbesloten dingen te veranderen, om ervoor te zorgen dat geen enkele vrouw ooit nog zo'n nachtmerrie zou hoeven doormaken. Daarom begon ik een kruistocht om de regels aan te scherpen, om de zaken te verbeteren.' Hij nam nog een slok en zette het pakje op het bureau. 'En jij? Wat heeft jou op deze lange weg naar de verdoemenis gezet?'

'Ik wilde net als jij dingen verbeteren.' Greg schoof in zijn stoel en keek zonder iets te zien uit het raam. Hij wilde het niet hebben over zijn drijfveren.

'Dat is je absoluut gelukt.' John zuchtte, legde zijn voeten op Gregs bureau en vouwde zijn handen achter zijn hoofd. 'Klopt het dat je in een flatje aan de overkant van de rivier bent getrokken?'

Greg glimlachte wrang. 'Dat nieuws gaat als een lopend vuurtje, hè? Ik ben nog maar twee dagen geleden verhuisd.'

'Hoe zit het met Fleur? Ik zou er alles onder hebben verwed dat jullie een goed stel waren.'

'Schijn bedriegt, John.' Hij ging rechtop zitten en schoof zijn dossiers over het bureau. 'Kwam je voor iets speciaals? Ik moet over een halfuur een misvormde voet opereren.'

'Ik kwam alleen maar langs voor het geval je behoefte had aan gezelschap. Het helpt vaak om er met een vriend over te praten als de zaken niet zo lekker lopen – in de wetenschap dat alles wat je zegt niet verder komt.'

'Dank je. Dat waardeer ik, maar...'

'Ik begrijp maar al te goed hoe moeilijk het is wanneer je iemand op de operatietafel verliest,' zei John kalm. 'En hoewel het er bij ons wordt in gehamerd dat je nooit je werk mee naar huis moet nemen, of zo betrokken mag raken bij een geval dat het invloed heeft op alles wat je doet, wordt ook algemeen geaccepteerd dat dat soms onmogelijk is.'

'Dat weet ik,' zei hij kortaf, 'en ik doe er iets aan.'

'Dat geloof ik niet, jongen,' zei hij zacht. 'Dat Fleur en jij zo kort na wat Shane is overkomen uit elkaar zijn gegaan, betekent niet veel goeds. Heb je erover gedacht om hulp te zoeken?'

'Ik heb geen behoefte aan een of andere kunstenmaker die psychogeklets op me loslaat.'

'Ze doen fantastisch werk,' zei John ferm. Hij zette zijn voeten weer op de grond en boog zich voorover. 'De directie moedigt het personeel aan om begeleiding te zoeken, weet je. Je hoeft je nergens voor te schamen als je hulp zoekt en het betekent zeker geen slechte aantekening of een slechte invloed op je carrière als dat is waar je je zorgen om maakt. Ik ben zelf ook naar die aardige Carla gegaan – twee jaar geleden, toen ik die moeder en haar baby had verloren. Ze heeft me enorm geholpen.'

'Dat wist ik niet.' Greg keek zijn collega en vriend aan en zag hem plotseling in een ander licht. Hij had altijd gedacht dat John alles in de hand had, dat hij het toonbeeld was van een rustige en efficiënte dokter, maar blijkbaar had hij zijn eigen spookbeelden die hem plaagden.

John haalde zijn schouders op en dronk het pakje sap leeg. 'We hebben allemaal van tijd tot tijd hulp nodig,' zei hij bruusk, 'en mijn advies aan jou is dat je een afspraak moet maken met Carla – of iemand van haar team.'

Greg voelde zich ongemakkelijk. 'Heeft iemand iets gezegd? Is dat de reden dat je hier bent?'

'Het is opgevallen dat je nogal scherp reageert tegen het personeel in de operatiekamer en dat je niet je gebruikelijke opgewekte zelf bent.' Hij keek Greg nadenkend aan. 'Ik weet dat je moe bent – dat geldt voor ons allemaal – maar ik heb de indruk dat het bij jou dieper zit. Neem de raad van een oude man aan die al te veel goede chirurgen overspannen heeft zien worden. Bel Carla. En wacht niet te lang.'

Hij wendde zijn ogen af van Johns bedaarde blik. 'Ik zal erover nadenken,' mompelde hij.

John knikte, gooide het lege pakje in de prullenbak en liep in de richting van de deur. 'Doe dat, jongen. Tot later.'

Greg liet zich weer in zijn stoel zakken nadat de deur achter John was dichtgevallen. Johns raad om hulp te zoeken was een weerspiegeling van zijn eigen gedachten die door zijn hoofd buitelden sinds de avond dat hij zijn appartement en zijn huwelijk achter zich had gelaten. Hij miste Fleur ontzettend, maar hij blokkeerde doelbewust haar telefoontjes en weigerde zelfs antwoord te geven op de talrijke boodschappen die ze achterliet. Hij was een lafaard, een wrede, gemene lafaard die net als zijn vader in staat was om vreselijk leed te berokkenen. John had gelijk. Hij moest iets ondernemen.

Hij keek naar de telefoon terwijl zijn gedachten en emoties door elkaar tolden. Hij kwam in de verleiding om Fleur te bellen, om haar stem op het antwoordapparaat te horen, maar stel dat ze opnam? Hij had haar niets nieuws te melden, niets aan te bieden behalve spijt dat hij zo'n schijnvertoning had gemaakt van hun liefde en hun huwelijk.

Greg bleef naar de telefoon staren. Het idee dat hij zijn angsten, zijn herinneringen en de vernietigende nasleep van die verschrikkelijke kindertijd aan een vreemde moest vertellen, stond hem tegen. Maar het moest als hij Fleur ooit terug wilde winnen en de schade wilde herstellen die hij had veroorzaakt.

Hij aarzelde, pakte vervolgens de hoorn van de haak en draaide het nummer van Carla's kantoor.

Er waren drie weken voorbij sinds Greg haar had verlaten en Fleur dwong zichzelf elke dag naar de sportschool te gaan, sollicitatiebrieven te schrijven, sollicitatiegesprekken te voeren en zich bezig te houden met geestdodend huishoudelijk werk. Maar dan bleven nog de nachten over om door te komen – de nachtmerries, het eindeloze heen en weer geloop door het stille, lege appartement terwijl de tranen bleven komen en haar gemoed steeds zwaarder werd. Haar wereld was verscheurd, het bekende en aangename landschap van haar huwelijk was verwoest, bespot. Haar ambities en dromen, hun toekomst samen, waren in de as gelegd.

Ze had de avond ervoor een lange brief aan Greg geschreven. Het had haar uren en talloze verfrommelde vellen papier gekost voor ze tevreden was. Ze had hem verteld dat ze nooit zou ophouden van hem te houden, dat ze hun huwelijk nooit zou opgeven voor ze elke reparatiemogelijkheid had onderzocht. Ze smeekte hem om met haar te blijven praten, op wat voor manier dan ook, omdat ze de gedachte dat hij er alleen voor stond niet kon verdragen. Ze had hem ook meer details verteld over Annies erfenis en over de akelige reactie van haar vader, en dat had geleid tot het ontvouwen van haar plannen voor de onmiddellijke toekomst.

Haar gedachten werden onderbroken door het gezoem van de intercom. Het was Jason. Ze begroette hem bij de deur en haar ogen werden groot toen ze het trainingspak zag en de oranje bandana die vreselijk vloekte bij zijn paarse gezicht. 'Je bezorgt jezelf nog een hartaanval als je niet uitkijkt,' plaagde ze.

Hij wierp haar een kushand toe. 'Je lijkt vandaag een beetje vrolijker, schoonheid,' zei hij terwijl hij zijn sporttas het appartement in droeg.

'Ik doe mijn best.'

Hij sloeg zijn armen over elkaar en snoof afkeurend toen hij zijn blik door het veel te opgeruimde woonvertrek liet gaan. 'Vertel me nou niet dat je eindelijk iets van die echtgenoot van je hebt gehoord. Ik hoop niet dat je hem hebt teruggenomen.'

Fleur schudde haar hoofd. 'Hij ontwijkt me nog steeds,' gaf ze toe. Ze had Jason alles verteld en hij was heel erg meelevend en behulpzaam geweest, maar er klonk iets van boosaardigheid in zijn stem zodra Greg ter sprake kwam en dat stond haar niet aan. Ze wilde niet dat haar liefde voor hem erdoor werd besmet.

'Ga douchen, Jason. Dan maak ik het ontbijt.'

Fleur schonk vruchtensap in en maakte twee croissants warm en bracht alles op een dienblad naar het terras. Het was licht bewolkt en de hitte werd een beetje getemperd door een briesje dat van zee en over de rivier kwam.

Jason kwam druk over het terras aan gelopen en liet zich op een stoel vallen. 'Oké, meid. Laat de roddels maar komen en ik wil elk smerig detail horen.'

Voor het eerst in dagen glimlachte Fleur oprecht. 'Je bent onmogelijk, weet je dat?'

Hij glimlachte haar scheef toe. 'Wat je ziet is wat je krijgt, Fleur. Voor de draad ermee.'

'Je weet wel, die erfenis?'

Hij knikte gretig en schoof heen en weer op zijn stoel.

'Hij is groter dan ik ooit had kunnen dromen,' begon ze, 'maar hij blijkt nu al een vloek te zijn.' Ze vertelde hem alles, ook over haar vaders dreigement dat hij het testament zou aanvechten, de pijnlijke ruzie met Beth en de voortdurende, zwijgende afwezigheid van haar echtgenoot.

'Het klinkt alsof je een tijdje bij die familie van je uit de buurt moet blijven,' zei hij zacht.

'Dat is precies wat ik van plan ben. Een deel van mijn erfenis bestaat uit een toevluchtsoord ten noorden van Cairns. Ik wil ernaartoe gaan zodra het testament is erkend.'

'Dat gaat toch gauw gebeuren, hè?' Hij dronk wat van zijn vruchtensap en nam een grote hap van de croissant. 'Hoelang ben je van plan weg te blijven?'

Ze haalde haar schouders op. 'Ik weet het niet. Een maand, misschien langer. Dat hangt ervan af hoe de zaken met Greg zich ontwikkelen.'

Hij stond op het punt antwoord te geven toen haar mobiele telefoon overging.

'Met mij, Margot. Ik moet je waarschuwen. Pap heeft een kopie van Annies testament en hij denkt er serieus over om het aan te vechten.'

De woorden bezorgden haar de koude rillingen. 'Dat kan hij niet doen,' zei ze ademloos.

'Ik heb er met Ed Fanshaw, de bedrijfsjurist, over gesproken. Er is voor de ratificatie blijkbaar een korte periode waarin het testament kan worden aangevochten. Het feit dat hij Annies broer is en geen begunstigde, zou hem het recht kunnen geven dat te doen.'

'Maar haar wensen zijn duidelijk. Hij heeft nergens recht op.' Fleur liet haar voorhoofd in haar hand rusten. 'Waarom doet hij dit, Margot?'

'Hij heeft gezien hoe groot de nalatenschap is,' zei ze droog, 'en je kent pap. Als hij lucht krijgt van een makkelijk te verdienen dollar, dan is hij net een bloedhond.'

Haar stem was nauwelijks meer dan een gefluister. 'Wat kan ik doen?'

'Zorg dat je onmiddellijk juridische bijstand krijgt en bereid je voor op een gevecht. Ik heb de naam en het telefoonnummer van een heel goede vent hier in Brisbane, mocht je die nodig hebben.'

'Denk je echt dat ik zo iemand nodig heb?'

'Wellicht komt het niet zo ver, maar het heeft geen zin om je kop in het zand te steken. Misschien dat pap iemand bereid vindt de zaak op zich te nemen of hij probeert het in zijn eentje. Hoe dan ook, je kunt niet zelfvoldaan zitten toekijken.'

'Heeft hij zo'n hekel aan me?'

'Natuurlijk heeft hij geen hekel aan je,' zei Margot bitter. 'Hij is gewoon een inhalige, hebzuchtige man die de gedachte niet kan verdragen dat iemand iets heeft wat hij als zijn eigendom beschouwt. Ik denk niet dat het een persoonlijke aanval is, maar hij is altijd zo verblind geweest als het om zijn zus ging, dat hij er waarschijnlijk geen seconde over heeft nagedacht wat deze rancuneuze daad voor jou zou kunnen betekenen.'

'Geef me de gegevens van die advocaat maar,' mompelde ze. Ze nam een pen aan van Jason en krabbelde de informatie op een hoekje van de krant. Haar hand trilde zo erg dat ze verschillende pogingen moest doen voor haar handschrift een beetje leesbaar was.

'Het spijt me dat ik met zulk slecht nieuws kom, Fleur, maar een gewaarschuwd mens telt voor twee. Ik hou pap aan deze kant in de gaten. Hou jij me op de hoogte van jouw vorderingen?'

'Natuurlijk.' Fleur verbrak de verbinding en staarde Jason aan. 'Ik weet niet wat je van dat gesprek hebt begrepen,' zei ze zachtjes, 'maar mijn plannen om ertussenuit te knijpen zullen even moeten wachten. Pap lijkt vastbesloten om de strijd aan te gaan en ik ben volledig bereid hem op zijn wenken te bedienen. De erfenis van Annie moet beschermd worden.'

Ze zaten in haar comfortabel gemeubileerde spreekkamer met erkers die uitzicht boden op de weelderig begroeide tuin van haar privékliniek. Het victoriaanse huis maakte deel uit van een rij huizen langs een rustige, door bomen omzoomde straat aan de rand van de stad. Het was een vertrek dat met zijn zachte banken, lage salontafels, bloemen en aquarellen uitnodigde tot vertrouwelijkheid. De wanden hadden een zachte kleur, de gordijnen waren roomkleurig en de oude gepolitoerde vloer glom rondom de Turkse tapijten.

'Ik heb een brief van Fleur ontvangen,' zei Greg. 'Ze gaat een tijdje weg.'

'Dat is vermoedelijk het beste wat ze op dit moment kan doen,' zei Carla met haar gruizige stem. 'Wat vind jij ervan?'

Dit was het laatste deel van de derde sessie in evenzoveel weken. Hoewel de pijn van het verlies van Fleur nog diep zat, vond hij het gemakkelijker om met Carla te praten dan hij had verwacht. 'Ik denk ook dat het goed voor haar zal zijn. Die tante heeft haar een huis nagelaten ten noorden van Cairns en het klinkt ideaal om er te ontspannen en tot rust te komen.'

'Heb je haar al gesproken?'

Hij schudde zijn hoofd. 'Ik vertrouw mezelf niet. Ik zal vermoedelijk instorten en haar smeken me terug te nemen,' gaf hij toe. 'En dat zou een vreselijke vergissing zijn, want ik kan haar niet geven wat ze wil. Haar hart zou opnieuw breken.'

'Je houdt duidelijk heel veel van haar,' zei ze zacht. 'Hoe zou je het vinden als ze wegging en nooit meer terugkwam?'

Zijn ogen stonden hol van verdriet en zijn gezicht was ingevallen door de slapeloze nachten en de lange uren dat hij in een poging de pijn te verdoven in de operatiekamer aan het werk was. 'Dan zou ik me erbij neer moeten leggen dat ik de verkeerde man voor haar ben, dat ze het recht heeft om een nieuw leven te beginnen, nu ik haar teleurgesteld heb, gefaald heb.'

'"Falen" is een groot woord, Greg. Je gebruikt het vaak en toch ben je een man die succes heeft, een man die veel respect krijgt voor zijn werk, zowel in het ziekenhuis als bij al die liefdadige instellingen. Kun je het woord "falen" voor me definiëren en me vertellen hoe het in verhouding staat tot hoe jij jezelf ziet?'

Hij keek haar nadenkend aan, maar binnen in hem groeide de woede die dreigde door de muur van zelfbeheersing te breken die hem zo veel jaren had gekost om op te trekken.

'Falen is het gebrek aan succes in zowel het leven als in relaties en het onvermogen om aan de verwachtingen van anderen te voldoen,' zei hij gespannen. 'Het is het blind zijn voor situaties die veranderd hadden kunnen worden, het onvermogen om dingen goed te maken, het gebrek aan moed om terug te vechten.' Hij klonk bitter terwijl hij haar strak aankeek. 'Ik gebruik dat woord omdat het precies de man beschrijft die ik in werkelijkheid ben.'

'Weet je wat voor man ik zie, Greg?'

'Moet ik hiernaar luisteren?'

Haar prachtige, donkere ogen straalden warmte en begrip uit terwijl ze hem aankeek. 'Wat ik zie, is een man met diep vanbinnen nog steeds dat bange, geïntimideerde jongetje dat zijn eigen stem nooit mocht laten horen. Het wordt tijd om dat jongetje te bevrijden, Greg. Om hem zijn stem te geven zodat hij alle pijn en vernedering die hij heeft moeten ondergaan van zich af kan werpen en kan leren van zichzelf te houden en zichzelf te vertrouwen.'

'Ik moet weer naar het ziekenhuis,' zei hij nors en hij maakte aanstalten om te vertrekken. 'Dank je, Carla, maar ik denk dat het zo wel genoeg is. Dit werkt gewoon niet.'

'We weten allebei dat het werkt,' zei ze vriendelijk. 'Dat is de reden waarom je uit deze kamer en aan onze gesprekken wilt ontsnappen.' Ze hield haar hoofd schuin. 'Ben je zo bang voor wat dat jongetje zo wanhopig probeert te zeggen, Greg?'

'Ja,' fluisterde hij en hij liet zich weer in zijn stoel zakken. 'Ik wil hem niet horen, ik wil hem niet zien. Ik wil niet weer geconfronteerd worden met mijn vader – of met mijn moeder.'

'Ik denk dat je diep vanbinnen weet dat het er een keer van zal moeten komen.'

Hij graaide zijn jasje van de rugleuning van de stoel en schoot het aan. 'Maar niet vandaag,' zei hij. Hij keek naar haar toen ze naast hem kwam staan. 'Zie je nu wat een lafaard ik ben? Het spijt me, Carla. Ik kan dit niet.'

Ze glimlachte vriendelijk en begrijpend. 'Je hoeft helemaal niets te doen waar je je niet prettig bij voelt,' zei ze, 'maar als je met me wilt praten, als vrienden, met iemand die een pijnlijke periode in haar eigen huwelijk doormaakt en weet hoe dat voelt, dan sta ik voor je klaar.'

'Dat wist ik niet.'

'Waarom zou je?' Ze glimlachte weemoedig. 'Ik ben hier om anderen te helpen, niet om mijn eigen problemen te bespreken.'

Dus de mooie, ongrijpbare Carla was getrouwd – of in elk geval bezig een pijnlijke scheiding te overleven. Dat maakte haar op de een of andere manier menselijker, meer benaderbaar, maar dat was misschien de reden waarom ze het hem had verteld. 'Het moet moeilijk zijn om naar de problemen van je patiënten te luisteren terwijl je eigen leven op zijn kop staat. Hoe ga jij daarmee om?'

'Ik heb goede vrienden die luisteren en zelden oordelen. En terwijl ik praat en praat en praat, besef ik dat de antwoorden er al die tijd waren, dat het alleen maar de emoties en de ruis van gekwetstheid uit het verleden zijn die de antwoorden afschermden.'

'Ik begrijp het.' Hij stond daar zwijgend terwijl zijn gedachten langzaam maar zeker helderder werden. 'Maar voor sommigen is het gemakkelijker om over hun problemen te praten,' zei hij ten slotte. 'Ik merk dat ik alleen maar kwaad en gefrustreerd word als ik het verleden oprakel, omdat ik niets kan veranderen aan wat er is gebeurd.'

'Maar je kunt leren om verder te gaan. Je kunt het verleden achter je laten, jezelf vergeven voor de zonden die je om te beginnen nooit hebt begaan,' zei ze kalm. 'En daarom is het zo belangrijk dat je blijft praten, dat je naar boven blijft halen. Vroeg of laat zal de wond schoon en gevoelloos zijn en dan voel je je weer heel, klaar om het leven aan te kunnen.'

Gregs maag rommelde en hij keek op zijn horloge. 'Ik had me niet gerealiseerd hoe laat het is. Het spijt me dat ik je heb opgehouden, Carla. Ik hoop niet dat ik je plannen voor vanavond in de war heb geschopt.'

Ze glimlachte terwijl ze haar handtas pakte en de lichten uitdeed. 'De au pair zal de kinderen al in bed hebben gestopt, dus ik haal ergens wat te eten en ga mijn aantekeningen uitwerken. Ik neem aan dat jij weer naar het ziekenhuis gaat?'

Greg stopte dit nieuwe en verrassende stukje informatie over Carla weg terwijl ze achter hem aan de voordeur uit liep en die achter hen dichtdeed. 'Ik denk dat ik hetzelfde doe als jij. Tenzij...' Hij voelde zich plotseling opgelaten en kwam niet uit zijn woorden. 'Ik vermoed dat ik je niet mee uit eten mag nemen? Druist dat niet in tegen de regels van de ethiek?'

'Ik dacht dat je terug moest naar het ziekenhuis?' Er blonk een plagerig lichtje in haar ogen.

Hij grijnsde schaapachtig. 'Dat zei ik maar,' gaf hij toe. 'Maar de gedachte om opnieuw een avond in mijn eentje in dat benauwde flatje te zitten is deprimerend en het lijkt stom, aangezien we alle twee momenteel vrij zijn... Geen verplichtingen,' voegde hij er haastig aan toe, voor het geval ze het verkeerd zou opvatten, 'gewoon, collega's die na een dag hard werken de noodzakelijke calorieën tot zich nemen.'

Ze keek hem kalm aan. 'Een etentje klinkt goed, maar ik trakteer, daar sta ik op, en ik kies het restaurant. Ik ben er tot nu toe in geslaagd buiten het roddelcircuit te blijven en dat wil ik graag zo houden.' Ze grinnikte. 'Afgesproken?'

Greg voelde zich meer ontspannen dan hij in weken had gedaan terwijl hij haar glimlachend aankeek. 'Afgesproken, maar ik doe niet aan vegetarisme of aan nouvelle cuisine.'

'Wat dacht je van een biefstuk, verse sla en rode wijn? Ik ken een geweldig Italiaans restaurantje hier vlakbij.'

Hij deed het tuinhek voor haar open. 'Wijs me de weg maar.'

Er waren twee weken voorbijgegaan sinds Margot haar had gewaarschuwd en het was de laatste dag dat Don Franklin wettelijk bezwaar kon aantekenen tegen Annies testament. Fleur zat in het kantoor van haar advocaat. Haar mond was droog en haar schouderspieren waren zo gespannen dat het pijn deed.

Michael Fabian was begin veertig en ging gekleed in een tamelijk sjofel pak dat betere tijden had gekend. Zijn slaperige uiterlijk en ontspannen houding waren bedrieglijk, want achter die slome façade huisde een messcherp verstand dat hem de afgelopen vijftien jaar de overwinning had bezorgd in enkele van de meest ingewikkelde zaken. Hij leunde achterover in zijn stoel. Op het bureau voor hem lagen kopieën van het testament en van de overige papieren die betrekking hadden op de nalatenschap.

'Het spijt me, Fleur,' zei hij met zijn lijzige Tasmaanse accent, 'maar de officiële mededeling dat je vader het testament aanvecht is vanochtend binnengekomen.'

Fleur knikte. 'Mijn zus Margot had me al gewaarschuwd.' Ze bevochtigde haar lippen. 'Wat gaat er nu gebeuren?'

Michael tikte even minachtend op de brief van de advocaat van de tegenpartij. 'Zijn advocaat weet dat hij geen zaak heeft en hij is alleen maar aan het vissen.' Hij zag haar bedenkelijk kijken en glimlachte. 'In overdrachtelijke zin,' legde hij uit. 'Je vader heeft geen enkel recht op een deel van de nalatenschap en aangezien het meeste in beheer voor je nakomelingen blijft, kan hij er sowieso niet aankomen tenzij hij besluit je ongeboren kinderen te vervolgen. En dat is zeer onwaarschijnlijk,' voegde hij eraan toe toen hij zag dat haar ogen groot van afschuw werden.

'Als hij geen rechten heeft, en zijn advocaat en hij weten dat, waarom gaat hij er dan mee door?'

'Je vader lijkt gefixeerd te zijn op een bedrag dat Annie heeft meegekregen toen ze met John Harvey trouwde. Zijn advocaat zegt dat als er een overeenkomst kan worden gesloten over die som, hij de zaak zal laten rusten.'

'Hij krijgt geen rooie cent,' zei Fleur kortaf. 'Het is zijn geld niet. Annie zou hem hebben terugbetaald als dat zo zou zijn.'

'Ik begrijp hoe je je voelt,' zei hij, 'en dat kan ik je niet kwalijk nemen. Het moet vreselijk zijn om een ouder te hebben die zo ver gaat.' Hij legde zijn vingertoppen tegen elkaar en keek haar met half geloken ogen aan. 'Toch vind ik dat je er nog eens over na moet denken, Fleur.'

'Waarom?'

'Zolang dit geschil voortduurt, zal de hele nalatenschap afnemen door de juridische kosten. Als het nog verdergaat en er juristen moeten worden toegewezen aan iedereen die erbij betrokken is... Je ziet welke kant het opgaat, hè?'

Fleur slaakte een diepe zucht en knikte. 'Wat stel je voor?'

Hij pakte de brief. 'Je vader lijkt van mening dat Annie hem een bedrag schuldig was dat omgerekend en met inbegrip van de rente en huidige koersen neerkomt op ongeveer honderdduizend dollar. Aangezien dat geld niet contant beschikbaar is uit de nalatenschap, stel ik voor dat we aanbieden het geld in twee jaarlijkse termijnen te betalen uit de toekomstige inkomsten van de veefokkerij.'

'En als het inkomen lager is dan dat? Wat als hij het hele bedrag ineens wil hebben? Dat zou betekenen dat ik onroerend goed zou moeten verkopen en dat wil ik niet.'

'Het is een risico, dat geef ik toe – maar hij zal serieus moeten nadenken over het aanbod, want dat is het enige dat nu op tafel ligt.'

'Kunnen we onderhandelen over een lager bedrag?'

'Dat zou kunnen. Maar ik betwijfel of hij daarmee akkoord gaat. Hij wil boter bij de vis, Fleur, en hij zal niet rusten voor hij het heeft.'

Fleur was aan het eind van haar Latijn. 'En als we hem dat absurde bedrag geven, is het dan klaar?'

'Alles wijst daar wel op.'

'Doe het aanbod dan maar.' Ze ging staan en schudde hem de hand. 'Laat me weten zodra je iets hoort. Ik wil dit achter de rug hebben. Ik ben het beu om met iedereen in de clinch te liggen.'

Ze verliet het zandstenen gebouw en stapte het warme zonlicht in. Nu zat ze nog met die tienduizend dollar die haar vader haar had geleend om haar deel van de aanbetaling voor het appartement bij elkaar te krijgen. Hij had de afgelopen weken regelmatig gebeld en haar geprest die schuld te vereffenen. Maar haar spaargeld raakte op omdat ze geen inkomsten had en hoewel ze Greg had kunnen vragen haar uit de brand te helpen, voelde ze daar weinig voor. Met een zwaar gemoed wandelde ze langzaam langs het casino en stak de brug over naar de zuidelijke oever.

Op het witte zand van het kunstmatig aangelegde strand en in de ondiepe zwembaden speelden kinderen, in de bomen zongen vogels en in de schaduw op het gras zaten mensen te picknicken. Het leven ging zijn normale gang en ze had het gevoel dat ze onzichtbaar was, alleen, en als een geest door dit vrolijke, zomerse tafereel zweefde.

Ze verlangde naar ontsnapping, om deze stad waar ze ooit zo van had gehouden achter zich te laten. Er waren hier te veel herinneringen, vervlogen hoop en de wetenschap dat haar vader helemaal niets om haar gaf. De roep van Kingfisher Bay werd steeds luider, maar dat zou moeten wachten tot ze er zeker van was dat ze hem haar eigendom mocht noemen.

Bethany had God om vergiffenis verzocht omdat ze zo gemeen tegen Fleur had gedaan. Ze bleef verontwaardigd over de bemoeienis van haar jongere zus met Melanie, hoe hard ze ook probeerde het van zich af te zetten. Ze overwoog om te bellen en haar verontschuldigingen aan te bieden, maar vond dat gezien de omstandigheden hypocriet.

Ze had de avond ervoor afscheid genomen van Melanie en ze was er trots op dat ze erin was geslaagd haar tranen te bedwingen en geen scène had geschopt toen ze haar reisgenoten zag – hippies met lange haren en kralenkettingen – en de beruchte camper. Die was geel en de zijkanten waren beschilderd met grote oranje en paarse bloemen. Op het dak waren onder andere tenten, tassen en surfplanken vastgebonden en vanbinnen was hij volgepropt met slaapzakken, gitaren en dozen vol eten in blik en kookgerei. Ze had geen flauw idee waar het zestal dacht te slapen.

De ouders hadden op de oprit van het huis van Liam gestaan en hen uitgezwaaid. Bethany had een lange avond uitgezeten op alleen maar tonic light terwijl de anderen zich te buiten gingen aan grote hoeveelheden bier en wijn en Chinese afhaalmaaltijden.

Toen ze de volgende ochtend in de keuken kwam, stond ze ervan te kijken hoe opgewekt ze zich voelde, hoe geconcentreerd ze was op haar dieet en op alle dingen die ze zou gaan doen wanneer ze eenmaal haar overgewicht kwijt was. Melanie had haar keuze gemaakt en dat moest ze accepteren. Ze moest de mogelijkheden omarmen die voor haar lagen, nu ze niet langer vastzat aan het aanrecht. De hormoonkuur deed wonderen; ze had al tijden geen opvliegers meer gehad en het nachtelijke transpireren en de pijnlijke gewrichten behoorden ook tot het verleden.

Er was nog wel de kwestie van Clives trouw of het gebrek daaraan. Ze was tot de conclusie gekomen dat wat ze niet wist, haar ook niet kon deren. Ze pakte haar sporttas, keek of ze al haar spullen had en vertrok naar haar fitnessklas.

Greg had snel twee weekendtassen volgepakt met kleren en die naar beneden naar zijn auto gebracht. Nu stond hij in het appartement en luisterde naar de stilte. Fleur was in de sportschool en zou de komende paar uur niet terugkomen, maar de vertrekken behielden haar geur als een mooie, trieste herinnering aan alles wat hij dreigde te verliezen.

Hij voelde zich een dief toen hij zijn twee favoriete gitaren pakte en die bij de deur van de lift klaarzette. Ondanks zijn sessies met Carla was hij nog niet sterk genoeg was om haar onder ogen te komen.

De gedachte aan Carla en aan de vriendschap die zich langzaam tussen hen begon te ontwikkelen maakte het gevoel van onbehagen nog groter. Het was alsof hij door het gezelschap van een andere vrouw te zoeken, en ervan te genieten, zijn vrouw bedroog en de kloof die zich tussen hen aan het vormen was alleen maar groter maakte. Als hij niet gauw actie ondernam, zou het te laat zijn.

Hij nam de brief uit zijn zak en hing die onder de magneet op de koelkastdeur. Het had hem een hoop tijd gekost om hem te schrijven, om de juiste woorden en zinnen te vinden die de kloof konden overbruggen. Na een laatste verlangende blik pakte hij de gitaren en vertrok.

Toen Fleur het appartementsgebouw naderde, zag ze Gregs Porsche met brullende motor uit de parkeergarage komen en met piepende banden stilhouden voor het verkeerslicht. Haar hart sloeg over en ging tekeer terwijl ze in zijn richting rende en zijn naam riep. Het licht sprong op groen en de snelle auto sloeg de hoek om en was verdwenen.

Ze bleef in de verte staren en probeerde het geluid van zijn auto te onderscheiden van alle andere. Toen haastte ze zich naar hun appartement, bang voor wat ze daar zou aantreffen.

De meeste van zijn kleren waren verdwenen, evenals zijn twee favoriete gitaren. Het was nog moeilijker om zijn afwezigheid te aanvaarden, nu er nog maar een paar dingen in zijn kast hingen. Ze zagen er net zo verloren uit als zij zich voelde – en net zo in de steek gelaten.

Ze liep de keuken in en vond de brief. Hij rook naar zijn aftershave en ze hield hem met haar ogen dicht bij haar gezicht en ademde zijn geur in, riep al die intieme momenten op die ze samen hadden gekend. Toen maakte ze hem met trillende vingers open.

Mijn lieve Fleur,

Woorden schieten tekort om te beschrijven hoe erg ik je mis. Het leven lijkt geen zin te hebben, geen kleur en geen vreugde – leeg, omdat jij niet bij me bent. En toch heb ik die eenzaamheid aan mezelf te wijten en ik neem er ook de volle verantwoordelijkheid voor. De pijn die ik jou berokken is onvergeeflijk. Ik smeek je om begrip en vergeving, hoewel ik geen van beide verdien, en ik vraag je om in mij en in ons huwelijk te blijven geloven. Ik heb hulp gezocht en ben in therapie gegaan omdat ik tot de conclusie ben gekomen dat ik de confrontatie met mijn verleden moet aangaan om in staat te zijn naar de toekomst te kijken. En ik wil een toekomst samen met jou, als jij me nog wilt.

Dat ik wat dingen uit het appartement heb gehaald, betekent niet dat dit een afscheid is. Het is puur om praktische redenen. Mijn kleren raken op!

Ik wens je alles wat je jezelf toewenst tijdens je verblijf in Kingfisher Bay.

Ik hou van je. Ik zal altijd van je houden.

Greg

Het was een mooie brief. Fleur vouwde hem zorgvuldig dicht en stopte hem terug in de envelop voor ze naar de slaapkamer liep. Ze kroop in bed, trok het laken over haar hoofd en barstte in tranen uit terwijl ze zijn dierbare woorden beschermend tegen haar hart gedrukt hield.

7

Het had nog vier lange weken vol spanning geduurd voor haar vader zich gedwongen zag het aanbod van twee jaarlijkse uitkeringen te accepteren. De nalatenschap was eindelijk erkend. De tienduizend dollar aan effecten en aandelen was tot de helft gekrompen omdat Fleur haar spaarrekening had leeggemaakt en de lening aan hem had terugbetaald. Ze voelde zich bevrijd en keek reikhalzend uit naar de volgende dag.

Ze zaten op het terras van hun favoriete wijnbar en keken naar de watertaxi's en rondvaartboten op de rivier. Fleur keek Jason glimlachend aan en hief haar glas champagne voor een toost. 'Op Birdsong.'

'Daar drink ik op. Maar blijf niet te lang weg. Het wordt vreselijk saai zonder jou.'

Fleurs mobiele telefoon ging over en ze wierp hem een verontschuldigende blik toe alvorens te kijken wie er belde. Het was haar vader. 'Ja?' zei ze koel.

'Fleur, ik wil dat je weet dat het niet persoonlijk bedoeld was dat ik het testament heb aangevochten. Ik wilde gewoon hebben waar ik recht op had.'

'Nou, dat heb je nu, dus we laten het daar maar bij, oké?'

'Je had die lening niet terug hoeven betalen, niet nadat we dat van de erfenis hadden geregeld,' zei hij stijfjes.

'Dat moest ik wel en ik hoop dat je het eens bent met het bedrag. Ik heb ervoor gezorgd dat je elke cent rente hebt gekregen om te voorkomen dat ik je weer achter me aan krijg.'

'Er is geen enkele reden om zo te doen, Fleur.'

'Gaat dit gesprek nog ergens naartoe?'

'Ik wilde alleen maar zeggen...'

'Ik heb alles van je gehoord wat ik wilde horen. Dag, pap.' Ze legde haar mobieltje weg en pakte met een zucht van verlichting haar glas champagne.

'Mooi zo,' mompelde Jason. 'Dat zal die ouwe zak leren.' Hij nam een slokje van zijn champagne. 'Dus, schoonheid, dit is je laatste dag in Brisbane. Ben je er helemaal klaar voor? Hoe laat gaat je vliegtuig?'

'Morgenochtend vroeg.' Ze ging met haar vingers door haar lange haar en schudde het los. 'Ik heb nooit eerder tijd gehad om op reis te gaan. Ik ben erg opgewonden en nieuwsgierig naar hoe het er daar in het noorden uitziet.'

'Wie zou niet opgewonden zijn bij de gedachte aan een tropisch paradijs? Nu ik een beter betaalde baan heb, zijn Enrique en ik van plan in augustus naar Bali te gaan. Hij heeft me twee weken vijfsterrenluxe beloofd en ik kan niet wachten.' Hij werd serieus. 'Hoe zit het met jou en Greg? Nog steeds alleen maar contact via de post?'

Fleur knikte. 'Het is beter dan niets en het houdt ons op de hoogte van wat er in het leven van de ander gebeurt.'

Ze dronken hun glazen leeg terwijl ze het over Jasons nieuwe baan hadden. Toen de zon achter de glazen torens zakte, schoof ze haar stoel achteruit en gaf Jason een knuffel. 'Zorg goed voor jezelf, Jason. En hou contact. Ik zie je over een paar weken.'

Ze liep met verende tred en vol verwachting terug naar het appartement. Birdsong riep en nu was ze eindelijk vrij om gehoor te geven aan die roep.

Cairns lag te glinsteren in de vallei tussen de Koraalzee en de donkere heuvels van het Atherton Tableland. Er hing een vochtige hitte en de zon brandde vanuit een wolkeloze hemel toen Fleur de gehuurde jeep de stad uit reed en over de Captain Cook Highway naar het noorden ging. Ze had een korte broek en een shirt aan en er lag een grote zak fruit op de stoel naast haar.

Terwijl ze door het weelderige tropische landschap reed met de oceaan aan de ene en het regenwoud aan de andere kant, voelde ze de spanning uit zich wegvloeien. Er was geen enkele reden voor haast, geen enkel excuus om niet te stoppen bij de juweeltjes van baaien met hun ruisende palmen en maagdelijke stranden – niemand die zei hoelang ze in het warme water kon poedelen of hoelang ze mocht lunchen in een van de eettentjes aan het strand. De warmte en de schoonheid van de omgeving vereisten dat ze rustig aan deed. Het leven in de tropen kende een traag tempo en ze wilde de hectiek van haar dagelijkse routine en de familieverplichtingen in Brisbane van zich afzetten en zich onderdompelen in dit groene paradijs.

Port Douglas, met zijn zes kilometer lange strand, jachthaven, winkels en hotels, strekte zich uit aan de voet van het Daintree regenwoud dat de uitgestrekte suikerrietvelden omzoomde en zich bijna tot aan de waterlijn uitstrekte. Fleur had weer honger, dus stopte ze even en kocht kruidenierswaren en alles waarvan ze dacht dat het niet in Birdsong aanwezig zou zijn, ondanks het feit dat Jacintha Amy Parsons had laten weten dat ze kwam.

Ze keek nog eens op de kaart die Jacintha haar had gegeven en haar hart begon sneller te kloppen terwijl ze de wegwijzers volgde en een zandweg insloeg die door het regenwoud en over de heuvels slingerde. Ze was er bijna.

De jeep ratelde over de harde, geribbelde weg en de banden wierpen achter haar een enorme wolk koperkleurig stof op. Vogels van uiteenlopende kleuren vlogen opgeschrikt uit de bomen en ze zag een wallaby het struikgewas in springen. Het was allemaal zo afgelegen, zo prachtig, maar niets had haar kunnen voorbereiden op het schouwspel dat voor haar lag toen ze de top van de heuvel had bereikt.

De kleine, hoefijzervormige baai lag diep onder haar, bijna verborgen onder het dichte regenwoud dat doorliep tot aan het bleke, een beetje roze zand. De zee had een turkooizen kleur en was bezaaid met door de zon veroorzaakte diamantjes. Ze kon nog net het diepe rood van een golfplaten dak zien en het stevige zandsteen van een schoorsteen.

Met kloppend hart stuurde ze de jeep voorzichtig het steile, bochtige pad af tot ze bij de witte poort aan het einde kwam waar op de bovenste plank BIRDSONG stond geschilderd. Ze klauterde uit de auto, ging naast de brievenbus in de vorm van een kookaburra staan en nam de omgeving in zich op.

De naam die Annie voor haar huis had gekozen was heel toepasselijk, want in het weelderige groen van het bos klonken vogelgezang en het gezoem van ontelbare insecten. Exotische, knalrode en oogverblindend gele bloemen piepten onder het donkere struikgewas uit en de ranken van klimop wikkelden zich als dikke aderen om boomstammen terwijl reusachtige varens hun bladeren bijna tot op de grond lieten hangen. Maar het was de enorme hoeveelheid regenboogkleurige vogels die haar de adem benamen. Ze riepen en floten, scharrelden en hipten onder de bomen en vlogen met rood-, blauw-, geel- en groenkleurige vleugels heen en weer.

Ze duwde het hek open en reed een ruime plek met grind op. Ze was verbaasd toen ze daar een tamelijk geblutste oude pick-up zag staan. Ze stapte met een frons op haar voorhoofd uit en liep om het voertuig heen. In de inventaris werd met geen woord gerept over wat voor voertuig dan ook. Bij nadere inspectie zag ze dat het kenteken zo verbleekt was dat ze niet kon zien hoe oud het was. De banden zagen er goed en nauwelijks versleten uit en er leek een jack van schapenvacht en leer op de stoel te liggen.

Ze deed dit kleine mysterie met een schouderophalen af, pakte haar bagage uit de jeep en liep over het weelderig begroeide pad waar het gezoem van bijen klonk en de geur van bloemen hing. Annie was duidelijk dol geweest op haar tuin, dat bleek wel uit het feit dat ze de zoetgeurende kruiden dicht bij het pad had geplant zodat ze hun geur vrijgaven toen ze erlangs streek. Rozen en bougainville klommen overal en kamperfoelie en jasmijn voegden hun tere witte bloemen bij het geheel.

De sierlijke, oude Queenslander leek uit de helling te komen, alsof de natuur de hand had gehad in het ontwerp. Het houten bouwwerk rustte op stenen pilaren die hoger werden naarmate de helling verder afliep.

Fleur stond ernaar te staren, verrukt door de glimp van de privébaai die ze tussen de bomen door kon zien schitteren en de pure, solide schoonheid van dit oude huis. Er liep een veranda omheen die ongetwijfeld een nog beter uitzicht op de baai aan de voorkant bood, maar ook voor schaduw en gemak zorgde met zijn horren en rotanmeubels.

Ze ging de twee treden op naar de veranda en duwde de hordeur open. Ze had de sleutel in haar hand en haar mond was droog van opwinding terwijl ze naar de voordeur liep. De sleutel draaide gemakkelijk rond en ze stapte de stille, verwelkomende schaduwen van Annies huis binnen.

Het huis stond evenwijdig aan de baai. De voordeur gaf toegang tot een vierkante hal met links en rechts gangen die naar slaapkamers en een badkamer leidden. De woonvertrekken lagen er recht tegenover en boden vermoedelijk uitzicht op de baai. Fleur besloot dat aanlokkelijke beeld voor later te bewaren en het huis op haar gemak te verkennen.

Ze liet haar tassen in de gang staan en haar sandalen maakten een kletsend geluid op de gepolitoerde vloeren terwijl ze elke prachtig ingerichte slaapkamer inspecteerde waar de bedden van wit smeedijzer waren opgemaakt met frisse lakens en de lampen op de nachtkastjes voorzien waren van lampenkappen met franje en kralen. De kussenslopen en spreien waren versierd met linten en kant, op de kaptafels lagen borstels met een verzilverde achterkant en kammen, kristallen potten en schaaltjes en sierlijk gehaakte onderzetters. Amy Parsons had alles klaargemaakt voor haar komst en het was duidelijk dat de vrouw dol was op het huis.

De muren waren gewit en versierd met sepiafoto's uit een voorbije periode. De lijstjes waren zo te zien antiek, net als de ouderwetse en rijkversierde kannen en schalen die op de beschilderde ladekast stonden. Over de rugleuning van grote, comfortabele stoelen lagen ragfijne sjaals gedrapeerd. De stoelen stonden bij het raam zodat er uitzicht was op het regenwoud en aan elke deur hing een verfijnde nachtjapon, vervaardigd van het zachtste en fijnste katoen dat met de hand was geplooid, versierd en van linten was voorzien.

Fleur kon de stemmen van de mensen die hier ooit hadden geslapen bijna horen, voelde hun gelach en hoorde hun muziek. Het was alsof ze het verleden was binnengestapt en dat gevoel liet haar tijdens haar verdere ontdekkingstocht niet los. Het enorme geëmailleerde bad stond in het midden van de badkamer, de koperen kranen glommen en de witte wandtegels waren afgezet met Greek key design in goud en zwart. Er hingen dikke, witte handdoeken over de ouderwetse radiatoren en de glanzende vloer werd deels bedekt door hoogpolige kleden.

De laatste slaapkamer was die van Annie. Hij lag een stukje bij de andere vandaan aan het einde van de gang. Het was een ruim, vierkant vertrek met een groot tweepersoonsbed, witgeschilderde meubels en een stoel met een hoge rugleuning waar kleurige sjaals met franje overheen gedrapeerd waren. De geur van eucalyptus en lavendel hing nog in de kamer en Fleur wist dat dit het wezen moest zijn van de vrouw die hier had geslapen.

Het bed had een dikke, zachte matras, merkte ze toen ze erop ging zitten, en net als in de andere slaapkamers was het beddengoed wit en handgemaakt. Er stroomde licht door de openslaande ramen – zachtgroen door het bos met heldere speldenprikjes geel waar een boom de zon aan de zeekant net niet helemaal tegenhield.

Fleur kon vanaf het bed de baai zien en de treden die ernaartoe leidden. Ze zag de korte houten steiger die het water in stak en de kleine roeiboot die daar lag afgemeerd. Terwijl ze vol ontzag naar het schouwspel keek, vloog een vlucht ijsvogels op en scheerde over het water.

De rust nam bezit van haar en bracht een gevoel van vredigheid met zich mee die ze in maanden niet had gevoeld. Met een diepe zucht van genoegen dankte ze Annie in stilte voor dit uitzonderlijke geschenk. Een zacht briesje liet de bladeren van een boom tegen de ramen tikken en Fleur glimlachte. Hoewel ze nogal sceptisch tegenover dergelijke zaken stond, was het net alsof Annie haar had gehoord en antwoord gaf.

De tijd verloor alle betekenis terwijl ze daar zat en het uitzicht en de sfeer van Annies kamer op zich liet inwerken. Ze raakte niets aan, keek alleen naar de zakdoek met gehaakte randen en het boek met gedichten op het nachtkastje, naar de versleten pantoffels onder de stoel en de dieprode zijden kamerjas aan de deur. Het was een exotische toevoeging aan de verder eenvoudige kamer en Fleur vroeg zich af hoe ze daaraan gekomen was.

Ze besloot dat ze voorlopig lang genoeg in het vertrek was geweest en dat ze deze kamer tot de hare zou maken. Ze haalde haar bagage en vervolgde toen haar ontdekkingstocht. Ze liep de grote woonkamer binnen waar een enorme stenen open haard het grootste deel van een van de wanden besloeg. Er stond een houtkachel in en aan weerszijden stonden comfortabele banken. Aan een kapstok in de hoek hing een collectie hoeden uit een vorige eeuw, er stond een ouderwetse opwindgrammofoon op een tafeltje, compleet met een stapel oude platen in bruine, papieren hoezen. Eén wand ging bijna helemaal schuil onder een verzameling zwart-witfoto's en oude landkaarten.

In een hoek stond een piano met de muziek van 'Waltzing Mathilda' geopend erop, maar toen Fleur het deksel opendeed en de geel geworden ivoren toetsen aanraakte, hoorde ze dat hij helaas vreselijk vals was. De overige meubelstukken waren oud en zwaar en hadden zich nog niet overgegeven aan de vernietigende werking van de vochtigheid. De aardse geur van vocht was niettemin overal en zijn gulzige aanwezigheid bleek duidelijk uit de beschimmelde boeken en de door motten aangevreten gordijnen die waren dichtgetrokken om de zon buiten te sluiten. En toch overheerste het gevoel dat ze hier welkom was, dat hier vertroosting en vrede heersten. Ze liep langs de foto's, bleef zo nu en dan staan om te proberen de woorden die eronder stonden te ontcijferen. Daarna liep ze verder naar de keuken.

Vergeleken met de rest van het huis was de keuken tamelijk modern. Er was een roestvrijstalen aanrecht, een enorm fornuis en zelfs een koelkast, wasmachine en een magnetron. De houten kasten bevatten een flinke voorraad porseleinen borden en schalen, glazen en keukenbenodigdheden en waren gebeitst en gelakt. Op de vloer lag linoleum. Bij het raam stond een grote rechthoekige tafel met banken en stoelen. Het geboende blad vertoonde tekenen van jarenlang intensief gebruik. Het was op deze tafel dat Fleur, onder een broodmandje, het briefje vond.

Beste mevrouw Mackenzie,

Welkom in Birdsong. Ik heb de koelkast en de pantry gevuld en ervoor gezorgd dat de bedden gelucht zijn. Mocht u iets nodig hebben, belt u dan alstublieft het nummer hieronder – maar ik weet zeker dat u, net als Annie, in deze perfecte omgeving volkomen tevreden zult zijn met uw eigen gezelschap.

Hoogachtend,
Amy Parsons

Fleur keek in de koelkast en de pantry voor ze haar eigen dozen met tamelijk overbodige boodschappen haalde. Ze had het warm en ze had dorst en ze haalde een pakje sap tevoorschijn dat ze in één teug leegdronk. Ze zette het lege pakje bij de gootsteen en haalde diep adem. Ze had al vanaf het moment dat ze aankwam op dit ogenblik gewacht en nu kon ze het geen seconde meer uitstellen. Ze liep door de woonkamer, trok een van de dunne gordijnen opzij en opende de glazen deur.

De veranda was aan de achterkant veel dieper dan aan de voorkant en strekte zich over de volle lengte van het huis uit. Hij bevond zich hoog boven de bodem van het woud en een steile trap voerde naar het juweeltje van een baai. Het beeld van het kleine, veraf gelegen eiland werd absoluut niet misvormd door het fijne gaas van de vliegenhorren. Het uitzicht op dit alles benam haar de adem en ze bleef als betoverd staan.

'Blij dat het uitzicht je aanstaat. Mooi, hè?'

Bij het horen van de lijzige mannenstem draaide Fleur zich met een ruk om, haar hart bonsde in haar keel. Hij lag languit in een hangmat. Hij had zijn blote voeten bij de enkels over elkaar geslagen en zijn spijkerbroek hing laag op de smalle heupen. Zijn shirt lag verkreukt op zijn harde buik en zijn gezicht ging schuil onder een safarihoed.

'Wie ben je?' stamelde ze. 'En wat doe je hier?'

Hij nam niet de moeite om overeind te komen, maar duwde zijn hoed net ver genoeg omhoog dat ze een sterke kaaklijn zag, een ongeschoren kin en een paar verbluffend blauwe ogen. 'Ik kom af en toe langs om een oogje in het zeil te houden,' zei hij lijzig alvorens zijn hoed weer te laten zakken.

Fleur staarde hem met gemengde gevoelens aan. Zijn aanwezigheid verklaarde in elk geval de pick-up voor het huis, maar wie was hij en wat deed hij hier? 'Je had weleens kunnen waarschuwen dat je hier was,' sputterde ze. 'Je bezorgde me bijna een hartaanval.'

De hoed werd weer omhoog geschoven en de intens blauwe ogen namen haar enigszins geamuseerd op. 'Ziet er anders gezond uit,' zei hij zacht.

'Ik zie er helemaal niet gezond uit,' zei ze vinnig, boos dat ze zich had laten overrompelen. 'Je moet gehoord hebben dat ik aankwam. Waarom heb je niet even iets gezegd?

'Ik dacht dat je eerst even in je eentje wilde rondkijken,' mompelde hij van onder de hoed.

Fleur sloeg haar armen over elkaar en onderdrukte de aandrang om te gaan giechelen. Het was een belachelijke situatie en aangezien hij vastbesloten leek om in de hangmat en onder zijn hoed te blijven liggen had ze geen flauw idee hoe ze het moest aanpakken.

'Ik heet Fleur,' zei ze. 'En jij?'

'Ik weet wie je bent,' zei hij met zachte stem. Met een diepe zucht zwaaide hij zijn lange benen uit de hangmat en begon zijn gehavende laarzen aan te trekken. Hij zette zijn hoed stevig op zijn zwarte haar, trok zijn hemd recht en schonk haar een glimlach die rimpels trok bij de hoeken van zijn blauwe ogen met de donkere wimpers. 'Ze noemen me Blue,' zei hij.

De reden was duidelijk. Er was iets ongrijpbaars en heel aantrekkelijks aan hem en Fleur vond dat verontrustend. 'Ik dacht dat Amy Parsons de boel hier in de gaten hield,' zei ze voorzichtig terwijl ze tegen de balustrade leunde en haar best deed om het te laten lijken alsof ze de situatie in de hand had. 'Je woont hier niet, hè?'

Hij schudde zijn hoofd en stak zijn handen diep in de zakken van zijn tamelijk ouderwetse spijkerbroek. 'Annie wilde alleen maar dat ik een oogje in het zeil hield.'

'Je hebt Annie gekend?'

De blauwe ogen namen haar in de langdurige stilte op en ze hadden iets intrigerends dat Fleur niet kon thuisbrengen. 'Ja,' zei hij ten slotte.

'Wat was ze voor iemand?' vroeg ze gretig.

'Ze was een echte Aussie, Annie,' antwoordde hij terwijl hij langzaam en vakkundig een sigaret rolde. 'Het is hier niet meer hetzelfde zonder haar.'

Fleur schatte hem achter in de dertig, misschien begin veertig. Hij had sterke armen, een brede borst en de vaardige handen van een man die gewend is aan lichamelijke arbeid. 'Werkte je voor Annie? Is dat hoe je haar kende?'

'Zoiets, ja.' De sigaret was gerold; hij knipte een zware, zilveren aansteker open en hield – onnodig, want er stond geen wind – zijn hand eromheen en stak zijn shagje aan. Hij klapte de aansteker dicht en stopte die samen met het blikje tabak terug in de zak van zijn overhemd.

Blue was een man van weinig woorden en dat was heel frustrerend. 'Wil je iets drinken?' vroeg ze in de hoop dat hij wat spraakzamer zou worden bij een kop thee.

'Neuh, je hebt gelijk. Nu je hier bent moest ik er maar weer eens vandoor.'

Ze fronste haar voorhoofd. 'Wist je dat ik vandaag zou komen?'

'Nieuws gaat hier in de rimboe rond als een lopend vuurtje,' antwoordde hij. Zijn gezicht verkreukelde weer bij die aantrekkelijke glimlach van hem terwijl hij knikte en tegen de rand van zijn hoed tikte. 'Tot kijk, Fleur. Leuk je ontmoet te hebben.'

Ze liep achter hem aan terwijl hij door de woonkamer en de hal kuierde. 'Kom je nog eens deze kant op?' vroeg ze haastig. 'Ik zou het geweldig vinden om iets over Annie te horen. Ik heb haar nooit gekend en...' Ze besefte dat ze stond te wauwelen.

Zijn ogen glommen vol humor en zijn lippen krulden zich in een glimlach terwijl hij haar stond op te nemen. 'Ik denk het wel.'

Ze bleef in de deuropening staan en keek toe hoe hij zijn lange lichaam in de roestige pick-up vouwde, startte en in de richting van het hek reed. Het geluid van de motor, die hard moest werken om de heuvel op te komen, werd al snel gedempt door het bos. Fleur bleef achter in de eenzaamheid van vogelgezang en de absolute overtuiging dat de man die 'Blue' werd genoemd, onlosmakelijk met deze plek verbonden was.

Carla's zachte, hypnotische stemgeluid had hem over een lang en slingerend pad gevoerd, door een hek dat hem over een heuvel had gebracht en naar de straat waar hij ooit had gewoond. Hij wilde daar niet echt zijn, wilde zijn grip niet kwijtraken op de duisternis die hij zijn hele volwassen leven had proberen te begraven. Maar er was geen ontsnappen mogelijk aan die volhardende kracht die hem dwong terug te gaan. Hij deed het hek open en liep het pad op naar de voordeur, stak zijn hand uit naar de koperen knop, duwde de deur open en stapte de drukkende stilte van het huis binnen.

'Wat zie je, Greg?'

Hij voelde het zweet op zijn gezicht, het gebons van zijn hart en dat vreselijke, prikkende gevoel in zijn nek dat altijd akelige dingen aankondigde. 'Ik kom net terug van voetbaltraining,' mompelde hij. 'Ik sta in de gang.'

Zijn blik flitste over de bekende deurmat, de telefoontafel en de spiegel erboven. Hij keek naar zichzelf in die spiegel en zag een blond jongetje gehuld in zijn schoolvoetbalshirt, met sproeten rond zijn neus en ogen waarin rauwe angst te lezen stond.

'Hoe oud ben je?'

'Tien.' Hij bewoog zijn hoofd op het kussen toen hij de plotselinge kreet van zijn moeder hoorde die de stilte doorbrak en zag zichzelf door de gang naar de keuken rennen terwijl zijn voetbalschoenen een klepperend geluid maakten op het linoleum. 'Mam,' zei hij dringend. 'Hij doet mam weer pijn.'

Hij hijgde van angst terwijl hij de keukendeur openduwde. Hij wist wat hij daar zou aantreffen, wist dat hij ook gestraft zou worden als hij tussenbeide kwam. Maar zijn moeder had hem nodig – hij moest haar helpen.

'Greg? Greg, wat gebeurt er?'

Carla's stem leek door de ether te zweven, maar had geen macht meer over hem toen hij het tafereel in zich opnam. Zijn moeder lag ineengedoken op de grond, probeerde haar lichaam uit de buurt van de laars te houden die onbarmhartig op haar inbeukte. Haar ogen waren paarsblauw, haar lip was kapot en haar meelijwekkende gejammer ging bij elk schop over in een felle kreet van pijn.

John Mackenzies gezicht was een kil masker terwijl hij hoog boven Mary uittorende en zijn laars met bestudeerde precisie tegen haar heup beukte.

'Laat haar met rust,' schreeuwde Greg. Zijn woede dreef hem de keuken in en gaf hem een ongekende kracht. Hij rende met zijn hoofd omlaag op de man af die hij haatte en smeet hem tegen de keukenkast. Zijn vuisten beukten het zachte vlees onder de ribben, hij sloeg zo hard hij kon en dacht niet aan de gevolgen – hij wist alleen maar dat hij hem pijn wilde doen, hem wilde laten lijden zoals zijn moeder en hij hadden geleden.

John Mackenzie ramde zijn vuisten in Gregs gezicht en dreven hem tegen de muur terwijl het bloed uit zijn neus stroomde. 'Daar zul je voor boeten, kleine bastaard,' snauwde hij terwijl zijn lege ogen zich in de zijne boorden. Hij maakte zijn riem los, trok hem uit de lussen en wikkelde hem om zijn vuist zodat de zware gesp heen en weer bungelde.

Greg kwam moeizaam overeind. 'Ik ben geen bastaard,' gilde hij terug terwijl zijn doodsbange blik heen en weer flitste tussen de gesp en zijn moeder die probeerde overeind te komen. Ze hield haar armen smekend naar John uitgestrekt terwijl ze onsamenhangend om medelijden vroeg.

Het dikke leer vloog als een zweep door de lucht en de gesp raakte Greg aan de zijkant van zijn hoofd. Zijn benen begaven het en hij viel een paar centimeter van zijn moeder op de grond.

De gesp vloog weer door de lucht en deze keer raakte hij Mary Mackenzie in haar gezicht dat van haar neus tot haar wenkbrauw openspleet. Greg voelde de warmte van haar bloed op zijn wang, proefde de koperen smaak op zijn lippen en er verscheen een rode mist voor zijn ogen.

'Ik zie rood,' bracht hij uit, 'alleen maar rood. Het is warm en dik en het vult me met zo'n woede dat ik bijna ontplof.'

Hij zag zichzelf worstelen om overeind te komen, wist dat hij maar een paar tellen had om te handelen voor de gesp weer zou neerdalen, wist dat als hij niets deed, zijn vader hen allebei zou vermoorden. Hij greep het mes van het aanrecht, gilde opstandig en ramde het diep in het dijbeen van zijn vader.

John Mackenzie brulde het uit van woede en pijn en viel op zijn knieën. De gesp viel kletterend op de vloer toen hij het heft van het mes beetpakte en het uit zijn been probeerde te trekken.

Greg gleed uit in het bloed terwijl hij zijn vaders schoppende been ontweek en zich naar zijn moeder haastte.

Mary Mackenzie leek volledig verstijfd en haar hele wezen was geconcentreerd op de man die op de vloer lag te kronkelen. 'Wat heb je gedaan?' gilde ze. 'O, god, Greg, wat heb je gedaan?'

John Mackenzie brulde van pijn toen hij het mes uit zijn been trok. Het bloed stroomde uit de wond, maar hij leek het niet te merken terwijl hij moeite deed om bij Greg te komen. 'Hiervoor maak ik jullie allebei af,' hijgde hij terwijl hij centimeter voor centimeter dichterbij kwam met het bebloede mes in zijn hand.

Greg greep zijn moeder en trok haar bij hem vandaan.

Maar John Mackenzie lag tussen hen en de deur en kwam steeds dichterbij. Het mes maakte een schrapend geluid terwijl hij zichzelf met moordlust in zijn ogen over het linoleum sleepte.

Greg ontweek het mes dat vlak langs zijn been maaide. Het rode waas verblindde hem, de angst maakte het bijna onmogelijk om adem te halen of helder te denken. Hij trapte van zich af en draaide zijn voetbalschoen in de bloederige dij.

John Mackenzie gilde het uit, rolde bij hen vandaan en kromp ineen van de pijn.

Greg schopte het mes weg, pakte zijn moeder stevig vast en trok haar de keuken uit, de gang door en naar buiten de tuin in.

'Ik heb haar naar buiten weten te krijgen,' mompelde hij, 'maar ze bloedt vreselijk en ze is hysterisch. Ik kan sirenes horen en ik zie de blauwe zwaailichten van de politieauto. Mijn hoofd doet zo'n pijn dat ik nauwelijks kan blijven staan.' Doodsbang keek hij over zijn schouder. 'Pap heeft in de gang weten te komen,' stamelde hij, 'maar er is veel bloed en hij beweegt zich niet. Ik denk dat ik hem heb vermoord.'

'Ga slapen, Greg,' zei Carla zacht. 'Ontspan je en zweef weg van het huis en terug naar de groene velden en de slingerende landweg.

Kijk hoe vredig het is, voel hoe warm de zon op je gezicht schijnt en luister naar de vogels die in de bomen aan het zingen zijn. De duisternis ligt ver achter je – heel, heel ver – het kan je niets meer doen. Je bent in veiligheid.'

Greg voelde hoe de warmte bezit van hem nam, hoe de duisternis oploste in het heldere licht van de zon. Hij begon zich te ontspannen, zijn hartslag werd regelmatig terwijl haar zachte stem hem meelokte naar die vredige plek.

'Blijf even slapen en wanneer je wakker wordt, zul je je herinneren wat er is gebeurd, maar je zult je ook verfrist voelen en in staat zijn om zonder angst terug te kijken.'

Greg had het gevoel alsof hij langzaam opsteeg uit een hemelse wereld en terwijl Carla tot tien telde, viel alles als een mantel van hem af en keerde hij terug naar de geruststellende geluiden van langsrijdend verkeer en het tikken van de klok op de schoorsteenmantel.

'Hoe voel je je?' Carla zat in de stoel naast de sofa, haar handen losjes gevouwen op schoot. Het notitieblok lag naast de bandrecorder op een tafeltje.

Greg zette zijn voeten op de grond en ging met zijn handen over zijn gezicht. 'Ik voel me merkwaardig,' gaf hij toe. 'Ik stond sceptisch tegenover hypnose, zoals je weet, maar...' Hij vond het lastig om de juiste woorden te vinden. 'Het is alsof ik een nare droom heb gehad – maar ik weet dat het maar al te echt was – en toch voelt het alsof ik er afstand van heb genomen, alsof het iemand anders is overkomen.' Hij keek haar aan en zuchtte. 'Ik heb jarenlang mijn best gedaan om die herinnering te verdringen,' bekende hij.

'En nu die weer terug is?'

Hij klemde zijn handen tussen zijn knieën, staarde er diep in gedachten naar. 'De wetenschap dat ik in staat ben tot zoveel geweld maakt me bang,' gaf hij toe. 'Stel dat ik net zo zou worden als mijn vader en mijn eigen kind zoiets zou aandoen? Daar zou ik niet mee kunnen leven.'

'Je was nog maar een jongen,' zei ze zacht. 'Je moeder en jij waren al jarenlang slachtoffer van geweld en die laatste aanval op jullie beiden heeft die woede en de kracht om terug te vechten in je losgemaakt. Je hebt het enige gedaan wat je kon.'

Ze zweeg en Greg bleef naar zijn handen staren. 'Dat moment van totale angst en de noodzaak om je moeder te beschermen hebben je tot een heel moedige daad gedreven,' ging ze verder. 'We hebben het hier over een jongen die niet bang was voor zijn eigen veiligheid, die de strijd aanbond met een gewelddadige man die heel goed in staat was om jullie allebei te doden. Dat was de eerste en enige keer dat je de neiging tot geweld hebt getoond, Greg. Je bent je vader niet. En dat zul je ook nooit zijn.'

'Maar ik wilde hem vermoorden.'

'Dat zou iedereen in die omstandigheden hebben gewild,' antwoordde ze. 'Hij is niet gestorven, hè? In plaats daarvan ging hij naar de gevangenis en je moeder en jij waren bevrijd van zijn schrikbewind. En dat allemaal omdat jij zo dapper was om je te verzetten.'

Greg wist dat ze gelijk had, maar zijn daden van die dag hadden het gezin uiteengerukt en hem niets anders overgelaten dan duistere herinneringen en verontrustende angsten. 'Mam was aan de drank,' zei hij zacht, 'en ze kon het gewoon niet aan toen pap was gearresteerd. Ik werd in een kindertehuis geplaatst waar ik moest leren leven met de nachtmerries die me gek dreigden te maken. Mam had niets meer om voor te leven en ze dronk zichzelf binnen een jaar dood.'

Op dat moment keek hij naar haar op met een vermoeide en verdrietige glimlach op zijn gezicht. 'Geen van ons tweeën was dus ooit echt vrij.'

'Maar je begint die banden los te maken, Greg,' antwoordde ze. 'Door hier te komen en in te stemmen met therapie en hypnose ben je begonnen met het genezingsproces.' Ze sloeg haar notitieblok dicht en keek hem kalm aan. 'Het is niet gemakkelijk, en je hebt nog een lange weg te gaan, maar ik zie elke week verbetering.' Ze glimlachte. 'Je bent aan de winnende hand, Greg.'

'Dank je.' Hij slaakte nog een diepe zucht en pakte zijn jas. 'Ik ben kapot,' gaf hij toe.

'Dat verbaast me niets. Je hebt vanavond een heleboel doorgemaakt.' Ze pakte haar notitieblok en haar handtas en deed de lichten uit. Ze sloot de voordeur achter hen en ze stapten de frisse herfstavond in. 'Ga naar huis en ga slapen. Ik zie je volgende week.'

Hij zette zijn kraag op en liep de straat door naar zijn auto. Zijn lichaam deed pijn alsof hij een zware training in de sportschool achter de rug had en zijn hoofd zal vol flarden herinnering, stemmen en geluiden uit het verleden. Op de een of andere manier voelde hij zich lichter, alsof het gewicht dat hij zo lang met zich had mee getorst eindelijk van zijn schouders was genomen.

Fleur had zich al een routine eigen gemaakt toen de eerste week langzaam overging in de tweede en de derde. Ze stond op met het gezang van de vogels en vulde hun voederbakjes met de noten, rozijnen en zaadjes die Annie voor dat doel in haar provisiekast had opgeslagen. Vervolgens zette ze, nog steeds in haar nachtjapon en op haar slippers, een kop thee en droeg die voorzichtig de treden af naar het strand. Dan ging ze aan het einde van de gammele oude steiger zitten met haar voeten in het water en keek hoe de zon de zee en het woud met een gouden gloed overgoot en de felblauwe ijsvogels heen en weer schoten op jacht naar hun ontbijt.

Wanneer ze haar thee ophad, kleedde ze zich uit en liet zich met een zucht van welbehagen in het kristalheldere water zakken dat aanvoelde alsof ze in zijde werd gewikkeld. De rest van de ochtend besteedde ze aan het zoeken naar schelpen, interessant gevormde stukken wrakhout en stukjes fijn koraal. Die maakte ze allemaal met draad aan elkaar vast en de windklokjes die ze zo vervaardigde hing ze in de bomen. Ze genoot van de eenzaamheid, naakt en vrij als een kind in een pas ontwaakte wereld.

Wanneer de zon zijn hoogste punt bereikte, sloeg ze een van Annies sjaals als een sarong om zich heen en zocht ze de beschutting van de veranda en het gemak van de oude hangmat. 's Middags kwam er een briesje van zee dat haar diep gebruinde huid streelde en door haar haar speelde. Ze had altijd een boek bij zich, maar slaagde er nooit in meer dan een paar alinea's te lezen voor ze in slaap viel. Het luie leventje werkte bedwelmend en ze vond het maar al te gemakkelijk om zich eraan over te geven.

Nadat Fleur die ochtend de vogels had gevoerd, zat ze aan het einde van de steiger en haar tenen maakten kleine kringetjes in het kalme, diepe water onder haar terwijl ze naar het eiland keek dat lag te schitteren in de zon. Ze had er even aan gedacht om de roeiboot te nemen om te kijken hoe goed ze was in vissen – er lagen hengels en tuig in de enorme bergruimte onder de veranda – maar het was gewoonweg te heet en ze voelde zich veel te lui.

Ze zat met haar voeten te bungelen en voelde hoe de kleine zwarte visjes eronder heen en weer schoten en vroeg zich af waar ze ooit de energie en zin vandaan moest halen om hier weg te gaan. Brisbane was zo ver weg. Een ander leven in een andere wereld en ze kon zich niet voorstellen daar ooit weer te aarden.

'Môgge.'

Fleur was zich ervan bewust dat ze niet meer droeg dan een dun katoenen nachthemd en was blij dat ze niet naakt was gaan zwemmen. Ze sloeg haar armen over elkaar zodat haar borsten bedekt waren en hoopte dat het nachthemd niet al te doorzichtig was. 'Môgge, Blue. Waar kom jij ineens vandaan? Ik heb je pick-up niet gehoord.'

Blue had zijn laarzen uitgedaan en hoewel hij nog steeds zijn oude versleten spijkerbroek droeg, had hij wel een ander overhemd aan. De hoed overschaduwde zijn gelaatstrekken terwijl hij over de korte steiger kwam gelopen. Hij ging naast haar zitten, rolde zijn broekspijpen op en liet zijn voeten in het water zakken.

'Geweldig, hè?' Hij grijnsde. 'Dit is mijn favoriete tijdstip van de dag. Van Annie ook.'

Fleur was zich heel erg bewust van de warme, gespierde arm die langs de hare streek en van de sterke dij die zo dicht bij haar slanke bovenbeen lag. Ze rook de zon op zijn huid, zag de donkere stoppels op zijn kaak en zijn ravenzwarte haar – en toen hij naar haar keek, zag ze dat er een donkere ring om beide blauwe irissen lag waardoor hun kleur nog intenser leek.

Ze voelde zich vreemd ongemakkelijk door zijn nabijheid en schoof een beetje bij hem vandaan. 'Kwam Annie hier elke dag?' vroeg ze en ze hoopte dat ze erin was geslaagd een beetje nonchalant te klinken.

Hij grijnsde en ging verzitten, zodat de ruimte tussen hen groter werd. 'Toen ze de trap nog aankon wel, ja,' antwoordde hij. 'Op het laatst droeg ik haar altijd naar beneden en zat hier bij haar tot ze weer moest gaan liggen.'

Fleur voelde een brok in haar keel bij de gedachte aan deze sterke, levenslustige man die de tere kleine Annie de trap af droeg zodat ze van het uitzicht kon genieten. 'Dat was geweldig van je. Je moet heel veel om haar hebben gegeven.' Ze keek naar zijn expressieve gezicht terwijl hij zijn antwoord scheen af te wegen.

'Ze was een bijzondere dame,' zei hij ten slotte en zijn blik was vaag terwijl hij in de verte staarde. 'Het was een eer om haar te kunnen helpen.'

Ze deden er het zwijgen toe, ieder met zijn eigen gedachten, en Fleur bedacht hoe misleidend uiterlijk kon zijn. Wie zou nou hebben gedacht dat deze viriele, nuchtere man zo'n tederheid tentoon zou spreiden voor een vrouw die oud genoeg was om zijn grootmoeder te zijn.

'Je woont zeker in de buurt, dat je hier elke dag kon komen,' probeerde ze voorzichtig.

'Ik zwerf nogal rond,' antwoordde hij, 'zeker nu Annie er niet meer is. Ik hou een oogje op deze plek en ik ga een paar keer per jaar naar Savannah Winds om bij te praten met mijn oude vriend Djati.'

'Ken je Djati?'

'Mmm. Hij wordt al wat ouder, maar hij is nog steeds een geweldige vent en een heel goede vriend. Zijn familie en hij hebben het goed gedaan op Savannah Winds. Ik hoop dat je ze laat blijven.'

Haar gedachten tolden in het rond. 'Natuurlijk mogen ze blijven en ik verheug me erop om er binnenkort naartoe te gaan en ze allemaal te leren kennen.' Ze wierp hem een blik toe. 'Het klinkt mij in de oren alsof je écht Annies waarnemer bent, ondanks wat je eerder hebt gezegd.'

'Ik denk dat je me wel zo zou kunnen noemen,' mompelde hij. 'Maar Amy doet ook fantastisch werk.'

'Dat geloof ik ook, maar ik heb het gevoel dat jij je nauwer betrokken voelt bij Birdsong dan bij Amy ooit het geval zal zijn. Ik zal vroeg of laat een keer terug moeten naar Brisbane en ik zou me een stuk geruster voelen als ik wist dat iemand voor deze plek zou zorgen. Ik ben bereid je daarvoor te betalen.'

Hij haalde een voet uit het water, liet die op het verweerde hout van de steiger rusten en sloeg een arm om zijn knie. 'Het is gewoon iets wat ik voor Annie deed,' zei hij na een langdurige stilte. 'Ik heb geen geld van haar aangenomen en dat wil ik van jou ook niet.' Hij legde zijn kin op de rug van zijn hand en staarde nadenkend over het water. 'Als het je geruststelt, wil ik wel een tijdje een oogje op allebei de plekken houden,' voegde hij eraan toe.

De man was een raadsel – een frustrerende, aantrekkelijke puzzel die ze nooit zou oplossen. 'Vertel eens over Annie,' zei ze zacht. 'Ze vertrouwde je duidelijk heel erg en ik heb het gevoel dat jullie heel erg op elkaar waren gesteld.'

Hij liet zijn voet weer in het water zakken en leunde achterover op zijn ellebogen. Zijn hoed overschaduwde zijn gezicht en verborg zijn expressieve gezicht. 'Ze kwam hier in de jaren zestig,' zei hij. 'Na de harde omstandigheden in de Gulf Country verlangde ze naar rust en schoonheid in haar leven, dus begon ze hier wat jullie stadsmensen een boetiekhotel zouden noemen.'

Hij ging rechtop zitten, haalde het tabaksblik uit zijn broekzak en begon een shagje te draaien. 'Het was eerlijk gezegd meer een toevluchtsoord. De mensen kwamen hier om aan het jachtige leven in de stad te ontsnappen, om rust te vinden en even te ontsnappen aan alles wat hun dwarszat.' Hij stak zijn sigaret aan en inhaleerde diep. 'Er was een lange wachtlijst. Annie kon goed met mensen omgaan. Ze begreep hen en wist wat ze nodig hadden om er weer bovenop te komen.'

Fleur knikte. 'Annie heeft mij in elk geval genezing geschonken door deze plek aan mij na te laten. Ik voel me hier meer op mijn gemak dan ik in jaren heb gedaan.' Ze zweeg terwijl ze het huis, het bos en de fonkelende golven die aan het strand likten in ogenschouw nam. 'Ik vermoed dat de mensen die hier kwamen hun dagen net zo doorbrachten als ik: een beetje lanterfanten, zwemmen, zonnebaden en de rust van deze plek op je in laten werken.'

Hij glimlachte en schudde zijn hoofd. 'Dat zouden sommigen misschien wel hebben gewild, maar Annie dacht daar anders over. Ze vond al dat navelstaren maar niks en zette ze aan het schilderen, boswandelingen maken, zwemmen en strandjutten. Als ze behoefte hadden om te praten, dan ging ze zitten met haar handwerkje en luisterde en als ze lol wilden maken, dan rammelde ze al die oude liedjes uit de piano en liet ze zingen tot ze naar adem snakten.' Hij glimlachte een beetje ironisch. 'Soms nam ze hen mee hiernaartoe en dan bouwde ze een groot kampvuur op het strand. Dan wond ze die oude grammofoon op en dan zaten ze te praten tot de zon opkwam.'

Hij slaakte een diepe zucht. 'Annie wilde elk ogenblik beleven alsof het haar laatste was – en dat deed ze ook.'

Fleur hoorde hoe zijn keel samenkneep, zag de niet vergoten tranen glinsteren in zijn ogen. 'Ga verder,' zei ze zacht.

Hij schraapte zijn keel en knipperde een paar keer snel met zijn ogen terwijl hij in de verte staarde. 'Ze was die ochtend heel erg zwak, maar toch wilde ze dat ik haar hierheen bracht. We zaten hier een tijdje te kijken hoe de zon opkwam en toen draaide ze zich naar me toe, glimlachte, en zei: "Een prachtige zonsopkomst. Wat een geweldig einde van een prachtig leven."'

Hij liet zijn kin zakken en zijn stem klonk schor van emotie. 'Ze stierf in mijn armen en ik heb hier heel lang met haar gezeten voor ik het kon opbrengen om haar weer naar het huis te dragen.'

Fleur voelde de tranen prikken. Ze zag het schouwspel helemaal voor zich.

De stilte duurde voort, beiden verdiept in hun eigen gedachten en Fleur doorbrak die door over een ander onderwerp te beginnen. 'Het verbaast me niets dat ze zo dol was op deze plek,' zei ze zacht. 'Het hele huis is een veilige haven met zijn mengeling van antiek en modern en de vrijheid en privacy van deze heerlijke kleine baai. Het verbaast me alleen dat het linnengoed en het kant hebben weten te ontkomen aan het vocht.'

'Die bewaarde ze meestal in de hutkoffer onder de veranda,' zei hij op die lijzige toon van hem. 'Toen ze wist dat ze stervende was, heeft ze Amy gevraagd alles tevoorschijn te halen en de kamers in orde te maken precies zoals ze waren toen het hier nog een hotel was. Ze wilde dat jij je thuis zou voelen, dat je een gevoel voor deze plek kreeg.'

'Ik heb helemaal geen hutkoffer gezien onder de veranda. Alleen maar een stel oude meubels, visspullen en rommel.'

'Hij staat daar echt. Ik haal hem wel voor je als je dat wilt.'

'Bedankt, en terwijl jij daarmee bezig bent, trek ik iets fatsoenlijks aan.'

Zijn blik ging snel over haar hele lichaam en de trage glimlach lichtte zijn gezicht op. 'Ik breng die koffer wel naar het huis, maar geef eerst wel even een brul. Geen probleem.'

Ze voelde haar gezicht warm worden en dat had niets met de zon te maken. Ze keek hoe hij met soepele tred wegliep en in de duisternis onder de veranda verdween, alvorens de zoom van haar nachthemd op te tillen en naar het huis te rennen.

Ze kleedde zich snel om in een ruimvallende katoenen jurk, haalde een borstel door haar warrige haar en poetste haar tanden. Nu voelde ze zich in elk geval weer een beetje respectabel.

'Oké als ik dit nu naar binnen breng?'

'Ja.' Ze haastte zich naar de woonkamer en hield de deur open zodat hij de grote metalen hutkoffer naar binnen kon manoeuvreren.

‘Die ziet er zwaar uit,’ zei ze terwijl hij hem kreunend op de vloer zette.

‘Dat is-ie ook,’ antwoordde hij. Hij schoof zijn hoed naar achteren en wiste met de rug van zijn hand het zweet van zijn voorhoofd. ‘Annie bewaarde allerlei spullen in dat ding en de laatste maanden stopte ze er van alles bij.’

‘Wat voor spullen?’ Fleur zat al op haar knieën op de vloer en haar vingers gingen over de stevige metalen banden en de roestige vergrendeling.

Blue haalde zijn schouders op. ‘Dagboeken, brieven, linnengoed, oude foto’s – weet ik veel – gewoon spullen die jullie vrouwen graag bewaren, denk ik.’

Ze verlangde ernaar de koffer open te maken, om in de schatten te snuffelen die Annie had achtergelaten, maar Blue stond naast haar, hield haar in de gaten, en ze besefte dat het ogenblik nog even zou moeten wachten. ‘Ik heb nog niet ontbeten,’ zei ze terwijl ze overeind kwam. ‘Ik kan toast met vegemite maken, cornflakes, sap, koffie. Waar heb je zin in?’

‘Ik hoef niks, dank je,’ mompelde hij.

‘Maar je moet me iets voor je laten klaarmaken,’ protesteerde ze.

Hij schudde zijn hoofd. ‘Je staat te trappelen om in die hutkoffer te snuffelen, dus ik zal je niet ophouden. Annie heeft hem speciaal voor jou ingepakt en je moet er op je gemak en in je eentje in kijken. Ik laat mezelf wel uit.’ Hij tikte tegen zijn hoed en voor Fleur hem kon bedanken was hij verdwenen en sloeg de hordeur achter hem dicht.

Fleur knielde voor de koffer, klikte de vergrendeling met een kinderlijk gevoel van opwinding open en duwde het deksel omhoog. De hutkoffer was bekleed met cederhout en de geur van rozemarijn, lavendel en eucalyptus kwam haar tegemoet toen ze de lap stof weghaalde die Annies schatten bedekte.

Er was met de hand antiek kant op fijn bewerkte tafellakens, lakens en kussenslopen genaaid. Het kwam terug op het lijfje, de mouwen en de zoom van een bruidsjurk die moest dateren van Annies huwelijk met John Harvey. Er was een korset met fijne baleinen en een sierstrook, petticoats van batist, leren handschoenen en kleine knooplaarsjes waar de rimpels van de voeten die ze ooit hadden gedragen nog in zaten. Fleur haalde alles bijna eerbiedig tevoorschijn en drapeerde het zorgvuldig over de pianokruk.

De volgende laag bracht katoenen jurken, met witte kragen, lange rokken en parelknoopjes van voren. Hier hoorden witte handschoenen bij en keurige hoedjes die ze vandaag de dag fascinators zouden noemen. Daaronder lagen pakketjes van vloeipapier die prachtig waren dichtgebonden met roze lint.

Fleur aarzelde even voor ze de linten losmaakte. Het ging duidelijk om iets kostbaars en hoewel het Annies bedoeling was geweest dat ze alles zou bekijken, voelde ze zich een indringer. Ze vouwde het vloeipapier voorzichtig open en snakte naar adem toen de pakketjes stuk voor stuk prachtige, zachte babykleding bleken te bevatten. Er waren mutsen en sjaals, een doopjurk, kleine laarsjes en schoentjes, jasjes en nachthemdjes. Daartussen verstopt zat een foto in een zilveren lijst van een donkerharige, lachende dreumes.

Fleurs blik werd wazig van de tranen toen ze achteroverleunde en las wat Annie achter op het karton van de lijst had geschreven. 'Lily, onze geliefde dochter. Twee jaar.'

'O, god, Annie. Dus je had een kind. Wat is er van haar geworden?'

Ze ging zachtjes met haar vinger over de bolle wangen van de peuter en bekeek aandachtig de donkere ogen en het donkere haar, de kleine tandjes en de lieve glimlach. Lily was duidelijk een blij meisje, maar er moest haar iets ergs zijn overkomen. Anders zou Fleur Annies vermogen niet hebben geërfd. Ze merkte dat ze huilde om dit verloren, onbekende kind terwijl ze de kostbare herinneringen aan haar leven zorgvuldig weer inpakte. Het duurde even voor ze in staat was om verder te gaan.

De bodem van de hutkoffer lag vol boeken die, toen ze beter keek, fotoalbums bleken te zijn en voorraadboeken en kasboeken van de dagelijkse zaken op zowel Savannah Winds als Birdsong. En dan waren er nog de dagboeken. Die gingen terug tot de vroege jaren toen Annie met John Harvey trouwde en besloegen elk jaar tot aan haar dood.

Fleur ging met haar hand over het verbleekte leer en de gouden versieringen. Ze popelde om te weten te komen hoe Annies leven was geweest; toch aarzelde ze om erin te neuzen. Toen ze de dagboeken aan de kant legde, viel haar oog op een verzameling niet ingelijste sepiafoto's die bij elkaar in een zelfgemaakte map zaten. Ze waren heel erg oud en de meeste waren gevlekt en vochtig, de trekken van de mensen erop onduidelijk en vaag – en onherkenbaar.

Ze stond op het punt ze weer in de kist te leggen toen ze het pakje brieven zag dat met ruw paktouw bij elkaar werd gehouden. Het touw wees erop dat het niet om liefdesbrieven ging en Fleur pakte ze. Haar hand bleef roerloos hangen toen ze besefte dat elke brief aan haar vader was geadresseerd. Op elke envelop stond 'retour afzender' geschreven in dat maar al te bekende handschrift en ze waren allemaal ongeopend. De poststempels liepen van de jaren dertig in de twintigste eeuw tot 1969.

Ze werd overspoeld door woede toen ze zich realiseerde dat Annie heel erg haar best had gedaan om in contact te blijven met haar broer, maar Don had elke poging afgewezen. Toen ze verder zocht tussen de brieven, vond ze er twee van zijn hand. Omdat ze ze niet wilde lezen en dit paradijs besmetten met zijn gif, stopte ze de brieven terug.

'Ik zal ze lezen, Annie, maar niet vandaag,' zei ze binnensmonds. 'Ik kan het vandaag gewoon niet aan.'

Ze pakte alle spullen weer zorgvuldig in de hutkoffer, klikte hem dicht en nam de foto's, dagboeken en de kasboeken mee naar de keukentafel. Ze bracht de brieven naar haar slaapkamer en stopte ze onder in haar weekendtas.

Ze ging terug naar de keuken, zette water op en stopte twee sneetjes brood in de broodrooster. De tijd was voorbijgevlogen; het was inmiddels twee uur 's middags en ze was, aangezien ze ontbijt en lunch had overgeslagen, uitgehongerd.

Ze ging met een kop thee en haar toast met vegemite aan de keukentafel zitten en stond op het punt om de foto's te gaan bekijken, toen haar mobiele telefoon overging.

In de hoop dat het niet om een noodgeval ging, of – nog erger – dat het haar vader was, bekeek ze het nummer op het scherm en fronste haar voorhoofd. Waarom belde zij haar in vredesnaam? Ze slaakte een diepe zucht en nam met een akelig voorgevoel op.

'Fleur? Met mij, Melanie.'

Fleur hoorde de ondertoon van hysterie en zette zich schrap. 'Waar zit je, Mel? Wat is er aan de hand?'

'Ik zit in Cairns,' snikte ze. 'Liam is bij me weg. Ik heb geen geld en mijn beltegoed is bijna op. Ik weet dat het een heel eind is van Brisbane, maar kun je me geld sturen voor de reis – of me komen halen?'

De dagen waren nog zacht, maar de nachten begonnen kouder te worden en Greg voelde de kilte van de herfst toen hij de sportschool verliet en naar zijn auto liep. Hij had zijn gebruikelijke, tamelijke zware training gedaan en daarna een tijdje in de stoomcabine doorgebracht, gevolgd door een douche, en nu was hij klaar om te gaan eten. Twee keer per week naar de sportschool gaan moest in zijn drukke werkschema worden ingepast, maar het gaf hem de gelegenheid om eventuele restjes somberheid van zich af te zetten en zijn hoofd leeg te maken. Hij voelde zich altijd goed en optimistisch gestemd wanneer hij de sportschool verliet – en vanavond was het niet anders.

Op het moment dat hij zijn sporttas in de kofferbak van de Porsche slingerde, maakte een figuur zich los uit de schaduw. 'Waar is Fleur?'

Greg keek Don Franklin met onverholen afkeer aan. 'Weg,' zei hij kortaf.

'Waar is ze heen?'

Greg meende iets van ongemakkelijkheid bij de oudere man te bespeuren en hij vroeg zich af hoe dat kwam. Maar hij wist dat Fleur had gezworen hem nooit meer te vertrouwen na wat hij naar aanleiding van Annies erfenis had gedaan. 'Ik heb geen flauw idee,' loog hij.

'Ze is toch niet naar Savannah Winds, hè?' Dons ogen knepen zich tot spleetjes terwijl hij op zijn sigaar kauwde.

'Hoezo? Wat gaat jou dat aan?'

Don deed zijn best om nonchalant over te komen, maar faalde jammerlijk. 'Dat is niet de juiste omgeving voor een keurig opgevoed meisje als Fleur,' mompelde hij.

Gregs nieuwsgierigheid was gewekt. 'Dus je bent er weleens geweest?'

Don keek hem argwanend aan en gaf geen antwoord. 'Ze moet zich niet het hoofd op hol laten brengen door Annies fortuin,' zei hij binnensmonds. 'Die vrouw heeft in de loop der jaren al genoeg ellende veroorzaakt en ik wil niet dat mijn dochter betrokken raakt bij dingen die ze nooit zal kunnen begrijpen.'

'Je bezorgdheid om Fleur zou roerend zijn, als ik ook maar een seconde zou geloven dat die echt was,' zei hij vlak. 'Er is bij jou altijd sprake van een verborgen agenda, dus wat is de ware reden dat je niet wilt dat ze naar Savannah Winds gaat?'

Zijn blik was ontwijkend. 'Zoals ik al zei, dat is geen plek voor een dochter van mij. Mijn zus heeft het haar alleen maar nagelaten omdat ze wist dat er moeilijkheden van zouden komen.' Hij bleef verwoed op zijn sigaar kauwen. 'Is ze daar naartoe?'

'Dat is niet aan mij om te zeggen,' antwoordde Greg. 'Ik weet zeker dat als Fleur vindt dat je het recht hebt om te weten wat ze uitspookt, ze je dat wel zal vertellen.'

'Ze praat niet met me.'

'Vind je het gek?' Greg deed het portier van de auto open.

Don hield die met verrassend veel kracht tegen. 'Dit is Annies schuld,' snauwde hij. 'Als ze me dat geld eerder had gegeven, dan was dit allemaal niet gebeurd. De trut is dan wel dood, maar ze speelt nog steeds duivelse spelletjes met mijn gezin. Ik ben níét van plan werkeloos toe te kijken.'

Duivelse spelletjes? Greg vroeg zich af of de oude baas zijn verstand begon te verliezen. 'Ik geloof niet dat je het nalaten van haar fortuin aan Fleur duivels kunt noemen – en zeker geen spelletje. Ga naar huis, Don. Ga je geld tellen in plaats van je met Fleurs leven te bemoeien.'

'Ik laat dit niet rusten tot mijn dochter er volledig van doordrongen is hoe Annie ons allebei over het graf manipuleert. Als ze de waarheid weet, draait ze wel bij, geloof mij maar.'

Greg maakte het portier los uit de greep van de oude man. 'Ik zou daar maar niet op rekenen,' antwoordde hij scherp. 'Jouw hebzucht heeft Fleur pijn gedaan. Het zal heel lang duren voor ze je kan vergeven, laat staan dat ze wil luisteren naar wat jij te zeggen hebt.'

Don boog zich naar voren en de uitgekauwde sigaar bevond zich maar een paar centimeter van Gregs gezicht. 'Je moet niet denken dat ik gek ben, *mate*,' gromde hij. 'Ik weet dat je bij haar weg bent. Ik weet van de gezellige avondjes met die Carla. Ik hou je in de gaten, Greg Mackenzie, en als ik erachter kom dat je mijn dochter slecht behandelt, breek ik allebei je benen.'

Greg was niet van plan zich tegenover deze weerzinwekkende man te rechtvaardigen. Hij was zijn hele leven gekoeioneerd door een expert en Don was maar kinderspel vergeleken met zijn vader. Hij duwde hem aan de kant, liet zich in zijn auto glijden en sloeg het portier dicht. De woedende kreten van de oude man negerend, startte hij de auto en scheurde het parkeerterrein af.

Dons boze woorden en pesterige insinuaties bleven nog lang hangen nadat hij de kleine flat betrad die hij in een blok ten zuiden van de rivier huurde. Hij stopte zijn vuile sportkleren in de wasmachine en ijsbeerde vervolgens door het woonvertrek met open keuken terwijl hij probeerde wijs te worden uit Dons bizarre gedrag.

Het idee dat Don – of iemand in zijn dienst – hem in de gaten hield, gaf hem een ongemakkelijk gevoel, ook al had hij niets te verbergen. Hij hield op met heen en weer lopen, bleef bij het raam staan en keek naar de lichtjes van de stad die flikkerend afstaken tegen de koude hemel. Vervolgens draaide hij het uitzicht de rug toen en deed de gordijnen dicht.

Met een diepe zucht zette hij de kant-en-klaarmaaltijd in de magnetron. Don was een onruststoker en Greg wilde beslist niet dat diens kwaadaardige en leugenachtige insinuaties Fleur ter ore zouden komen. Hij wilde ook niet dat Carla er de gevolgen van ondervond, want zij bevond zich in dat gevoelige stadium waarin ze met haar echtgenoot onderhandelde over hun kinderen en iets als dit kon alles in het honderd sturen. Misschien zou het verstandiger zijn om Carla van nu af aan alleen maar in het ziekenhuis te ontmoeten, ook al zou dat betekenen dat hij de etentjes die ze af en toe samen hadden en haar aangename gezelschap zou moeten missen.

Terwijl hij aan tafel ging voor zijn eenzame maaltijd-voor-één die er walgelijk uitzag en naar karton smaakte, dacht hij na over Dons vreemde, maar heftige onbehagen bij de gedachte dat Fleur op Savannah Winds was. Wat was het dat Don vreesde dat ze zou ontdekken en betekende het echt gevaar voor Fleur? Of was het gewoon het geraaskal van een verbitterde man die weigerde het verleden los te laten?

Hij schoof de maaltijd, die hij nauwelijks had aangeraakt, aan de kant en zette zijn computer aan. Hij zou Fleur een zorgvuldig geformuleerde e-mail sturen waarin hij haar waarschuwde dat Don nog niets van zijn wrok ten opzichte van zijn zus kwijt was en dat hij misschien zelfs van plan was onaangekondigd bij een van de huizen op te duiken.

8

Don hield op met ijsberen door zijn ruime woonkamer, stopte zijn handen in zijn zakken en keek Margot woedend aan. 'Ik ga naar Savannah Winds,' verkondigde hij. 'Hier moet een eind aan komen voor het volledig uit de hand loopt.'

'En wat denk je te bereiken door daar met opgestoken zeilen binnen te stormen?' Margot zat in een van de roomgele leren stoelen, haar slanke enkels over elkaar geslagen en haar handen losjes gevouwen in haar schoot. Ondanks die ontspannen houding was ze vervuld van afschuw dat haar vader een dergelijke onbezonnen daad zelfs maar overwoog. Hij had blijkbaar niets geleerd van het verleden. 'Dat heb je al eens eerder gedaan, weet je nog, en moet je kijken wat er toen gebeurde.'

'Ik moet haar daar weghalen voor het te laat is. Dat snap zelfs jíj toch wel?'

Margot haalde diep adem. 'Ik snap dat je doodsbang bent dat ze de waarheid ontdekt,' zei ze kalm. 'Je wordt eindelijk ingehaald door je verleden en daar kun je niet veel aan doen, behalve het onder ogen zien en met de consequenties ervan zien te leven.'

'Ik had kunnen weten dat ik geen enkele steun of medeleven van je hoefde te verwachten,' snauwde hij.

Elke vorm van medeleven of genegenheid die Margot ooit voor hem had gevoeld, was al lang verdwenen. Ze haalde haar schouders op. 'Jij hebt die ellende veroorzaakt. Regel het dan ook maar.'

'Ze heeft al de pest aan me omdat ik dat verrekte testament heb aangevochten,' zei hij onduidelijk omdat hij bezig was een sigaar aan te steken. 'Als ze erachter komt... Als Annie dagboeken of brieven heeft achtergelaten...' Hij deed zijn ogen dicht en kreunde. 'Ik durf te wedden dat die trut een manier heeft gevonden om haar te vertellen wat er allemaal is gebeurd. Hoe kan ik Fleur ervan overtuigen dat ik het voor haar eigen bestwil heb gedaan?'

'Misschien ziet zij dat anders, en, eerlijk gezegd, ik geloof er niks van dat je het voor Fleurs bestwil hebt gedaan. Ik denk dat je daar bent binnengestormd en de boel hebt overgenomen omdat je het niet leuk vond om aan de ontvangende kant te zitten.'

Don liet zich in een van de grote leunstoelen vallen en keek haar door de sigarenrook boos aan. 'Als ze ook maar iets vermoedt, dan praat ze nooit meer tegen me en dan heeft Annie toch nog gewonnen.' Hij beukte met zijn vuist op de leren armleuning van de stoel en morste as op de grond. 'En dat laat ik niet gebeuren, Margot. Ik val nog liever dood neer.'

Margot keek hem emotieloos aan. 'Sommigen zouden zeggen dat die obsessie van jou om je zus te slim af te zijn aan het schizofrene grenst. Waarom kun je het niet gewoon laten rusten?'

Zijn wenkbrauwen zakten en de uitdrukking op zijn gezicht werd onvermurwbaar voor hij doelbewust zijn hoofd afwendde en naar het grote schilderij aan de verste muur keek.

'Ze is dood,' zei Margot. 'Jij bent er nog. Je hebt gewonnen.' Ze pakte haar handtas en modieuze leren jasje. 'Laat het daarbij.'

'Maar ik kan het daar niet bij laten, of wel soms? Ze heeft alles aan Fleur nagelaten – en God mag weten wat die meid zal aantreffen. Annie was een verzamelaarster, ze bewaarde alles, en Fleur zou op dit moment weleens ik weet niet wat aan het opgraven kunnen zijn.'

'Als dat zo is, zul je het ongetwijfeld snel genoeg horen.' Margot ging staan en streek de stof van haar op maat gemaakte rok glad over haar slanke heupen.

'Als ze hierheen komt en een verklaring eist, wat moet ik dan tegen haar zeggen? Hoe kan ik ervoor zorgen dat ze me aanhoort terwijl ze overduidelijk de pest aan me heeft?'

'Daar had je aan moeten denken voor je herrie ging schoppen over het testament.' Ze keek hem met een kille blik aan. 'Je schijnt een speciaal talent te hebben om vijanden te maken,' zei ze, 'en niet alleen in de zakenwereld. Je hebt je zus van je vervreemd, je vrouwen onderdrukt en die arme Beth geterroriseerd, die nog steeds wél jouw welzijn voor ogen heeft – God sta haar bij. En nu heb je de hoop dat Fleur je ooit nog zal vertrouwen de bodem in geslagen.'

'En jij?' Zijn ogen werden spleetjes tegen de sigarenrook, maar zijn blik was doordringend en vast. 'Hoe zit het met jou?'

'O, ik haat je al sinds de dag dat mijn moeder begraven werd,' zei ze gelijkmoedig. Ze zag zijn ogen groot worden van schrik en voelde een steek van genoegen. 'Ik ben je gevolgd naar Selina's huis en ze had de gordijnen niet goed dichtgedaan. Ik heb gezien hoe jullie seks hadden op de vloer van de zitkamer.' Ze huiverde bij de herinnering. 'De aarde van mijn moeders graf zat nog onder je nagels, maar dat weerhield je er niet van om champagne te drinken terwijl je genaaid werd door een vrouw die jonger was dan ik.'

'Ze was drieëntwintig,' snauwde hij. 'Je doet net alsof ik pervers ben.'

'Ik was vierentwintig en ik treurde om een moeder die kapotgemaakt was door jouw verhoudingen en jouw eisen. Ze heeft je Bethany gegeven, hoewel de dokter haar had gewaarschuwd dat nog een kind haar fataal zou kunnen worden. Ze deed het toch, omdat jij zo nodig een zoon wilde. Drie miskramen later kon haar hart het niet meer aan. Ze heeft de rest van haar arme, ellendige leven gevangengezeten in een liefdeloos huwelijk met iemand die haar koeioneerde en die haar maar al te duidelijk maakte hoe teleurgesteld hij was dat ze hem geen mannelijke erfgenaam had gegeven. En terwijl zij dag in, dag uit in bed lag te worstelen voor elke ademteug, ging jij je goddelijke gang en zat je achter iedere vrouw aan die je pad kruiste.'

Ze trok boos haar jasje aan. 'Als dat niet ziek is, dan weet ik het niet meer.'

'Eruit,' brulde hij. 'Donder op naar die jongetjes van je.' Hij liet zich terugvallen in zijn stoel; zijn overhemd spande om zijn buik en zijn enorme borst ging zwoegend op en neer terwijl het geluid van zijn raspende ademhaling door de kamer weerklonk.

Margot keek op hem neer en besloot dat dit het juiste moment was om de ware reden van haar bezoek te onthullen. 'Ik ga,' zei ze, 'en ik betwijfel of ik binnen afzienbare tijd terugkom – als ik al terugkom. Voor ik vertrek zijn er een paar dingen die je moet weten.'

Hij keek argwanend naar haar op terwijl zij een stap dichterbij kwam.

Ze kon zijn transpiratie ruiken, zag de blauwe zweem op zijn lippen en even vroeg ze zich af of hij haar haar wraak zou ontzeggen door een hartaanval te krijgen en dood neer te vallen. 'Het enige plezier dat ik heb gehad in het leidinggeven aan de hotels, is dat ik de gelegenheid had om boven op mijn salaris en jaarlijkse dividend genoeg geld weg te sluizen en dat te investeren voor een meer dan ruim pensioen.'

'Je hebt me bestolen?'

Ze haalde haar schouders op. 'Zo zou je het kunnen noemen. Ik zie het liever als compensatie voor het feit dat ik mijn hele leven heb moeten werken voor een hebzuchtige, gevoelloze, egoïstische klootzak.' Ze draaide zich om en liep in de richting van de deur.

'Maar ik vertrouwde je,' hijgde hij. 'Ik zag je als de zoon die ik nooit heb gehad – sterk, slim en loyaal. Je was de steunpilaar van het bedrijf, de enige van mijn kinderen die ik het waardig achtte mijn opvolger te worden.' Hij worstelde zich uit zijn stoel omhoog toen Margot bij de deur kwam. 'Ik stuur de politie op je dak,' schreeuwde hij. 'Niemand besteelt mij en komt daarmee weg.'

'Dat zou je kunnen doen,' zei ze zacht terwijl ze bleef staan en hem weer aankeek, 'maar je zult er dan achter komen dat alle bewijzen vernietigd zijn toen de hotels werden verkocht. Ik had een afspraak met hun directeur – een geweldige vrouw die Helena Francombe heet – die de voor mij vervelende documenten heeft verdonkeremaand.'

Don was geschokt en niet in staat te reageren.

'Tussen twee haakjes, Helena is mijn partner. We zijn al bijna vijfentwintig jaar samen en we zijn van plan volgende week een trouwceremonie te houden voor we voor onze huwelijksreis afreizen naar Europa.' Ze schonk hem een valse glimlach.

Zijn mond viel open en zijn ogen werden groot. 'Je bent een pot? Hoe zit het dan met al die jonge kerels die je per uur betaalde?'

'Dat was camouflage om jou zand in de ogen te strooien. Niemand vindt het leuk om in de gaten te worden gehouden, en jij dacht dat je slim was en dat je alles van me wist, maar je wist helemaal niets.'

Ze draaide zich op haar hakken om, marcheerde triomfantelijk de hal in en verliet zonder nog een woord te zeggen het huis.

Het kostte minder dan een uur om in Cairns te komen en nog eens een kwartier om een parkeerplaats te vinden. Het was zaterdag en de stad wemelde van de Japanse toeristen en trekkers die geen haast leken te hebben om waar dan ook te komen en haar dientengevolge voortdurend in de weg zaten.

Fleur liep tussen de mensenmassa op de trottoirs door, terwijl ze probeerde de enorme rugzakken te ontwijken die sommigen van de kinderen met zich meezeulden, stak Lake Street over en haastte zich over de met bomen omzoomde Esplanade. Zonder de nieuwe vijver een blik waardig te keuren, hees ze haar schoudertas op en liep verder in de richting van de winkeltjes aan Pier Point Road. Ze had tegen Melanie gezegd dat ze in de koffiebar van Radisson Plaza op haar moest wachten.

Ze zag haar meteen. Een eenzame figuur die gebogen over een kop koffie zat, een grote rugzak op de grond naast zich, futloos haar dat haar gezicht verborg terwijl ze gedachteloos in een tijdschrift zat te bladeren – een eiland van stilte te midden van alle drukte. Ze had zo'n medelijden met haar.

'Hoi,' zei ze toen ze bij het tafeltje kwam.

'Fleur. O, Fleur, ik ben zo blij dat je bent gekomen.' Ze sprong overeind, sloeg haar armen om haar nek en ze werden allebei nat van de tranen die spontaan begonnen te stromen. 'Ik was zo bang,' snikte ze. 'Ik wist niet wat ik anders kon doen dan jou bellen.'

Ze zag kans zich los te maken uit Mels nogal onfrisse omhelzing en zocht in haar tas naar een pakje papieren zakdoekjes. 'Ik dacht dat deze wel van pas zouden komen,' zei ze zacht. 'Kom op, Mel. Ga zitten en kom een beetje op adem terwijl ik iets te eten voor ons haal.'

Toen ze terugkwam met een dienblad, volgeladen met flesjes water, vruchtensap en een paar broodjes, leek Melanie een beetje gekalmeerd. 'Ik weet niet hoe het met jou zit,' zei Fleur gemaakt opgewekt, 'maar ik heb mijn ontbijt en lunch misgelopen, en val bijna flauw van de honger.'

'Ik ook.' Melanie scheurde het cellofaan van haar broodje garnalensalade en nam een enorme hap. De roze mayonaise droop op haar ruimvallende, zwarte T-shirt.

Fleur keek naar haar terwijl ze het eten verslond. Er was niet veel meer over van de opstandige tiener die weken geleden uit Brisbane was vertrokken; het meisje tegenover haar droeg geen make-up en de verslagenheid hing als een sluier om haar heen. Ze zag de donkere kringen onder haar ogen, de sporen van opgedroogde tranen, het onverzorgde haar, de afgebeten nagels en de smoezelige kleren. Wat het ook was dat Mel was overkomen, het had haar zelfvertrouwen en zelfbeeld geruïneerd.

'Je had mazzel dat ik in Kingfisher Bay was,' zei ze toen de broodjes op waren. 'Als ik nog thuis had gezeten, had je moeten wachten tot ik geld had overgemaakt.'

'Daar heb ik nog nooit van gehoord,' mompelde ze en haar ogen stonden net zo dof als haar stem klonk. 'Wat doe je daar?'

Fleur dronk haar glas leeg en schoof haar stoel naar achteren. 'Dat vertel ik je onderweg wel. Kom op.'

Er was geen spoor van Blue, of van zijn krakkemikkige pick-up, en Fleur slaakte een zucht van opluchting terwijl ze parkeerde. De terugreis was zonder incidenten verlopen en ze was het grootste deel van de tocht bezig geweest vragen van Melanie over haar erfenis te beantwoorden.

Melanie sjorde haar enorme rugzak uit de auto en liep achter Fleur aan de trap op en het huis in zonder acht te slaan op de prachtige omgeving. 'Het ruikt hier muf,' mompelde ze en ze trok haar neus op.

Gekwetst dat het meisje zo makkelijk en zonder na te denken haar paradijsje neerhaalde, snauwde Fleur: 'Jij ruikt anders ook niet zo lekker.'

Mel glimlachte schaapachtig. 'Dat had ik verdiend.' Ze snoof aan de zoom van haar shirt en trok een gezicht. 'Je hebt gelijk, ik ruik behoorlijk ranzig.'

Fleur ging haar voor de gang door en wees haar de badkamer voor ze haar naar een van de slaapkamers leidde. 'Ga lekker lang in bad en als je de vuile was uit die rugzak haalt, dan stop ik hem vast in de machine voor hij er uit zichzelf vandoor gaat.'

Met een gegeneerde uitdrukking op haar gezicht gooide Melanie een stapel smerige kleren op de vloer en liet zich vervolgens vuil als ze was op het kraakheldere beddengoed vallen. 'Bedankt, Fleur,' zei ze en haar stem begaf het onder een nieuwe stortvloed van tranen. 'Het spijt me dat ik zo lastig ben, maar ik heb echt...'

'Laat maar,' zei ze kortaf terwijl ze de kleren bij elkaar raapte. 'Als je eraan toe bent om te praten, kun je me op het strand vinden. Als je door de zitkamer naar buiten loopt, kom je er vanzelf.' Voor Melanie kon antwoorden of in een nieuwe huilbui kon uitbarsten, liep Fleur de kamer uit en ging naar de keuken.

Toen de was in de machine zat, pakte ze de boeken, dagboeken en foto's van tafel en stopte ze zorgvuldig terug in de hutkoffer. Die sloot ze af met een klein, koperen hangslot en de sleutel stopte ze in een leeg koffieblik in het gootsteenkastje. Niet dat ze Mel niet vertrouwde, maar ze wilde Annies schatten angstvallig voor zichzelf houden.

Ze trok een bikini aan en haastte zich naar het strand om even alleen te kunnen zijn. Het was een vermoeiende dag geweest en ze vermoedde dat het een lange avond zou worden. Melanies aanwezigheid had haar rust verstoord, weer voor spanning gezorgd en haar uit haar evenwicht gebracht.

Terwijl ze in het warme, troostende water lag, dacht ze aan wat Blue had gezegd – was dat nog maar die ochtend geweest? Het leek een eeuwigheid geleden. Annie had Birdsong geopend voor mensen die een plek zochten om tot rust te komen, mensen voor wie het goed was om een tijdje in dit prachtige, afgelegen toevluchtsoord te verblijven zodat ze het leven beter aankonden wanneer ze weer naar huis gingen. Ze realiseerde zich dat ze in zekere zin Annies werk voortzette – zij het met tegenzin – want Melanie zat duidelijk in de knoop en had hulp nodig.

De zon stond al laag boven de horizon tegen de tijd dat Melanie op de veranda verscheen en de trap af ging naar het strand. Fleur realiseerde zich dat ze heel mager was en dat gaf het meisje een zekere kwetsbaarheid die haar nooit eerder was opgevallen. Maar haar haar glansde, haar gezicht was schoon geboend en de sarong liet gebruinde schouders en benen bloot.

'Ga zitten,' zei ze en ze klopte op de warme planken van de steiger. 'Welkom in mijn eigen speciale hoekje van de wereld. Vind je het niet prachtig?'

Melanie zwaaide haar benen over de rand en stak haar tenen in het water terwijl ze eindelijk het regenwoud, het boogvormige strand, het turkooiskleurige water en de blauwe flitsen van de ijsvogels in zich opnam.

Fleur keek hoe ze alles op zich liet inwerken. Haar uitdrukking was veelzeggend en ze zag het meisje zichtbaar ontspannen.

'Het is echt cool,' zei ze zacht. 'Nog mooier dan Byron Bay en Airlie Beach.'

Fleur was op geen van beide plekken geweest, al had ze er wel over gehoord, dus ze kon niet vergelijken. Ze schermde haar ogen af tegen de schittering van de zon op het water terwijl die langzaam achter het huis en het regenwoud verdween. Ze dacht opnieuw aan wat Blue haar over Annie had verteld.

'Het wordt zo donker,' zei ze. 'Ik stel voor dat we een vuur maken, hier op het strand, wat worstjes en aardappels klaarmaken en kijken hoe de maan opkomt. De hemel is hier adembenemend, omdat er geen lichtvervuiling is.'

'Doen we.' Melanie leek opgelucht dat ze niet hoefde te praten over de reden waarom ze hier was en krabbelde overeind. 'Zorg jij voor de worstjes en zo, dan verzamel ik wrakhout en maak een vuur.'

Fleur liet haar vrolijk het strand afschuimend achter en ging die ogenschijnlijk onafzienbare hoeveelheid dingen bij elkaar zoeken die nodig waren voor een strandpicknick. Ze legde ze op de veranda en riep Mel om haar te komen helpen alles naar het strand te dragen.

Melanie bekeek de vierkante kast met het merkwaardige, trompetvormige uitsteeksel. 'Wat is dat in vredesnaam?'

'Dat is een antieke platenspeler, de voorloper van jouw walkman. Ik dacht dat we misschien wat muziek konden draaien.' Ze glimlachte toen Melanie haar neus optrok. 'Het is niet precies jouw smaak, maar als je het een kans geeft, zul je merken dat de muziek helemaal hoort bij de sfeer van deze plek.'

Het was al donker tegen de tijd dat ze de dekens op het zand boven de hoogwaterlijn hadden uitgespreid. Ze hadden er kussens op gelegd en de grammofoon stond zorgvuldig recht op een rieten mat. Er was gekoelde witte wijn, water en vruchtensap en een bak koolsla voor bij de tomaten. De aardappelen waren in aluminiumfolie gewikkeld en in de gloeiende as van het hoog oplaaiende vuur gelegd. De worstjes waren aan een lange pin geregen die in twee gevorkte takken boven de vlammen hing. Ze sisten bevredigend en het water liep hun in de mond van de heerlijke geur.

Nadat ze hadden gegeten en het vuur was uitgebrand tot een massa gloeiende houtskool, draaide Fleur aan de slinger van de antieke grammofoon en zette voorzichtig de naald op de bakelieten plaat. Ella Fitzgeralds bijzondere stem begon het meeslepende refrein van 'When they begin the beguine'.

'Wat is een *beguine* in vredesnaam?' vroeg Melanie fronsend.

'Geen idee. Hou je mond en laat de muziek zijn werk doen,' mompelde Fleur terwijl ze achterover tegen de kussens leunde en naar de sterren keek. Het zachte geklots van de golven, het geruis van de bladeren en het licht van de sterren vormden een perfecte begeleiding voor de sensuele Latijnse klanken van het oude nummer en ze draaide haar hoofd naar Melanie om te zien of de magie ook bij haar werkte.

Melanie lag plat op haar rug en haar lichaam was volledig ontspannen terwijl ze vol ontzag naar het schouwspel van de sterrenhemel keek. 'Het is zo mooi,' mompelde ze. 'En je had gelijk, die oude muziek is precies goed voor een avond als deze.'

Fleur had een andere klassieker van Cole Porter opgezet en ging net weer zitten toen Melanie op haar zij ging liggen, haar hoofd met een hand ondersteunde en met de vingers van haar andere hand aan de deken plukte. 'Kunnen we praten?' vroeg ze aarzelend.

Fleur draaide zich naar haar toe. 'Alleen als jij daaraan toe bent,' zei ze zacht. Ze stak haar hand uit en hield de vingers van het meisje stil.

Melanie deed haar ogen dicht en haar hand pakte die van Fleur alsof ze zich schrap moest zetten. 'Het begon allemaal echt geweldig,' begon ze. 'De jongens hielpen een paar weken bij het schapenscheren en de meisjes en ik werkten in de kampkeuken. Het was hard werken, echt heet, en de hoeveelheid eten die die gasten wegwerkten was ongelooflijk. Maar we verdienden een hoop geld, dus gingen we daarna weer naar de kust en namen de rugzakroute.'

Ze liet Fleurs vingers los, rolde weer op haar rug en legde een onderarm over haar voorhoofd. 'We bleven een paar nachten in Byron Bay. Dat was leuk. En toen overnachtten we in Rainbow Beach en daarna gingen we naar Fraser Island waar we een weekend zijn gebleven.'

Melanie deed er het zwijgen toe en Fleur besefte dat het meisje het lastiger kreeg naarmate ze dichter bij het moeilijke deel van haar verhaal kwam. Ze stak haar arm weer uit en pakte haar hand. 'Ga verder,' moedigde ze aan.

'We begonnen krap te zitten en Liam en ik maakten de hele tijd ruzie,' ging ze aarzelend verder. 'Sophie en ik kregen werk in een bar in Rockhampton, maar ik voelde me niet lekker. Liam werd humeurig en had geen geduld meer met me. Hij kon geen werk vinden, weet je, en we hadden het geld nodig om verder te kunnen trekken.'

Ze knipperde een paar keer snel met haar ogen en Fleur zag tranen schitteren in haar wimpers.

'Uiteindelijk gingen we verder langs de kust, overnachtten op verschillende plekken tot we bij Airlie kwamen. Het was prachtig daar, maar niemand van ons slaagde erin werk te vinden omdat de bars en de toeristenhotels alleen maar buitenlanders in dienst namen. Die werkten namelijk bijna voor niks omdat ze geen werkvergunning hadden. We zijn er niet lang gebleven en vervolgens zijn we naar Townsville gegaan.'

Ze zweeg weer, maar Fleur zag dat de tranen over haar wangen stroomden en besefte dat ze wanhopig probeerde het laatste restje controle over haar emoties te bewaren. 'Wat is er in Townsville gebeurd, Mel?'

'Sophie en de anderen besloten op eigen houtje naar Cairns te gaan waar we ze een paar weken later weer zouden ontmoeten. Ik denk dat ze het zat waren om steeds maar te moeten aanhoren hoe Liam en ik ruziemaakten. Ik was weer ziek. Liam zocht de hele tijd ruzie. Soms verdween hij uren en dan liet hij mij alleen achter. Hij had in geen weken een vriendelijk woord tegen me gezegd en ik wilde eigenlijk naar huis.'

'Je had je moeder kunnen bellen,' zei Fleur zacht. 'Ze zou je het reisgeld maar al te graag hebben gestuurd.'

Melanie beet op haar lip terwijl ze haar hoofd schudde. 'Dat was het laatste wat ik kon doen.' Haar adem stokte en ze verborg haar hoofd in de kussens om haar snikken te smoren.

Fleur had het akelige gevoel dat ze wist waar dit heen ging en ze werd misselijk bij de gedachte. 'Je bent zwanger, hè?'

Melanie kwam weer uit de kussens tevoorschijn, ging rechtop zitten, snoot haar neus in een papieren zakdoekje en veegde met haar handen over haar gezicht. Ze sloeg haar armen om haar knieën en staarde naar het maanovergoten water. 'Bijna drie maanden nu,' mompelde ze.

Fleur rekende het snel na. 'Je was dus al zwanger voor jullie op pad gingen? Maar Melanie, dat moet je toch geweten hebben, of je moet toch in elk geval vermoed hebben dat er iets niet klopte?' Ze zag dat het meisje haar hoofd op haar knieën legde. 'Ik dacht dat je aan de pil was?'

'Daar werd ik dik van, dus ben ik ermee gestopt.'

'Van alle stomme...' Fleur besefte dat haar ongeloof over het roekeloze gedrag van het meisje niet hielp. Ze schoof naar haar toe en sloeg een arm om haar schouder. 'Heb je het aan Liam verteld? Ik neem aan dat hij de vader is.'

'Natuurlijk is hij dat,' snauwde ze, 'en ja, ik heb het hem verteld, al schoot ik daar niet veel mee op.'

'Hij is niet van plan je te steunen?' Fleurs stem sloeg over toen ook zij het moeilijk kreeg met haar emoties.

'Hij was woest, beschuldigde me er zelfs van dat ik hem bedroog. We kregen vreselijk ruzie.' Ze snikte nu luid, had alle zelfbeheersing laten varen. 'Hij heeft me in Cairns gedumpt en gezegd dat ik er nog maar eens goed over moest nadenken en dat ik geen contact met hem hoefde te zoeken voor ik een abortus had laten doen.'

Ze stortte zich in Fleurs armen. 'Help me alsjeblieft,' jammerde ze. 'Ik kan deze baby niet krijgen, dat kan ik gewoon niet.'

Fleur voelde zich verdoofd; de afschuwelijke situatie waarin haar nichtje verkeerde, verkilde haar tot op het bot. Het leven was niet eerlijk, de kronkelingen waren soms moeilijk te volgen, maar de speling van het lot die Fleur de kans op het moederschap had ontzegd en de zwangere Melanie hierheen had gebracht op zoek naar een abortus, was te wreed voor woorden.

Bethany was heel tevreden over zichzelf, want ze was bijna twaalf kilo kwijt en kon kleren aan van drie maten kleiner. Het wat slonzige trutje van middelbare leeftijd was hard op weg te verdwijnen. Nu zag ze in de spiegel een veel slankere, jongere vrouw. Een vrouw wier zelfvertrouwen groeide, een vrouw die vastbesloten was om haar leven op de rails te krijgen en er iets van te maken voor het te laat was.

Ze miste nog steeds de kinderen en de huiselijke routine die de afgelopen dertig jaar zo'n onlosmakelijk deel van haar leven waren geweest, maar het leek er toch niet zo heel veel toe te doen. Clive en de kinderen gingen verder met hun leven en zij zou hetzelfde doen.

Haar campagne was begonnen met het dieet en de medicijnen die een halt moesten toeroepen aan de gevolgen van de overgang. Daarna was ze begonnen regelmatig naar de sportschool, de schoonheidssalon en de kapper te gaan. Hoewel ze de kerk trouw bleef bezoeken, was ze uit de comités gestapt en had ze zich op de toekomst gericht en hoe ze die bevredigend kon maken.

Bethany had geen enorme ambities. Ze wist dat ze de wereld niet versteld zou doen staan, maar ze was gaan beseffen dat ze verschillende talenten had, wat voor denigrerende opmerkingen Clive ook maakte. In die talenten zou weleens het antwoord kunnen schuilen. Met dat in gedachten had ze moed gevat om te solliciteren naar de functie van bedrijfsleider van de koffiebar en bakkerij in de buurt. De kans bestond dat ze haar dieet zou vergeten als ze eenmaal in die heerlijke geur van versgebakken brood en gebak zou verkeren, maar ze voelde zich sterk en doelgericht en vastbesloten die uitdaging aan te gaan en er als winnaar uit te komen.

Het zou ook betekenen dat ze veel uren zou maken, maar dat vond ze niet erg. Clive was de hele dag weg en ze bracht al veel weekends en avonden in haar eentje door met alleen de televisie als gezelschap. Het enige wat ze nu hoefde te doen, was haar zenuwen in bedwang houden en hopen dat de eigenaar geen jonger iemand wilde.

Het was bewolkt toen ze haar auto parkeerde en zich naar de koffiebar haastte. Ze beschermde haar pas gekapte haar en modieuze jas en jurk met haar felroze paraplu tegen de eerste regendruppels. Het was nog vroeg en een blik door het raam leerde haar dat de koffiebar leeg was. Ze duwde de deur open en werd verwelkomd door de volle, warme geur van de bakkerij en de glimlach van haar vriendin Dianne.

'Môgge, Beth. Hoe gaat het?' Ze was bezig bladen met gebak in de vitrine te schuiven.

'Uitstekend, dank je, Di,' antwoordde ze en ze klapte haar paraplu dicht. 'Ik kom voor meneer Mancusso.'

'Blij dat je naar me hebt geluisterd en op die baan hebt gesolliciteerd,' zei Dianne en haar ronde gezicht straalde terwijl ze haar handen afveegde aan het smetteloos witte schort. 'Je bent geknipt voor dat werk en als Frank het daar niet mee eens is, dan moet hij zich eens laten nakijken.' Ze liep vlug naar achteren en kwam al snel weer terug. 'Hij komt er zo aan. Ga zitten, dan breng ik je een kop koffie,' zei ze en ze draaide zich om naar een behoorlijk angstaanjagend chromen koffieapparaat.

'Zwart, zonder suiker alsjeblieft, Di. Ik ben nog steeds op dieet.' Bethany ging aan een tafeltje zitten en Dianne bracht haar koffie. Ze ontdekte tot haar schrik dat haar handen beefden en dat haar maag in de knoop zat. De koffie bleef onaangeroerd.

Ze had nog nooit een sollicitatiegesprek gevoerd – ze was meteen na school met Clive getrouwd – en ze had geen idee wat ze kon verwachten. Ze werd overvallen door paniek. Was dit een vergissing? Ze moest ervandoor, voor ze zichzelf volslagen voor gek zette.

'*Ciao*, Bethany. Ik ben Franco Mancusso, de eigenaar van dit bescheiden tentje, maar de meeste mensen zeggen gewoon Frank.'

Bethany stamelde een groet terwijl ze elkaar een hand gaven en hij tegenover haar ging zitten. Frank was in de vijftig, schatte ze, en Italiaans uiteraard, compleet met het zwarte haar en de donkere ogen, de dikke snor en de lichtbruine huid die je zou verwachten. Ze werd nogal van haar stuk gebracht door hoe knap hij was en door zijn donkere ogen die haar nu zeer geïnteresseerd zaten op te nemen.

'Zo Bethany, Dianne zegt dat je hier wilt werken. Vertel eens wat over jezelf. Wat heb je hiervoor gedaan; hoe denk je de boel hier te gaan leiden? Wat zou je hier verbeteren?'

Bethany haalde diep adem en hoorde zichzelf vertellen over haar jaren als huisvrouw, hoeveel ze van bakken hield, haar vermogen om bankrekeningen te beheren en een keuken te bestieren en over haar bereidheid om uren te maken. Ze voegde eraan toe dat volgens haar de zaken beter zouden gaan als er niet alleen een lunch geserveerd werd, maar ook een licht ontbijt om vroege klanten te trekken.

'Maar ik neem aan dat u iemand wilt die jonger is en meer ervaring heeft,' besloot ze mat, bang dat ze te veel had gezegd.

Hij glimlachte en liet zijn perfecte tanden zien. 'Ik hou van rijpe vrouwen met levenservaring.' Hij haalde op die Italiaanse manier zijn schouders op die woorden overbodig maakte. 'Jonge meisjes zijn leuk om naar te kijken,' ging hij verder, 'maar ze hebben niet de passie die ik in jou bespeur.' Hij zweeg en zijn blik liet haar geen ogenblik los. 'Is een goed idee, dat van het ontbijt,' mompelde hij. 'Croissants misschien, broodjes, hartig en zoet, fruitsalade – net als in Italië.'

Bethany hield haar handen stijf gevouwen in haar schoot en haar blik was gevangen door zijn bijna hypnotische ogen.

Hij leunde achterover. 'Je houdt van bakken,' zei hij. 'Wat vind je ervan om wat mee te nemen? Dat zetten we in de vitrine, om te zien hoe het loopt, en ik betaal je ervoor.'

Bethany slikte. 'Betekent dat dat ik de baan heb?' vroeg ze ademloos.

'Natuurlijk.' Hij tuitte zijn lippen en zijn snor krulde om. 'Wanneer kun je beginnen?'

'Morgen?' Haar hart ging zo tekeer dat ze ervan stond te kijken dat hij het niet hoorde.

'Si, bene. We gaan om negen uur open, dus zorg dat je er voor die tijd bent met je gebakjes.' Hij ging staan, nam haar hand en beroerde de rug vluchtig met zijn lippen. *'Fino a domani,* Bethany. Tot morgen.'

Ze stond als aan de grond genageld. Niemand had ooit haar hand gekust of Italiaans tegen haar gesproken, of naar haar gekeken alsof elk woord dat ze zei belangrijk was.

'Let maar niet op Frank,' giechelde Dianne terwijl hij naar de keuken verdween. 'Hij doet altijd zo omdat hij een Italiaan is. Het heeft niet echt iets te betekenen.' Ze pakte het kopje en het schoteltje en zette ze in de gootsteen. 'Maar het maakt het wel leuk om naar je werk te komen. Mij montert het geweldig op, in elk geval.'

Bethany pakte haar tas en kwam weer bij zinnen. 'Heb je nog zin om naar de bios te gaan vanavond? Dit vraagt wel om een klein feestje.'

'Reken maar. Ik zie je daar om zeven uur.'

Met een vrolijke zwaai stapte Bethany de straat op. Het had opgehouden met regenen en de zon scheen. Dat was een gunstig voorteken. Het enige wat ze nu nog hoefde te doen was het Clive vertellen.

De rest van de dag was ze bezig in de keuken. Of het nou kwam door haar goede humeur of omdat ze op het punt stond een nieuw avontuur te beginnen, feit was dat haar bakkunst een nieuw hoogtepunt bereikte. De cakes waren vederlicht, de pasteitjes luchtig en knapperig, de meringue perfect. Ze pakte alles met een tevreden grijns in dozen, zette een kop thee, nam die mee naar boven en ging uitgebreid in bad voor ze aan het avondeten begon.

Clive was iets eerder thuis dan normaal, zette zijn tas weg, keek naar de taartdozen die op tafel stonden en pakte een koud biertje uit de koelkast. 'Je bent behoorlijk bezig geweest. Voor welk goede doel is dit?'

Ze was van plan geweest hem eerst te eten te geven om hem in een goede stemming te brengen voor ze hem haar nieuws zou vertellen, maar misschien was het beter om het meteen uit de weg te hebben, nu de gelegenheid zich voordeed. 'Ik heb een baan aangeboden gekregen bij Mancusso. Hij wil dat ik wat van mijn baksels breng om te zien of die verkopen.'

Clive staarde haar aan, zijn biertje vergetend. 'Het idee dat je voor die Italiaan werkt, staat me helemaal niet aan,' antwoordde hij. 'Eerlijk gezegd staat het hele idee dat je gaat werken me niet aan. Je hebt hier in huis genoeg te doen en ik heb geen zin om thuis te komen in een leeg huis waar het eten niet op tafel staat.'

'Je eten zal elke avond klaarstaan,' antwoordde ze vinnig. 'Je zult heus niet omkomen van de honger.'

'Toch staat het me niet aan,' zei hij lijzig terwijl hij haar over zijn bierblikje achterdochtig aankeek. 'Gasten als Mancusso hebben de reputatie dat ze achter de vrouwen aanzitten.'

'Meneer Mancusso is getrouwd en hij heeft vier kinderen,' zei ze kalm. 'Hij is ook een heer, dus je kunt er zeker van zijn, Clive, dat mijn eer niet bezoedeld zal worden.'

Hij liet zijn blik over haar heen gaan. 'Ik neem aan dat je gelijk hebt. Die spaghettivreters hebben meestal een voorkeur voor de jonge, knappe meiden.'

Zijn achteloze opmerking raakte haar diep. 'Dat was een kwetsende opmerking,' siste ze.

'Sorry, schat, maar ik zeg het zoals het is. Je bent geen jong ding meer, hè? Dat zijn we trouwens geen van tweeën.' Hij dronk zijn bier op en mikte het blikje in de vuilnisbak. 'Je moet dit hele idee maar laten varen,' zei hij terwijl hij zijn stropdas losmaakte. 'We willen de zaken op onze leeftijd niet meer op z'n kop zetten en de werkvloer is geen plaats voor een vrouw zonder enige ervaring zoals jij.' Hij wierp haar een glimlach toe alsof dat de angel uit zijn woorden zou halen. 'Ik zal die knaap morgenochtend wel bellen om te zeggen dat je van gedachten bent veranderd.'

'Geen sprake van,' zei ze kortaf. 'Ik heb jouw toestemming of goedkeuring niet nodig om deze baan aan te nemen en ik zou het op prijs stellen als jij je met je eigen zaken bemoeit.'

Clive moest zich gerealiseerd hebben dat hij te ver was gegaan. 'Kom op, schat. Je hoeft niet zo te doen. Ik heb het beste met je voor, dat is alles.'

Ze weerde zijn omhelzing af en sloeg haar armen over elkaar. 'Nee, dat heb je niet,' antwoordde ze. 'Je hebt het beste met jezelf voor, zoals gewoonlijk. De zaken gaan hier veranderen, Clive, dus wen er maar aan.'

'Verdorie,' fluisterde hij, 'wat is er de laatste tijd toch met je aan de hand?'

Ze nam hem op, verbaasd dat ze zich er zo weinig van aantrok dat hij duidelijk in verwarring verkeerde. 'Ik ben tot de conclusie gekomen dat het leven meer is dan achter jou aan rennen en wachten tot je thuiskomt,' zei ze, terwijl de woede en pijn uit haar wegvloeiden. 'Als jij het soort echtgenoot was geweest dat geïnteresseerd was in zijn vrouw – en ook samen met haar dingen deed – dan had je geweten hoe ongelukkig ik me heb gevoeld.'

'Luister eens, Beth. Ik moest werken om dit huis en de kinderen te onderhouden. Ik heb geen tijd om jou ook nog eens te vertroetelen.'

'De kinderen zijn allang het huis uit,' bracht ze hem in herinnering, 'en het is niet vertroetelen waar ik op uit was. Ik wilde gewoon een teken dat je me meer als een echtgenote beschouwde dan als een huishoudster, dat je me zag als iemand met wie je tijd wilde doorbrengen.'

'Zoals ik al zei, ik kan niet...'

'Je hoeft 's avonds en in de weekenden niet te werken,' zei ze ongeduldig. 'Ik zit hier maar in m'n eentje zonder precies te weten waar je uithangt, wat je aan het doen bent of met wie je het doet. Ik ben het zat.'

Hij bloosde en wendde zijn blik af. 'Ik weet niet wat je bedoelt,' mompelde hij, 'maar het is niet mijn schuld dat ik zo lang moet werken.'

Beth stond op het punt hem te vertellen dat ze wist van de vrouw die hij elke donderdag ontmoette. Ze was achterdochtig geworden door de regelmaat waarmee hij tot 's avonds laat wegbleef en ze was hem gevolgd. Hij had haar bij kamer 220 van het motel in Maroochydore ontmoet en na een hartstochtelijk zoen waren ze naar binnen verdwenen. Ze had vier lange, koude uren staan wachten tot ze weer naar buiten kwamen, elkaar nogmaals zoenden en vervolgens ieder hun eigen weg gingen. In de tussentijd had Bethany een verbijsterende ontdekking gedaan. Haar trots mocht dan gekwetst zijn door zijn verraad, maar haar hart werd er nauwelijks door geraakt.

Ze bekeek hem met de heldere blik van iemand die lang geleden opgehouden was iets om hem te geven en besefte dat alles wat ze er nu uitflapte aanleiding kon zijn voor een echtscheiding. Daar was ze niet klaar voor – nog niet.

'Ik wil hier niet meer over praten,' zei ze en ze pakte haar handtas en haar jas. 'Ik ga uit. Je eten staat in de oven.'

Het vuur was bijna uit; Fleur gooide nog een paar stukken hout op de gloeiende kolen en keek hoe de vlammen begonnen op te flakkeren. Melanies tranen waren na verloop van tijd gestopt en nu lag ze als een klein kind in de deken gewikkeld. Haar bleke gezicht en grote ogen weerspiegelden het licht van het vuur.

'Je moet hier heel goed over nadenken, Mel,' zei ze op rustige toon. 'Als het eenmaal is gebeurd, is er geen weg meer terug en je zult daarna altijd met die beslissing moeten leven.'

'Dat weet ik en dat is wat me zo bang maakt,' gaf ze toe. 'Maar ik zie geen andere oplossing.'

'Je zou het kunnen afstaan voor adoptie,' zei ze voorzichtig. 'Of je zou het kunnen laten opnemen in een pleeggezin. Je zou het ook kunnen houden. Ik weet zeker dat als je het je moeder eenmaal hebt verteld, ze...'

'Ze mag het niet te weten komen. Nooit.' Melanie ging rechtop zitten met een vastberaden uitdrukking op haar gezicht. 'En jij mag het haar níét vertellen.'

'Ik heb al eerder dingen voor haar verzwegen en zie eens wat daarvan gekomen is,' antwoordde Fleur terwijl ze ook een deken om zich heen sloeg. 'Ze was woedend toen jij je versprak en zei dat je het met mij al over die reis had gehad. Ze weigert nog steeds een woord met me te wisselen. Het is niet eerlijk van je om mij hiermee op te zadelen en van me te verwachten dat ik mijn mond hou.'

'Ik dacht dat je het zou begrijpen,' zei ze zacht. 'Je was er vroeger altijd voor me.' Melanie draaide haar hoofd en haar ogen waren donker en haar blik vast. 'Zit de abortus je dwars of het feit dat ik zo stom ben geweest om zwanger te worden?'

'Allebei,' gaf ze met zachte stem toe. 'Ik dacht dat je volwassen genoeg was om ervoor te zorgen dat zoiets niet zou gebeuren.' Ze ging met haar tong over haar lippen; ze vond het vreselijk om wreed te moeten zijn, maar wist ook dat dit de enige manier was om tot het meisje door te dringen en haar te doen inzien wat voor drastische stap ze op het punt stond te nemen. 'Wat een abortus betreft... Het is geen vorm van geboortebeperking, Melanie. Het is veel ernstiger, en je hebt geen idee van de geestelijke pijn van zoiets.'

'Ik weet het,' jammerde ze en ze barstte opnieuw in tranen uit. 'Het achtervolgt me nu al. Ik dacht dat het simpel zou zijn. Dat ze me weg zouden maken en dat als ik weer bijkwam, alles weer normaal zou zijn en dat ik gewoon zou kunnen weg wandelen en er niet meer aan zou hoeven denken. Toen zag ik de folders in de wachtkamer bij die dokter in Townsville en hij legde me uit wat ze zouden doen.' Haar hele lijf begon te trillen bij die herinnering. 'Ik kon het gewoon niet opbrengen.'

Fleur voelde een sprankje hoop. 'Wat ben je nu van plan te gaan doen?'

'Ik weet het niet,' snikte ze. 'Ik dacht dat ik dapper genoeg zou zijn om het te doen als jij bij me was, maar jij bent het er duidelijk niet mee eens en ik weet nu dat ik het sowieso niet zou kunnen doen. Maar ik kan dit kind niet krijgen, Fleur. Dat zou mijn leven kapotmaken.'

Fleur zuchtte diep, haar opluchting werd getemperd door haar zorgen om het meisje. Het was een verschrikkelijk dilemma voor iemand die nog zo jong was.

Melanie staarde over de gloed van het vuur in de verte en vermeed het om Fleur aan te kijken. 'Ik zou hier kunnen blijven tot na de bevalling en daarna besluiten wat ik ga doen.'

Het idee joeg haar angst aan. 'Je weet dat dat niet de oplossing is,' zei Fleur zacht. 'Bethany zou nog dieper gekwetst zijn als ze erachter kwam dat je dit allemaal voor haar verzwegen hebt. En ik doe niet mee aan dit bedrog. Ze is mijn zus en ze is altijd goed voor me geweest. Ik heb haar al genoeg van streek gemaakt.'

'Ze zal het je vergeven als ze erachter komt dat je geen keuze had.'

Fleur slaakte een diepe zucht. 'Je gaat hier niet bevallen, Melanie,' zei ze streng, 'en ik ben niet degene die het je moeder vertelt.'

'Pap en mam zullen me vermoorden,' snikte Melanie. 'Hoe kan ik het haar vertellen terwijl ze al die tijd gelijk heeft gehad. Dat is vernederend.'

'Het zou nog veel erger zijn als je op een dag bij hen op de stoep staat met een baby in je armen. Denk je eens in hoe kapot je moeder zou zijn als ze beseft dat je het liever allemaal alleen hebt gedaan in plaats van haar om hulp te vragen. En dat ik bovendien een belangrijk aandeel heb gehad in dat bedrog.'

'Ik weet niet wat ik moet doen. Ik weet het echt niet.'

'Je kunt het beste een paar dagen hier blijven en proberen weer een beetje tot jezelf te komen. Ik zal met je mee meegaan naar Brisbane en er voor je zijn als je me nodig mocht hebben. Maar jij alleen bent degene die haar hiermee onder ogen moet komen. Jij bent degene die de zaken recht moet zetten zodat jullie samen een oplossing kunnen bedenken.'

'O, god,' snikte ze. 'Wat heb ik er een zooitje van gemaakt, toch?'

Fleur hield haar gedachten voor zich en nam Melanie in haar armen. Samen keken ze naar het stervende vuur in het zand. De maan was bezig onder te gaan en er gloorde een nieuwe dageraad aan de horizon. De vogels in de bomen maakten zich op voor hun ochtendzang en het tij keerde. Voor Fleur was de idylle zo goed als voorbij.

9

Er was een week voorbijgegaan sinds de komst van Melanie. Omdat ze over twee dagen zouden vertrekken, had Fleur een begin gemaakt met het opbergen van Annies linnengoed. Ze had eindelijk Amy Parsons aan de telefoon gekregen en haar verteld dat ze van plan was te vertrekken. Daarna hadden ze elkaar nog even gesproken onder het genot van een kop koffie. Amy bleek een levendige weduwe van middelbare leeftijd met veel te veel tijd. Fleur besefte al snel dat als Birdsong ooit weer een boetiekhotel zou worden, Amy de aangewezen persoon was om het te runnen. Fleur gaf haar het nummer van haar telefoon thuis en beloofde te zullen bellen zodra ze besloten had wat ze met Birdsong wilde.

Nu de vlucht geboekt was, had Melanie haar moeder een zorgvuldig geformuleerde e-mail gestuurd waarin ze haar vertelde dat ze naar huis kwam. Fleur had een boodschap achtergelaten bij Gregs berichtendienst met de mededeling dat ze hem bij terugkomst graag persoonlijk wilde spreken.

De afgelopen zeven dagen waren voor Fleur niet eenvoudig geweest. Er hadden tranen gevloeid, er waren driftbuien geweest en lange gesprekken vol zelfbeschouwing die hen geen van beiden verder brachten. Het leek erop dat Melanie nu kalmer was en zich had neergelegd bij de situatie.

Fleur besefte dat Birdsong de ideale plek was geweest voor het meisje om alles op een rijtje te zetten en zich voor te bereiden op de confrontatie met haar moeder. Ze vroeg zich wel af hoelang die nieuw verworven volwassenheid zou standhouden als Melanie eenmaal thuis was. Ook zij zag vreselijk op tegen de ruzie die zou volgen als Bethany besefte hoe nauw Fleur erbij betrokken was geraakt. De woede van haar zus was niet iets waar ze naar uitkeek.

Ze ging weer naar binnen nadat ze de vogels had gevoerd met het laatste restje zaad uit Annies voorraad en liep de woonkamer in. Melanie had de gewoonte ontwikkeld tot halverwege de ochtend uit te slapen, waarna ze ging zwemmen en vervolgens de rest van de dag rondlummelde op het strand of – tot Fleurs frustratie – in de hangmat.

Fleur had strenge regels opgesteld wat betreft het opruimen van de keuken en de badkamer, maar het huis lag desondanks bezaaid met Melanies kleren, make-up, schoenen en tijdschriften. Met een diepe zucht pakte ze haar spullen en legde ze op een stapel op tafel. Haar eigen routine was zo verstoord dat ze bijna stond te trappelen om terug te gaan naar Brisbane.

Terwijl ze haar gebruikelijke kop slappe ochtendthee zette, gingen haar gedachten zoals zo vaak naar Greg. Zijn e-mails waren informatief en werden lichter van toon naarmate de tijd verstreek. Hij had de therapiesessies moeilijk gevonden, maar hij leek alles nu in een helder licht te zien, kon haar zelfs schrijven over zijn jeugd en het feit accepteren dat niets van wat er was gebeurd zijn schuld was en dat het zeer onwaarschijnlijk was dat hij zijn vaders krankzinnigheid had geërfd.

Het was duidelijk dat hij nog steeds van haar hield en haar erg miste en nog steeds hoopte op een toekomst samen. Maar niets wees erop dat hij van gedachten was veranderd wat betreft kinderen of bereid was over die mogelijkheid te praten. Het dilemma van Fleur was net zo ingewikkeld als dat van Melanie, maar ze hoopte dat haar terugkeer naar Brisbane hun de kans zou bieden rustig en zonder wrok met elkaar te praten, dat ze konden proberen uit te vinden hoe het nu verder moest en of hun huwelijk kon worden gered.

Het verontrustende nieuws dat haar vader hier of op Savannah Winds op kon duiken leek, godzijdank, loos alarm. De rust op Birdsong was al genoeg verstoord en ze kon na wat hij naar aanleiding van Annies testament had gedaan de confrontatie met hem niet aan.

Ze zette haar theekopje neer en liep naar de slaapkamer. De gedachte aan haar vader had haar weer doen denken aan de brieven die ze had weggestopt. Ze haalde ze uit haar weekendtas en nam ze samen met haar thee mee naar de steiger.

Het was opnieuw een prachtige zonsopkomst, waarbij de hemel langzaam van inktzwart in bleekroze en oranje veranderde. Over het strand en het water kwam een gouden gloed te liggen die de diepe schaduwen onder de bomen verjoeg. Fleur maakte met trillende vingers het ruwe paktouw los. Haar vaders handschrift stond dwars over elke ongeopende envelop en ongelezen brief gekrabbeld om ze terug te sturen naar Annie. Zij moest vreselijk gekwetst zijn geweest door zijn wrede onverschilligheid.

Ze maakte de oudste brief open, gedateerd januari 1935, en zag dat Annies fijne handschrift twee gelinieerde pagina's besloeg die uit een schrift leken te zijn gescheurd.

Lieve Don,

Ik schrijf je deze brief in de hoop dat je, nu er wat tijd is verstreken, je hebt neergelegd bij het feit dat vaders huwelijkscadeau aan John en mij zijn manier was om me op dit moment mijn deel van de erfenis te geven, nu ik het goed kan gebruiken, in plaats van later. Het zal uiteraard geen enkele invloed hebben op het bedrag dat jij zult erven wanneer vader overlijdt – en ik hoop dat dat moment nog ver in de toekomst ligt. Ik bid elke avond dat je gelooft dat vaders gulle gift voor mij net zo'n verrassing was als voor jou en dat hij het uit eigen, vrije wil heeft gedaan zonder enige beïnvloeding van mijn kant. Hij wilde gewoon dat John en ik iets achter de hand hadden voor onze onderneming in de wildernis van de Gulf Country.

We hebben ons hier in de Savannah gevestigd en John heeft een mooi stenen huis gebouwd waar we veilig zullen zijn voor de vreselijke stormen die dit prachtige, maar afgelegen land teisteren. Onze kudde gedijt voorspoedig en we hebben twee prachtige herdershonden, blue heelers, gekocht om ze in toom te houden. Op ons land woont een familie Aboriginals en ze blijken bijzonder nuttig te zijn. Ze kennen dit land zo goed en lijken altijd voorbereid op de snelle weersveranderingen. Ik weet niet hoe we het zonder hen hadden moeten redden.

Het zou in dit uitgestrekte land eenzaam zijn zonder John en onze veraf wonende buren, maar zolang ik mijn echtgenoot aan mijn zijde heb, ben ik tevreden. John en ik zijn nu twee jaar getrouwd, maar helaas zijn we nog niet gezegend met kinderen. Het is mijn liefste wens om zoons te hebben die het hier op een dag overnemen, want deze rijke, zwarte aarde is al doordrenkt van ons zweet.

Ik besluit met je nogmaals te smeken je neer te leggen bij wat er is gebeurd en de diepe vriendschap die altijd tussen ons heeft bestaan er niet door te laten bezoedelen. Het doet pijn te weten dat je zo gekwetst bent door vaders gift. Geef alsjeblieft antwoord op deze brief. Ik wil zo graag iets van je horen.

Je liefhebbende zus,
Annie

Fleur vouwde de brief dicht en stopte hem terug in de envelop. Haar hart ging uit naar Annie die zo duidelijk een einde had willen maken aan de animositeit.

De vier volgende brieven waren binnen enkele maanden na elkaar geschreven en waren in dezelfde trant. Annies smeekbedes om haar broers begrip en vergeving klonken wanhopiger, ze was er duidelijk kapot van dat de brieven ongeopend terugkwamen.

Ondanks het medelijden dat Fleur voor Annie voelde, vond ze de brieven fascinerend, want daarin werd in Annies eigen woorden de geschiedenis van Savannah Winds beschreven. De boerderij was in oppervlakte uitgebreid en ook de veestapel was gegroeid. Ze hadden een paar mannen in dienst genomen om de boel draaiende te houden en hadden besloten hun bedrijf gevarieerder te maken door graan te gaan verbouwen. Maar er waren ook gevaren: overstromingen, droogte, zwermen sprinkhanen die binnen een paar seconden de jonge oogst verzwolgen, koeien die doodgingen aan ziektes, kalveren die ten prooi vielen aan krokodillen.

Het klonk eenzaam en gevaarlijk en Fleur bewonderde Annies stoicijnse vastberadenheid om ondanks alles te slagen. Er klonk tussen die keurig neergeschreven zinnen ook verdriet door, want er was nog steeds geen sprake van kinderen en de voortdurende bittere stilte van de kant van haar broer leek haar behoefte aan een gezin alleen maar te versterken.

Fleur dronk haar thee op en staarde over het water naar het eiland in de verte. Het kwam voor haar niet als een verrassing dat Annie, anders dan de rest van haar familie, haar behoefte aan kinderen zou hebben begrepen. Hun levens, geleid onder zulke uiteenlopende omstandigheden, maar geraakt door dezelfde schaduwen, leken in zo veel opzichten op elkaar.

Ze maakte zich los uit haar gedachten en richtte zich weer op de brieven die ze nog niet had gelezen. Haar ogen werden groot en ze voelde hete tranen prikken toen ze de korte, schokkende brief van maart 1937 las.

Mijn geliefde echtgenoot John Harvey is gestorven. Hij had bloedvergiftiging opgelopen na een ongeluk met de tractor. De wond raakte door de warmte en vochtigheid snel geïnfecteerd en ik kon hem niet op tijd in de kliniek in Cloncurry krijgen. De begrafenis was gisteren en de dienst is gehouden in de kleine kerk die hier voor dit enorme, uitgestrekte land is. Ik hoop en bid dat ik de kracht zal hebben om Johns werk alleen voort te zetten.

'O, Annie, wat dapper van je,' mompelde ze door haar tranen heen. 'Afgaande op deze brieven, heb je de hoop op verzoening met pap nooit opgegeven. Het spijt me dat hij zo akelig heeft gedaan, Annie. Ik wou dat hij anders was geweest, voor ons allebei.'

Ze legde de korte, trieste brief bij de andere en pakte de volgende nadat ze zich had vermand en haar tranen had gedroogd. Ze fronste haar voorhoofd toen tot haar doordrong dat deze was geopend, maar vele jaren na de laatste was geschreven. Ze doorzocht de stapel om te kijken of ze geen brieven had gemist en kwam toen tot de conclusie dat Annie haar pogingen om zich met Don te verzoenen uiteindelijk had opgegeven. Wat had haar ertoe gebracht opnieuw te schrijven? Was haar weer een tragedie overkomen?

Fleurs blik viel op de brief die eronder lag. Wat het ook was, ze had eindelijk antwoord van hem gekregen en vlug ook, want beide brieven hadden een poststempel van september 1966. Fleur besefte met een steek dat zij op dat moment zes maanden oud was geweest.

Bijna angstig begon Fleur aan de brief van Annie. Toen ze bij het einde kwam en haar ogen snel over haar vaders antwoord liet gaan, voelde ze zo'n sterke woede in zich opkomen dat ze nauwelijks nog adem kon halen. Ze werd duizelig terwijl ze haar best deed om de vreselijke waarheid te bevatten. Haar vaders onpeilbare verraad had haar hele leven overschaduwd en Margot en Bethany moesten eraan hebben meegewerkt.

Ze wankelde met de brieven tegen haar borst geklemd de steiger af en haastte zich naar het huis terwijl ze Melanie riep. 'Kleed je aan en pak je spullen,' beval ze het verfomfaaide en nog slaperige meisje. 'We vertrekken vandaag naar Brisbane.'

Bethany had genoten van haar eerste week in de bakkerij. Frank was een perfecte baas die naar haar voorstellen luisterde zonder ze belachelijk te maken, die haar goede raad gaf en haar hielp en die het niets leek te schelen wanneer ze een foutje maakte. Haar gebak en pasteitjes waren snel uitverkocht geweest en Frank had voorgesteld dat ze van nu af aan gebruik zou maken van de grote, professioneel uitgeruste keuken die zich achter de koffiebar bevond. Haar dagen begonnen vroeg en ze gingen tot laat door omdat ze de voorraad voor de volgende dag klaar moest maken.

Frank ging soms zitten om een kop koffie te drinken wanneer hij het deeg bereid had voor het brood van de volgende dag. Een enkele keer kwam zijn moeder Sabatina, een dame op leeftijd die in een van de twee appartementen boven de zaak woonde, haar beneden gezelschap houden. Het voelde helemaal niet als werk. Ze kon goed samenwerken met Dianne, de klanten maakten graag een praatje terwijl ze hun koffie dronken of hun lunch aten en het vroege ontbijt begon aardig populair te worden. Ze voelde zich er thuis en voor het eerst in jaren voelde ze zich nuttig en voldaan.

Het was laat in de middag op vrijdag en het licht van de straatlantaarns glinsterde al op de natte trottoirs. De keuken was een oase van warmte terwijl Bethany wachtte tot de laatste lading cakejes zo ver was afgekoeld dat ze het glazuur erop kon doen. 'Mijn dochter Melanie komt zondag thuis,' zei ze tegen Sabatina die met een breiwerkje in de hoek zat. 'Ik wist wel dat ze vroeg of laat heimwee zou krijgen.'

Sabatina's zwarte haar was meer aan een flesje dan aan de natuur te danken, maar haar jeugdige geest weerspiegelde zich in haar vrolijk gekleurde kleding en sjaals waarin haar gedrongen kleine lijf altijd gehuld ging. Armbanden rinkelden aan haar pols, gouden ringen schitterden in haar oren en ze had altijd twee of drie strengen kleurige kralen om haar mollige hals.

Haar Engels was verre van vloeiend en ze had een vet accent, maar ze leek het meeste van wat er tegen haar werd gezegd te begrijpen. Ze knikte en glimlachte en ging verder met breien waarbij de vele ringen fonkelden aan haar bezige vingers. 'Is goed, de meisje komt thuis. Ik denk, goed voor mama ook.'

'Het zal zeker een opluchting zijn om haar weer te zien. Ze is weken weggeweest en ik heb me ontzettend zorgen gemaakt. Met die absoluut onbetrouwbare Liam en die hippievriendjes van haar. Ze heeft me in al die tijd dat ze weg was maar twee keer een ansichtkaart gestuurd. Ik word er wanhopig van, zo egoïstisch en zelfzuchtig als die kinderen tegenwoordig zijn.'

Sabatina glimlachte aarzelend. Ze had er duidelijk geen woord van begrepen.

Bethany zuchtte, kwam tot de conclusie dat de cakejes genoeg waren afgekoeld, smeerde er een dikke laag glazuur op en versierde ze ten slotte met een bloem van suikergoed. Ze plaatste voorzichtig het grote, ronde deksel erover, droeg het blad de koelte van de voorraadkamer in en zette het op het marmeren schap.

'Ik ben klaar,' zei ze met een gelukzalige zucht. 'Tot morgen.'

Sabatina raapte haar spullen bij elkaar en liep achter haar aan naar de deur. 'Wij drinken dan koffie, als altijd? Ik maak espresso.'

Bethany knikte en Sabatina deed de deur achter haar op slot en wuifde van achter het raam terwijl Bethany zich naar haar auto haastte. Ze wilde snel naar huis om de laatste voorbereidingen te treffen voor Melanies thuiskomst over twee dagen.

Haar herwonnen levenslust had haar in staat gesteld de oude vloerbedekking uit Melanies kamer te halen en het vertrek van een nieuwe laag verf te voorzien. De vloer was geschuurd en in de lak gezet. Met de nieuwe gordijnen en de beddensprei die ze in Brisbane had gekocht zag het geheel er meer uit als een kamer voor een volwassene. Ze hoopte maar dat Melanie het mooi zou vinden en waardering zou hebben voor haar harde werk.

Het was een stuk lastiger geweest om de jongens en Angela zover krijgen dat ze zondag op de thee zouden komen om Melanie te verwelkomen. Maar het was haar gelukt en ze had zelfs kans gezien Clive te laten beloven, zij het met tegenzin, dat hij op tijd bij de golfbaan zou vertrekken om erbij te kunnen zijn.

De situatie tussen hen was niet verbeterd en Bethany betwijfelde of het ooit nog zo ver zou komen. De zaken waren te lang onbesproken gebleven, de kloof tussen hen was wijder geworden in de jaren dat Bethany druk was met het grootbrengen van de kinderen en Clive zich concentreerde op het uitbouwen van zijn accountantskantoor en het verlagen van zijn golfhandicap.

Bethany was verdrietig dat haar huwelijk door te weinig zorg een langzame dood was gestorven en erkende de rol die zij daarin had gespeeld, maar het had geen zin om vanwege de kinderen bij elkaar te blijven. Ze waren misschien het cement geweest dat hen zo lang bij elkaar had gehouden. Nu ze weg waren, was het hele gebouw in elkaar gestort.

Toen ze afsloeg van de hoofdweg, zag ze een taxi uit de doodlopende straat komen. Ze keek even in de auto die haar tegemoet reed en fronste haar voorhoofd. De vrouw achterin leek precies op Fleur. Ze kwam tot de conclusie dat ze zich vergist moest hebben, parkeerde de auto, pakte haar spullen en liep naar de achterdeur.

Clive deed open nog voor ze de tijd had gehad om haar hand naar de deurknop uit te steken. 'Er zit een verrassing voor je in keuken,' zei hij somber. 'Ik laat het aan jou over.'

Ze fronste haar wenkbrauwen toen hij snel in zijn auto stapte en wegreed. Dit kon alleen maar betekenen dat een van de kinderen was komen opdagen met een onoverkomelijk probleem dat uiteindelijk niets zou blijken voor te stellen. Clive bleef nooit hangen als het ernaar uitzag dat er tranen zouden vloeien of dat er een diepgaand gesprek zou volgen. Ze slaakte een zucht, zette zich schrap voor hetgeen haar wachtte en stapte de keuken binnen.

'Melanie? Melanie. O, wat een heerlijke verrassing.'

Melanie kwam overeind en omhelsde haar lang en stevig. 'Hoi, mam.' Ze deed een stap achteruit en keek haar goedkeurend aan. 'Je ziet er goed uit, mam, en ik vind je haar leuk. Je draagt coole kleren.'

Bethany was van de wijs. 'Ik verwachtte je zondag pas,' zei ze terwijl ze haar schort pakte. 'Heb je honger? Ik weet niet wat je vader nog in de koelkast heeft overgelaten, maar ik weet zeker dat ik...'

'Ik heb een vlucht eerder genomen en maak je niet druk om eten. Ik heb in het vliegtuig gegeten.'

Ze legde het schort aan de kant en ging zitten. 'Ik ben zo blij je weer te zien, Mel. Je hebt geen idee hoeveel zorgen ik me heb gemaakt.'

'Ik ben blij dat ik weer thuis ben,' zei ze zacht.

Bethany staarde liefdevol naar het gezichtje dat ze zo gemist had – een lief gezichtje zonder een spoor van make-up en daarom misschien wel kwetsbaarder. Melanie zag er verrassend gezond en bruinverbrand uit, maar iets aan haar was anders, iets ondefinieerbaars waar ze niet direct de vinger op kon leggen en dat baarde haar ernstig zorgen.

Melanie schoof onder die onderzoekende blik onrustig op haar stoel heen en weer en ging nerveus met haar vingers door haar lange, dikke haar waar de meeste kleurige strepen uit waren verdwenen. 'Pap zei dat je bij Mancusso werkt.' Ze trok een scheef gezicht. 'Hij leek er niet erg van onder de indruk, maar ik vind het cool. Goed gedaan, mam.'

'Hij was er niet blij mee,' antwoordde ze, nog steeds op zoek naar wat er aan haar dochter was veranderd. 'Maar ik heb hem verteld hoe de zaken er voor staan en aangezien hij elke avond op tijd zijn eten krijgt, waagt hij het niet om te klagen.'

'De dappere Australische zwoeger, hè?'

Melanies luchtige toon was niet erg overtuigend en omdat ze haar blik bleef ontwijken, wist Bethany dat ze moest zeggen wat ze op haar hart had. 'Ik neem aan dat je geld op is,' zei ze rustig, 'en dat dat de reden is dat je eerder bent teruggekomen. Je had me kunnen bellen, weet je, ik zou wel hebben gezorgd dat het goed kwam.'

'Het ging niet om het geld,' antwoordde ze en ze liet haar kin op haar borst zakken zodat haar gezicht schuilging achter haar haar. Ze zat aan de huid om de afgebeten nagel van haar duim te pulken.

Nu wist Bethany zeker dat er iets niet in orde was, maar ze durfde er niet te snel en te bot in te gaan. Ze wilde niet dat dit intieme moment zou omslaan in een botsing van karakters. 'Ik neem aan dat je heimwee had,' probeerde ze. 'Je bent een behoorlijke tijd weggeweest.'

'Mam,' begon ze met zachte stem, haar kin nog steeds op de borst en de blik in haar ogen verborgen achter de sluier van haar. 'O, mam. Het spijt me zo.'

Bethany's hart sloeg over en al haar angsten staken de kop op en dreigden haar te verstikken. 'Wat is er, schat?'

Ze zag hoe haar dochter haar armen voor haar buik sloeg alsof ze zich wilde beschermen tegen de dreigende storm. En plotseling wist ze waarom Melanie naar huis was gekomen. Vreemd genoeg maakte die wetenschap haar niet kwaad, alleen maar ontzettend verdrietig.

'Je bent zwanger,' stelde ze vast.

Het donkere hoofd knikte, maar ze weigerde nog steeds om Bethany aan te kijken. 'Drie maanden,' mompelde ze. Ze sloeg haar haar achterover in een zwakke poging tot stoerheid, maar haar gezicht was verwrongen en de tranen stonden haar in de ogen. 'Van Liam, en ja, je had gelijk, hij is een waardeloze lul.' Ze barstte in een hartverscheurend snikken uit.

Zonder erbij na te denken kwam Bethany in actie. Ze liep om de tafel heen en nam haar dochter in haar armen om haar vast te houden, te wiegen zoals ze had gedaan toen ze nog een baby was en om haar te troosten. 'Sst,' zei ze zacht. 'Stil maar, stil maar. Je bent nu thuis. Alles komt goed.'

Maar alles was niet goed. Bethany werd misselijk als ze eraan dacht hoe dit het leven van haar lieve dochter zou ruïneren. Ze zou waarschijnlijk nooit meer naar de universiteit gaan of haar droom om dierenarts te worden waarmaken. En ook al zou ze de baby afstaan voor adoptie, dan nog zou ze voor altijd getekend zijn door deze ervaring. En wat Liam betrof, als hij op dit moment de kamer was binnengestapt, zou ze hem hebben vermoord. Wat een toestand, wat een vreselijk, afschuwelijk dilemma. Wat moesten ze doen?

Melanie maakte zich eindelijk los uit de omhelzing en snoot haar neus. Ze leek een beetje gekalmeerd, nu haar geheim in de openbaarheid was en ze leek haar emoties beter onder controle te hebben. 'Het spijt me zo, mam. Ik weet dat ik je heb teleurgesteld, maar ik was er niet op uit om zwanger te worden. Ik dacht dat het niet zou gebeuren als ik maar voorzichtig was.'

'Ik dacht dat je aan de pil was?'

'Dat was ik ook, maar ik was zo achterlijk om ermee te stoppen. Ik werd er dik van.'

'O, Mel.'

'Ik weet het, ik weet het,' zei ze. 'Je hoeft het er niet in te wrijven hoe stom ik ben geweest.'

Bethany schonk voor hen allebei een glas vruchtensap in en ging zitten. 'Heb je al besloten wat je gaat doen?' vroeg ze voorzichtig.

'Ik heb een abortus overwogen.' Toen haar moeder vol afgrijzen reageerde, haastte ze zich om te zeggen dat ze dat niet kon. 'Ik zal de baby krijgen,' zei ze zacht, 'en als hij eenmaal is geboren, zal ik beslissen wat ik doe. Misschien dat ik hem naar een pleeggezin laat gaan, of hem laat adopteren. Misschien beslis ik wel dat ik hem wil houden, maar ik ben op dit moment veel te emotioneel om een verstandige beslissing te nemen.'

Bethany realiseerde zich plotseling dat haar dochter geen klein meisje meer was en het volwassen gedrag dat ze in deze situatie toonde, was bewonderenswaardig. 'Als je besluit het kind te houden, zul je ervoor moeten zorgen dat Liam zijn deel betaalt. Hij mag hier niet mee wegkomen.'

'Maak je voorlopig maar niet druk om Liam. Hij is echt niet belangrijk.'

'Maar...'

'Ik ben moe, mam,' zei ze en ze hees zich overeind, 'en ik kan niet helder meer denken. We zijn de hele dag al aan het reizen en...' Haar gezicht werd rood en ze liet zich weer op haar stoel vallen. 'O, shit,' siste ze. 'Doe ik het weer.'

Bethany's gezicht vertrok vanwege het taalgebruik. Toen herinnerde ze zich de vrouw in de taxi en haar ogen werden spleetjes terwijl ze haar dochter aankeek. 'Met wie heb je gereisd? Van welk vliegveld ben je vertrokken?'

'Cairns.' Melanie keek net zo strak terug.

'Fleur zit ergens die kant op,' zei Bethany en ze deed haar uiterste best om de woede in te houden die de wapenstilstand tussen haar en haar dochter zeker zou verbreken. 'Ben je met haar teruggekomen?'

'Liam liet me in Cairns in de steek, zonder geld en zonder vervoer naar huis. Ik heb Fleur gebeld omdat ik dacht dat zij me het geld voor de reis kon sturen of een vlucht voor me kon boeken.' Haar uitdrukking verhardde. 'Hoe kon ik weten dat ze al in het noorden zat en op minder dan een uur rijden bij me vandaan was? Ze is me komen ophalen, heeft me meegenomen naar Birdsong en me geholpen de zaken in perspectief te zien.'

'Wat ontzettend lief van haar,' zei Bethany bitter.

'Inderdaad ja. Ze hóéfde me niet in huis te nemen. Ze had me ook op het eerste het beste vliegtuig kunnen zetten en me het verder maar laten uitzoeken.'

Bethany had grote moeite met het feit dat haar dochter opnieuw eerst bij Fleur had aangeklopt. Het was een vreselijk iets, jaloezie, en als ze er niet snel een oplossing voor zou weten te vinden, dan zou het haar van binnenuit opvreten. 'Ik zal haar bellen om haar te bedanken,' zei ze met zoveel waardigheid als ze kon opbrengen.

'Fijn. Want ze was bang dat je gekwetst zou zijn. En dat wilde ze niet – ze stond erop dat ik het je alleen zou vertellen. Zonder haar vriendelijke raad, en dat heerlijke, vredige plekje, zou ik nooit de moed hebben weten op te brengen om naar huis te gaan en jou onder ogen te komen.'

Ze slikte haar tranen weg. 'Maar ik wilde de hele tijd naar huis komen,' voegde ze eraan toe, zachtjes. 'Ik had jóú nodig, mam. Ik wist alleen niet hoe ik je dat duidelijk kon maken.'

Bethany spreidde haar armen en Melanie omhelsde haar. Ze huilden allebei, niet alleen van verdriet, maar ook van vreugde en opluchting vanwege de wetenschap dat de band tussen hen hersteld was en sterker was dan ooit, dat ze samen de toekomst en alles wat die zou brengen onder ogen konden zien.

Fleur had haar bagage in het appartement neergekwakt, had na een lange, hete douche een spijkerbroek aangetrokken en een trui vanwege het veel koelere weer en was weer weggegaan. Ze was nog steeds vervuld van razernij, maar die was nu kil – en bitter. Ze had in het vliegtuig de rest van de brieven gelezen en was klaar voor de confrontatie met haar vader.

Het spitsuur was voorbij en ze reed snel naar Caloundra. De kleine sportwagen gleed soepel door de bochten terwijl ze de heuvel op reed naar het huis. De lichten van de beveiliging brandden fel toen ze de afstandsbediening indrukte om de poort te openen. Nadat ze naast haar vaders jeep had geparkeerd, bleef ze even zitten om op adem te komen en haar hartslag weer normaal te laten worden.

Het was van het grootste belang dat ze haar zelfbeheersing wist te bewaren; dat hij gedwongen werd te beseffen dat wat hij had gedaan de ergste vorm van verraad was waarvoor geen vergeving mogelijk was. En dat zou ze niet bereiken wanneer ze de controle over zichzelf verloor.

Hij zat in de zitkamer met zijn rug naar haar toe en Fleur bleef in de deuropening naar hem staan kijken. Er stond een fles whisky op het tafeltje naast hem en de krant lag opengeslagen op zijn schoot, op de pagina met paardenrennen. Zijn aandacht werd volledig in beslag genomen door de harddravers op televisie en horen en zien verging je door het opgewonden commentaar terwijl de winnaar over de finish kwam.

Terwijl Fleur stond te kijken, verfrommelde hij een stuk of wat wedbriefjes, gooide ze op de grond en vloekte. Ze liep naar de stoel, pakte de afstandsbediening en zette de televisie uit.

'Wel godverdo...' Hij draaide zich met een ruk om en zijn woedende uitdrukking veranderde meteen in een flauwe glimlach. 'Je moet me niet zo besluipen, Fleur. Ik had wel een hartaanval kunnen krijgen.'

'Ik vond dat ik je moest laten weten dat ik terug ben,' zei ze en ze ging op de bank tegenover hem zitten.

Hij keek achterdochtig. 'Ik wist niet dat je vertrokken was,' zei hij binnensmonds.

'Natuurlijk wist je dat wel,' zei ze gladjes. 'Je hebt tegen Greg gezegd dat je naar Savannah Winds zou gaan om me op te zoeken.'

'Kan zijn. Ik weet het niet meer.' Hij klokte het laatste restje whisky naar binnen, schonk nog eens bij en hield de fles omhoog in haar richting. 'Zin in een borrel?'

Ze schudde haar hoofd. 'Waarom wilde je me komen opzoeken? Dat moet nogal belangrijk zijn geweest als je bereid was om die lange reis te maken.'

'Ik maakte me zorgen dat je daar niet veilig was,' antwoordde hij en zijn blik ging naar een plek achter en boven haar schouder. 'Savannah Winds is geen plek voor een keurig opgevoed meisje als jij.' Hij nam een slok van zijn whisky en liet het restant in zijn glas ronddraaien. 'Ik ben de hele week al niet in orde,' ging hij verder, 'en de dokter heeft gezegd dat ik beter niet op reis kon gaan. Anders was ik er als een speer naartoe gegaan.'

'Het is maar goed dat je al die moeite niet hebt gedaan,' zei ze zacht, 'want je zou me daar niet getroffen hebben. Ik zat in Kingfisher Bay.'

De argwaan was terug in zijn ogen terwijl hij haar over zijn glas aankeek. 'Is dat zo?'

'Mmm.'

Hij leek niet erg op zijn gemak en ze merkte dat haar rustige benadering effect begon te sorteren.

'Ik heb een paar dingen uitgezocht over die plek,' gromde hij. 'Het is verdomme een vermogen waard. We zouden partners moeten worden. Jij bouwt het luxevakantieoord en ik run het – voor een aandeel in de winst, uiteraard. Het geld zal binnenstromen. Geef het een jaar of twee en we halen een fortuin binnen. Een paar miljoen, schat ik.'

'Kingfisher Bay blijft zoals het is,' zei ze vastberaden. 'Het is veel meer waard dan alleen maar geld.'

Hij snoof. 'Niets is belangrijker dan geld.'

'Daarom kreeg je ruzie met Annie, hè? Omdat jouw vader haar het geld gaf waarop jij recht meende te hebben.'

'Ik wil het niet over mijn zus hebben.' Hij sloeg zijn whisky in één teug achterover en zette het glas met een klap op het tafeltje. Zijn gezicht stond op onweer.

'Misschien komt dat omdat je niet wilt toegeven dat ze het geld dat jullie vader haar als huwelijksgeschenk had gegeven al jaren geleden heeft teruggegeven. Met rente.'

'Dat heeft ze niet.' Hij weigerde haar aan te kijken.

'Ik heb bewijzen.' Fleur legde het bankafschrift op tafel. 'Je kunt morgenochtend contact opnemen met je advocaat,' zei ze kalm, 'en je aanspraak op Annies erfenis intrekken.'

Hij weigerde nog steeds naar haar of naar het afschrift te kijken. 'Ik heb al meer dan genoeg moeten aanhoren van Margot. Ik ben niet in de stemming om die onzin van jou ook nog eens aan te horen.'

'Als jij geen contact opneemt met jouw advocaat, dan bel ik de mijne,' zei ze kil. 'Ik dacht ook dat je iets terug wilde hebben wat van jou is.' Ze zocht in haar tas naar de brieven. Toen ze die tevoorschijn haalde, zag ze zijn ogen groot worden en alle kleur uit zijn gezicht wegtrekken. 'Je hebt uiteraard geen idee wat er in de meeste staat omdat je niet het fatsoen hebt gehad om ze te lezen voor je ze terugstuurde.'

Ze pakte de brieven die ertoe deden van de stapel en hield ze omhoog. 'Maar,' voegde ze eraan toe, 'je weet precies wat hierin staat, hè?'

'Ik heb geen idee waar je het over hebt,' tierde hij.

'Ik denk dat je dat heel goed weet,' antwoordde ze, 'maar als je geheugen echt zo slecht is, zal ik ze met alle plezier voorlezen.'

'Geef hier die brieven,' hijgde hij en hij worstelde om uit zijn stoel te komen. Maar zijn gewicht en de hoeveelheid whisky die hij had gedronken maakten hem machteloos. 'Je had die brieven niet mogen lezen. Dat was privé, dat ging tussen Annie en mij.'

'Maar ze gingen over mij, en over mijn moeder. Ik had alle recht.'

'Je hebt geen idee waar je het over hebt, meid,' bulderde hij.

'Laat me dan duidelijk maken dat ik precies weet waar ik het over heb.' Ze hield de eerste brief van Annie aan Don omhoog. 'Annie schrijft dat haar peetdochter Selina is teruggegaan naar haar ouders –

verre buren van Annie – en dat ze doodsbenauwd is dat je achter haar aan zult gaan.'

'Allemaal gelul,' blafte hij. 'Ik heb die vrouw met geen vinger aangeraakt.'

'Misschien heb je haar niet echt geslagen, maar je hebt haar beslist uitgescholden en geestelijk misbruikt. Uiteindelijk raapte ze haar moed bij elkaar en ging ervandoor – zo ver mogelijk bij je vandaan, en ze nam mij mee.'

'Ze had het recht niet om dat te doen, vooral niet tegenover Annie. Ze wist verdomd goed dat ik dat niet zou pikken.'

'Maar we waren niet bij Annie,' ging ze op rustige toon verder. 'Ze had een plek gevonden waar ze veilig dacht te zijn en waar mijn moeder voor me kon zorgen zonder ergens bang voor te hoeven zijn.' Ze keek haar vader vol afkeer aan. 'Maar jij wilde hebben wat je als je eigendom beschouwde. Je kon de gedachte dat mijn moeder je te slim af was geweest – en nog wel met de hulp van je zus – niet verdragen. Wat zul je kwaad zijn geweest. En wraakzuchtig.'

Ze pakte de brief die hij Annie had teruggeschreven. 'Hier staat het allemaal in,' zei ze. 'Je haat, je woede dat Selina naar Annie was gegaan voor steun, maar nauwelijks een woord over mij – alleen de eis dat ze moest teruggeven wat van jou was.'

'Niemand neemt mij iets af,' gromde hij, 'en die trut moest begrijpen dat ik er niet de man naar was om rustig achterover te leunen wanneer ik voor gek werd gezet.'

'Dus nam je een privédetective in de arm.' Haar stem werd zacht van verdriet. 'Het kostte niet veel moeite om ons te vinden, hè? De Savannah is een verlaten oord en een vrouw alleen, met een baby, wordt al snel het onderwerp van roddels en speculatie, vooral omdat de ouders van mijn moeder nog in dat gebied woonden.'

'Ik heb alleen maar gedaan wat ik dacht dat het beste was,' snauwde hij. 'Je moeder was geestelijk labiel en absoluut niet in staat om voor je te zorgen. Ik heb je behoed voor een akelig lot, Fleur, je zou me dankbaar moeten zijn.'

Ze ging verder alsof hij niets had gezegd. 'Gewapend met de informatie van de detective en in gezelschap van een van je vele vriendinnen ben je daarheen gegaan. Je hebt gewacht tot het donker was en toen ben je het huis binnengedrongen. Mijn moeder gilde, ik gilde, maar je duwde haar aan de kant en het kon je niets schelen dat ze in haar val haar hoofd verwondde, je haalde me uit mijn wieg en verdween in de nacht.'

Ze glimlachte kil. 'Ik hoop dat ik de hele weg terug naar Brisbane heb gehuild,' zei ze, 'want ik zou het verschrikkelijk vinden als jullie een aangename reis hebben gehad.'

Dons blik dwaalde af, maar Fleur zag dat zijn hand trilde toen hij probeerde nog een whisky in te schenken. 'Je huilde altijd,' mompelde hij. 'Je was een echte huilbaby. De kindermeisjes die ik in dienst nam om voor je te zorgen, werden stapelgek van je. Beth was de enige die je stil kon krijgen.'

Fleur negeerde zijn gemompel en ging verder. 'Toen ik klein was, zei je tegen me dat mijn moeder dood was,' zei ze en op dat moment brak haar stem van de opgekropte emoties.

'Dat was ook zo. Daar heb ik niet over gelogen.'

'Maar je zei dat ze was omgekomen bij een auto-ongeluk,' ging ze genadeloos verder. 'En dat was een leugen.' Hij gaf geen antwoord en ze wist dat ze hem eindelijk in de hoek gedreven had. 'Annie schreef je om je te waarschuwen dat Selina op het punt stond in te storten, dat als ze me niet mocht zien of op wat voor manier dan ook deel mocht uitmaken van mijn leven, ze zeer waarschijnlijk iets drastisch zou doen.'

'Ik zei toch dat ze geestelijk niet in orde was,' mompelde hij.

'Annie smeekte je om Selina de gedeelde voogdij te geven. Ze kwam zelfs naar Brisbane om een goed woordje voor Selina te doen. Maar je weigerde te luisteren – je weigerde zelfs om haar binnen te laten.'

'Het ging haar geen moer aan.'

Fleur negeerde zijn onderbreking. 'Dat was het moment waarop Annie je het geld betaalde waarop je recht meende te hebben. Waarschijnlijk in een uiterste poging om je tot inkeer te brengen, maar natuurlijk maakte dat geen enkel verschil. Mijn moeder begon een echtscheidingsprocedure op grond van geestelijke wreedheid en minstens vier gevallen van overspel. Ze stond heel sterk en zou de volledige voogdij hebben gekregen als jij niet iemand had betaald om te verklaren dat ze labiel was, dat zíj degene was die er minnaars op na hield – dat zij geen goede moeder was.'

'En ik had gelijk,' raasde hij. 'Kijk eens hoe het is afgelopen.'

Fleur haalde diep adem en slikte haar tranen weg. 'Ja,' zei ze zacht. 'Mijn moeder pleegde zelfmoord omdat ze zo veel van me hield dat ze een leven zonder mij niet aankon.' Ze werd nu verblind door tranen en veegde ze weg, boos dat hij kon zien hoe diep gekwetst ze was. 'Ik was toen bijna twee jaar – maar je hebt jarenlang je mond gehouden – en toen loog je tegen me.'

Don weigerde haar aan te kijken en bleef onderuitgezakt in zijn stoel zitten.

'Ik was een jaar of vier, vijf toen je voor het eerst zei dat ze niet van me hield, dat ze nooit van me gehouden had en dat ze me in de steek had gelaten omdat ze haar nieuwe leven niet wilde bederven. Je hebt alles vernietigd wat ze had achtergelaten, zelfs haar foto's, dus ik heb nooit geweten hoe ze eruitzag, heb nooit meer haar naam horen noemen.'

Don zat daar maar met een asgrauw gezicht en het geluid van zijn moeizame ademhaling vulde de stilte die tussen hen hing.

Fleur snoof vol verachting. 'Het feit dat je niet reageert, bewijst dat je niets ter verdediging voor je verachtelijke daden kunt aanvoeren.' Haar stem werd rauw, ontoegeeflijk. 'Heb je Margot en Beth gedreigd dat ze hun mond moesten houden? Heb je gezegd dat je ze zou onterven, hun leven tot een hel zou maken? Wat?'

'Bethany wist er niets van,' gaf hij nors toe. 'Ze was pas zestien en ze zat op kostschool.'

'En Margot?'

'Ik kon er niet omheen om het haar te vertellen. Ze was net weg bij die waardeloze echtgenoot van haar en ze woonde thuis. Toen ik met jou terugkwam eiste ze een verklaring.' Hij keek woedend. 'Ze is een pot, wist je dat? Een smerige lesbo, maar ze is ook een duivelin,' snauwde hij, 'die altijd zat te neuzen in zaken die haar niks aangingen. Ik heb haar net zo weinig verteld als jou. Ik heb geen idee of ze meer heeft ontdekt en Bethany in vertrouwen heeft genomen.'

Fleur vermoedde dat dat wel het geval was, maar dat was iets voor later. Ze stopte de brieven in haar handtas en kwam overeind. 'Ik zal de rechter vragen om je te verbieden om binnen twintig kilometer van mij, mijn bezittingen of mijn echtgenoot te komen. Ik wil je nooit meer zien of iets van je horen.'

'Maar Fleur, je bent mijn dochter, mijn lieveling. Je kunt niet...'

Maar Fleur had de deur dichtgedaan en stond diepe teugen schone, zoute lucht in te ademen. Ze was eindelijk van hem bevrijd.

Greg verliet het ziekenhuis en haastte zich naar zijn huurflat. Hij was al laat en hij wilde Carla niet laten wachten. Nadat hij had gedoucht en zich had omgekleed, bekeek hij nog even snel zijn e-mails en ging toen opgewekt naar de bistro een eindje verderop.

'Fleur komt zondag terug,' zei hij tegen Carla zodra ze waren gaan zitten en de menu's voor zich hadden. 'Ze wil een afspraak maken om de dingen te bespreken.'

Carla zag er die avond buitengewoon mooi uit, het kaarslicht gaf haar lichtbruine huid en donkere ogen een warme gloed. Haar haar hing los over haar schouders en een paar krullen lagen tegen haar gezicht. 'Dat is geweldig,' zei ze met haar hese stem. 'Ik ben zo blij dat je je eindelijk in staat voelt om met haar te praten.'

Hij glimlachte naar haar. 'Dat komt alleen maar omdat jij me hebt geholpen de zaken duidelijker te zien. Dank je wel, Carla. Je hebt geen idee hoe ik waardeer wat je allemaal hebt gedaan.'

'Graag gedaan,' zei ze, 'zullen we nu gaan eten? Ik ben uitgehongerd.'

Ze bestelden biefstuk en salade en een fles rode wijn. Greg dronk zelden alcohol, een erfenis van de jaren dat hij zijn moeder langzaam ten onder zag gaan aan haar verslaving. Vanavond genoot hij van het warme, fruitige boeket en de sfeer in de kleine bistro die hun favoriete ontmoetingsplek was geworden.

'Ik moet Fleur hier eens mee naartoe nemen,' zei hij, 'ze zal het leuk vinden.'

De kelner bracht hun eten en ze deden er het zwijgen toe terwijl ze erop aanvielen.

'Ik heb ook een nieuwtje,' zei ze ten slotte. 'Mijn echtgenoot wil nog steeds scheiden, maar hij heeft al zijn eisen laten vallen dat de kinderen bij hem moeten komen wonen.' Ze glimlachte flauw en een beetje wrang. 'Zijn vriendin heeft zich waarschijnlijk gerealiseerd dat twee kleine jongens die in haar nieuwe, en duur ingerichte, appartement lopen te dollen iets te veel van het goede is. Het is al een volledige baan om voor Filipe te zorgen.'

'Hoe vind je het dat de scheiding doorgaat?'

Ze haalde op een elegante manier haar schouders op en nam een slokje van haar wijn. 'Ik ben een keurig katholiek meisje, Greg, en een scheiding is niet iets wat ik ooit had gepland.' Ze zette haar glas neer en toen ze hem aankeek, zag Greg tranen in haar ogen glanzen. 'Maar het huwelijk is voorbij. Er zijn in de hitte van de strijd te veel akelige dingen gezegd en we mogen elkaar niet meer zo. Hij is liever bij zijn nieuwe vriendin dan bij mij en de jongens en heeft alles al achter zich gelaten. Ik zal hetzelfde doen.'

'Relaties zijn moeilijk, hè?'

Ze knikte en een streng haar bleef in haar vochtige wimpers hangen. 'Verdomme,' mompelde ze, 'ik had mezelf beloofd dat ik niet zou huilen.'

Greg stak zijn hand uit en stopte de lok met een teder gebaar achter haar oor en pakte vervolgens haar hand. 'Je bent een heel mooie, getalenteerde vrouw, Carla,' zei hij zachtjes, 'en als ik niet zo veel van mijn vrouw hield...' Hij glimlachte onzeker. 'Filipe is een stommeling dat hij jou heeft laten gaan.'

'Daar heb je gelijk in.' Ze knipperde haar tranen weg en richtte haar aandacht weer op haar eten. 'Ik ben blij dat we bevriend zijn geraakt, Greg, maar je beseft toch wel dat dit de laatste keer is dat we samen uit eten gaan, hè? De zaken zijn al ingewikkeld genoeg tussen Fleur en jou en ze zou misschien niet beseffen dat onze vriendschap puur platonisch is.'

'Ik zal het zeker missen om je buiten het ziekenhuis niet meer te zien,' antwoordde hij, 'maar ik snap wat je bedoelt.' Hij hief zijn glas en het kristal zong toen ze dat van haar tegen het zijne tikte. 'Op de toekomst,' zei hij.

'Op de toekomst,' antwoordde ze. Ze namen een flinke slok en keken elkaar glimlachend aan voor ze verdergingen met eten.

Geen van beiden zag Fleur die door het beslagen raam naar binnen keek, of de geschokte uitdrukking op haar gezicht terwijl ze zich abrupt omdraaide en in tranen de straat uit rende.

10

Het had een verrassing moeten zijn. Fleur was op weg geweest naar zijn flat omdat ze een dringende behoefte voelde om met iemand te praten die zou begrijpen wat ze met haar vader had doorgemaakt. Haar blik werd getrokken naar de gezellige warmte van de bistro. Ze hield plotseling stil. Ze had hen onmiddellijk gezien en bleef als aan de grond genageld naar hen staan kijken.

Ze wist niet hoe ze erin slaagde om zonder ongelukken terug te rijden naar het appartement, want ze was verblind door tranen. Die dag was de slechtste van haar leven. Na de afschuwelijke confrontatie met haar vader was de aanblik van Greg in gezelschap van die vrouw de laatste druppel geweest, de laatste daad van verraad die haar de das omdeed.

Ze rende het appartement binnen, wierp zich op de bank, begroef haar gezicht in de kussens en gaf zich over aan de storm van verontwaardiging, woede en gekwetstheid die al broeide sinds ze die ochtend was opgestaan. Haar hart was zwaar van verdriet en ze voelde hoe dat haar steeds dieper de duistere wanhoop in sleurde. In zijn e-mails was steeds die naam, Carla, opgedoken en hij zei dat ze zijn therapeut was. Maar als Carla de vrouw was met wie hij vanavond was, dan had hij vergeten te vertellen hoe intiem ze waren, of hoe vreselijk mooi ze was.

Fleur kwelde zichzelf met de herinnering aan het beeld hoe hij haar haar achter haar oor had gestopt en hoe hij haar hand had vastgehouden, de manier waarop ze het glas geheven hadden en elkaar met een glimlach vol genegenheid hadden aangekeken. Die beelden deden haar overeind zitten, ze snoot haar neus en liet woede de plaats innemen van de pijn. ‘Waar háált hij het lef vandaan?’ zei ze binnensmonds en ze stormde de slaapkamer binnen. ‘Na al die lieve berichtjes. Na alle dingen die hij heeft gezegd over de toekomst. Klootzak.’

Ze gooide de deur van de kleerkast open en rukte de paar kledingstukken die er nog hingen tevoorschijn. Ze smeet ze op de grond, gooide vervolgens schoenen, stropdassen en alles wat ze maar kon vinden op de stapel. Vervolgens propte ze alles in een vuilniszak, bond die woedend dicht en zette hem bij de voordeur. 'Als jij Carla zo graag wilt,' siste ze, 'dan mag je haar hebben en dan kun je je spullen ook meenemen.'

Maar de woede verflauwde en ze ging terug naar de slaapkamer waar ze de lege kleerhangers zag bungelen. Opnieuw kwamen de tranen, heet en onafgebroken terwijl ze verloren midden in de kamer stond. Ze was zich vaag bewust van het onophoudelijke gerinkel van de telefoon. Ze zou niet opnemen, want ze was niet in staat om een woord uit te brengen. En misschien was hij het wel – met zijn leugens, nog warm van Carla's omhelzingen en waarschijnlijk stinkend naar haar parfum.

Ze liet zich op bed vallen en trok het kussen over haar hoofd om het geluid buiten te sluiten. Maar de telefoon bleef overgaan en uiteindelijk graaide ze woest de hoorn van de haak. 'Wat moet je?' blafte ze.

'Fleur? Met Bethany. Gaat het wel?'

'Het gaat prima,' loog ze terwijl ze zich tot het uiterste inspande om zich te beheersen. 'Je belde net toen ik met iets bezig was.' Het laatste waar ze zin in had was Bethany een uitgebreide verklaring geven over wat er was gebeurd.

'Je klinkt anders niet alsof alles prima gaat,' zei Bethany. Na een lange pauze waarin Fleur vastbesloten haar mond hield, vervolgde ze: 'Ik wilde je bedanken dat je Melanie hebt thuisgebracht en voor haar hebt gezorgd.'

Fleur slaakte een zucht van opluchting dat haar zus niet belde om haar op haar duvel te geven. 'Ik ben blij dat ik heb kunnen helpen. Ze had geluk dat ik zo dicht bij Cairns zat.'

'Luister, Fleur. Ik wil mijn excuses aanbieden dat ik laatst zo tekeer ben gegaan. Ik realiseer me dat je het beste met Mel voorhebt en soms is het voor haar gemakkelijker om met iemand te praten die meer haar leeftijd is. Kunnen we vrede sluiten?'

'Natuurlijk.' Fleur vroeg zich af of Melanie al iets had gezegd over de baby, maar ze wilde het onderwerp niet ter sprake brengen voor het geval dat niet zo was. Maar het was alsof Beth haar gedachten had gelezen.

'Ze heeft me verteld over haar toestand,' zei ze voorzichtig. 'We zijn het erover eens dat het het beste is als ze een tijdje bij mij blijft. Tegen de tijd dat ze uitgerekend is, zal Mel besluiten wat ze gaat doen.' Ze slaakte een zucht. 'Ik heb beloofd dat ik er zal zijn om haar te steunen, wat ze ook gaat doen, ook als dat zou betekenen dat ik voor de baby moet zorgen terwijl zij naar de universiteit gaat.'

'Ik ben blij dat alles tussen jullie twee in orde is. Mel heeft maar geluk met zo'n moeder. Hoe heeft Clive op het nieuws gereageerd?'

'We hebben het hem nog niet verteld, maar hij zal het moeten accepteren.'

Fleur fronste haar voorhoofd, want er klonk een zekere scherpte door in Bethany's stem. Even vroeg ze zich af of Bethany en Clive ruzie hadden. Die gedachte maakte haar van streek, want de hele familie lag al met elkaar in de clinch en dat betekende niet veel goeds voor de toekomst. Ze aarzelde voor ze weer wat zei. 'Beth, ik heb pap vandaag opgezocht vanwege een paar brieven die ik in Birdsong heb gevonden. Ik weet wat er is gebeurd toen ik klein was en wat hij heeft gedaan.'

'O. Ik vroeg me al af of Annie daarover iets had achtergelaten.'

'Dus jij wist dat mijn moeder me niet in de steek had gelaten? Je wist dat ze door wat hij heeft gedaan zelfmoord heeft gepleegd?'

Bethany snakte naar adem. 'Nee, dat wist ik niet. Ik heb altijd geloofd dat het een auto-ongeluk was.' Ze zuchtte diep. 'Ik zat destijds op kostschool. Toen ik aan Margot vroeg waarom jij was teruggekomen zonder je moeder, zei ze alleen maar dat pap je mee naar huis had genomen omdat Selina je niet meer wilde.'

'Dat was een afschuwelijke leugen,' zei ze vlak. 'Hij heeft me regelrecht ontvoerd en mijn moeder en Annie hebben heel erg hun best gedaan om me terug te krijgen.'

'Ik weet dat Annie naar ons huis is gekomen,' gaf ze toe. 'Ik zag haar vanuit een raam op de bovenverdieping en heb het grootste deel van hun woordenwisseling gehoord. Toen pas besefte ik dat er veel meer achter het verhaal zat dan ze me wilden doen geloven.' Ze zuchtte opnieuw. 'Ik heb Margot gedwongen me alles te vertellen, maar zij wist natuurlijk ook alleen maar wat pap haar had verteld. En dat was niet veel.'

'Waarom heeft geen van jullie tweeën iets tegen me gezegd?'

'Je was nog heel erg jong toen dit allemaal speelde,' bracht ze Fleur in herinnering. 'En later, toen we hoorden dat Selina dood was, beseften Margot en ik dat we niets meer aan de situatie konden veranderen. We kwamen tot de conclusie dat het maar het beste was om het hele, trieste verhaal voor ons te houden.'

'Ik begrijp het.' Fleur was uitgeput en ze had geen tranen meer over.

'Het spijt me, Fleur,' zei Bethany. 'Maar wat zou je eraan hebben gehad als je het eerder had geweten? Wat zich heeft afgespeeld ging buiten jou om. Margot en ik hebben ons best gedaan je te vertroetelen – ik, in elk geval. Ik vond dat je meer nodig had dan alleen maar kindermeisjes en pap was niet echt een zorgzame, warme vader, hè?'

Fleur slaakte een diepe zucht toen ze besefte dat Bethany gelijk had. 'Je hebt geweldig voor me gezorgd,' zei ze zacht, 'en ik waardeer dat vandaag nog net zo als destijds. Maar tegen pap zeg ik nooit meer een woord, daar kun je verzekerd van zijn.'

'Margot zegt precies hetzelfde,' mompelde Bethany. 'Ze hebben blijkbaar een knetterende ruzie gehad en ik heb bijna medelijden met hem.' Haar toon werd opgewekter toen ze het over Margot had die 'uit de kast' gekomen was en over haar burgerlijk huwelijk van de week daarna. 'Ga jij ernaartoe?'

'Ik ben van plan binnen vierentwintig uur uit Brisbane te vertrekken,' antwoordde ze. 'Ik wil naar Savannah Winds om het graf van mijn moeder te zien.'

Het gesprek eindigde met nieuwe verontschuldigingen van de kant van Bethany. Terwijl Fleur de hoorn op de haak legde, gingen haar gedachten naar de dagboeken die ze had meegebracht van Birdsong. Ze besefte dat ze toch niet zou kunnen slapen en wie kon haar beter door die donkere, eenzame uren helpen dan Annie?

Ze haalde de dagboeken uit haar koffer, legde ze naast haar bed en ging douchen. Een halfuur later lag ze in de kussens genesteld met de boekjes om zich heen op bed uitgespreid. Er was geen dagboek dat de jaren besloeg waarin Annie met John Harvey was getrouwd, of van de twee jaar na zijn dood. Fleur nam aan dat ze te druk was geweest met de veefokkerij om de tijd te vinden om een dagboek bij te houden.

Ze opende het vroegste dagboek, las het schutblad en sloeg de eerste pagina op. Annies keurige handschrift was nog steeds leesbaar, ondanks het dunne papier en de vervaagde inkt. Terwijl Fleur zat te lezen, werd ze meegenomen naar een andere tijd en een andere wereld. Het viel haar op dat Annie haar verhaal deels in de derde persoon had geschreven.

De Golf van Carpentaria, oktober 1939

Annie huiverde ondanks de toenemende hitte. Ze werd niet gauw bang, ze had eerder stormen overleefd, maar de kolkende wolken beloofden een meedogenloze uitbarsting en de stille dreiging die over de savanne hing, leek met de minuut drukkender te worden.

Toen het bekende en onwelkome gevoel van eenzaamheid en hulpeloosheid dat ze had ervaren na de dood van haar echtgenoot opnieuw de kop opstak, schudde ze dat vastbesloten van zich af. John was nu twee jaar dood. Ze was pas vijfentwintig, maar ze had bewezen dat ze hier kon overleven, hier, waar haar vijanden sprinkhanen, overstromingen en ziektes waren, waar eenzaamheid en ontberingen elke dag tot een worsteling maakten.

En toch hield dezelfde mobilisatie die haar had beroofd van de mannen die voor haar werkten de belofte van grote rijkdom in, want de vleesprijzen waren hoger dan ooit. Het enige wat ze nu nog kon doen, was bidden dat niet al te veel dieren verloren gingen.

'Ik heb er goed aan gedaan om ze in het veld te laten, hè, Ben?'

Benuk, de bejaarde Aboriginal, knikte. 'Beter daar. Worden gek binnen omheining, trappen alles kapot.' Zijn bruine ogen keek haar vriendelijk aan. 'Paarden hetzelfde. Moeten ze loslaten, miss.'

'Die vliegen alle kanten op,' mompelde ze. 'Het zal een eeuwigheid duren voor we ze weer bij elkaar hebben, net als het vee.'

'Komen wel terug. Geen probleem.' Hij knikte en liep weg om te helpen bij het vastzetten van het dak van de schuur en om het vrouwvolk bij elkaar te roepen.

Dat leek zijn antwoord op alles te zijn en hoewel ze veel respect had voor zijn wijsheid, stelde het haar niet echt op haar gemak. Ze stak haar handen diep in de zakken van haar overall en keek toe hoe zijn twee zoons en drie kleinzoons alles verankerden. Ze waren de enige mannen die waren achtergebleven en hoewel hun vrouwen in en om het huis hielpen, waren er nog honderden hectares en duizenden stuks vee om voor te zorgen. Zelfs als ze de komende ramp zouden doorstaan, dan nog was de taak die voor hen lag duizelingwekkend.

Een miniem briesje deed haar opschrikken uit haar overpeinzingen en ze keek omhoog. De hemel was donkerder geworden, het daglicht ging over in schemering en de schaduwen die over het grasland en de waterlopen van de savanne joegen werden dieper. Er bewoog helemaal niets en het was volkomen stil, nu de vogels verdwenen waren. Het was alsof dit enorme, lege landschap zijn adem inhield.

Annie rende naar de omheinde weide. De fokpaarden draafden al in kringetjes rond, ze wisten wat er stond te gebeuren. Ze haalde de houten afsluitbalk weg en floot. Ze hadden geen aansporing nodig en denderden in een wervelwind van stof langs haar heen en galoppeerden naar de beschutting van een groep bomen in de verte.

Nog een keer fluiten bracht de honden naar haar toe. Die zaten gewoonlijk in de grote kennel, maar goede herdershonden waren duur en het vergde een hoop tijd en geduld om ze te trainen. De zes blue heelers zochten dekking diep onder de stevige veranda. Ze kenden het klappen van de zweep.

Het briesje was in kracht toegenomen. Het bracht een plotselinge stroom hete lucht die de roestige windmolen bij de put krijsend tot leven bracht, de bomen beroerde en over het grasland en de graanstoppels golfde. Ze waren er gelukkig in geslaagd het graan op tijd te oogsten.

Ze keek snel hoe het werk aan de schuur er voor stond, sloot de kippen in het kippenhok op en de varkens in hun stal. De katten konden voor zichzelf zorgen.

Ze moest nu schreeuwen om boven de wind uit te komen die snel aanzwol. 'Laat maar. We hebben gedaan wat we konden.'

Het kwam geen ogenblik bij een van hen op dat ze samen zouden schuilen – dat deed je gewoon niet – en de inheemse mannen bogen zich voorover tegen de wind terwijl ze in de richting liepen van een paar stevige gebouwen waar ooit meer dan twintig veedrijvers waren ondergebracht en waar hun kook- en wasgelegenheid was. John Harvey was een man met een vooruitziende blik geweest die geloofde in huizen die alles konden doorstaan wat de savanne voor ze in petto had. Voor hem geen krakkemikkige houten hutten die ten prooi vielen aan termieten en tornado's, maar stevige gebouwen van baksteen en cement.

Annie worstelde met de almaar sterker wordende wind terwijl ze naar de boerderij liep. Het was nu zo donker dat ze van de trap van de veranda naar de voordeur op de tast haar weg moest zoeken. Toen ze de rust van de tweekamerbungalow binnenstapte voelde ze iets langs haar benen strijken en ze slaakte een kreet van schrik.

Het was het blue heeler-teefje en Annie slaakte een zucht van opluchting. Ze had zich niet gerealiseerd hoe gespannen ze was en de arme Peggy moest net zo bang zijn als zij, want ze stond op het punt om te bevallen van haar eerste nest. 'Kom op, Peggy, laten we een lekker plekje voor je zoeken. Maar ik zou het fijn vinden als je nu nog niet ging werpen. We moeten eerst een storm zien door te komen.'

De zachte snuit duwde dankbaar tegen haar hand en toen Annie onder de keukentafel met een oude paardendeken een nest voor haar had gemaakt, ging Peggy liggen met haar neus op haar voorpoten, een waakzame blik in haar ogen en oren die draaiden bij elke kreun en fluittoon van de wind.

Annie rende de kamer en de keuken door om zo veel mogelijk dingen in de enige wandkast en de twee ladekasten te stoppen. Ze had niet veel spullen – stof en papier rotten razendsnel in de voortdurend vochtige atmosfeer – maar wat ze had, was kostbaar, vooral het handgemaakte linnengoed van haar moeder, haar trouwjurk en de schimmelende verzameling familiefoto's en brieven.

Nu haar dierbaarste bezittingen veilig waren weggeborgen in de hutkoffer met cederhouten voering en de wind tegen de deur duwde en aan het golfplaten dak rukte, pakte ze een stuk ongezuurd brood en wat rundvlees uit de vleeskist, een veldfles vol water, een zaklantaarn en haar tabaksblik. Ze kroop onder de keukentafel, maakte voor zichzelf een nest van Johns oude veedrijversjas en ging naast de jammerende Peg zitten.

Met Pegs snuit op haar dij, rolde Annie een sigaret. Haar hand beefde toen ze hem aanstak en de vlam danste in de duisternis tot ze hem uitblies. Ze zoog de rook diep naar binnen, probeerde zich te ontspannen, maar ze voelde de krachten buiten samenballen, kon de elektrische lading in de lucht ruiken en de koperen smaak van angst proeven terwijl de temperatuur zakte als een baksteen. Dit was geen gewone storm.

Ze wist wat haar te doen stond, maar toen ze haar sigaret uitdrukte en zich naar de achterkant van het huis haastte, maakte haar angst haar onhandig en traag. Ze worstelde met de vergrendeling van het raam, scheurde een vingernagel en slaakte een kreet van pijn en frustratie toen het ding weigerde in beweging te komen. Eindelijk kreeg ze het raam open en ze zette het vast tegen de muur zodat het niet dicht zou slaan en maakte de hor opnieuw vast. Ze draaide zich snel om, maar de neus van haar laars bleef haken achter een losse vloerplank. Ze viel op haar knieën en knalde met haar hoofd tegen de rand van de keukentafel. Verdwaasd en buiten adem krabbelde ze weer overeind en zette de voordeur open.

Buiten was het zwart en ijskoud. Ze riep de honden die onder de veranda lagen naar binnen, bond de voordeur vast en deed de hordeur op de grendel. De eerste zware regendruppels sloegen al op het dak.

Haar hoofd bonsde, net als haar knie, terwijl ze de tafel vanuit het midden van het vertrek sleepte en in de hoek naast het fornuis klemde. Ze verzwaarde hem met de zwaarste gietijzeren pannen die ze had, een zak aardappelen en een vat halfvol meel. Toen Peg weer op haar plekje lag en de overige honden zich onder Annies bed hadden verstopt, kroop Annie ook onder de tafel. Haar gemompelde woorden van troost waren net zo goed voor haarzelf bedoeld als voor Peg.

De tornado kwam over de Golf aangestormd met alle woede en kracht van een wraakzuchtige god van vernietiging. Toen hij de boerderij naderde klonk het geluid als duizenden jammerende wraakgodinnen. Het huis leek zich schrap te zetten, de adem in te houden in dat korte moment voor de aanval.

De storm sloeg toe met de kracht van een gigantische vuist die de muren deed schudden en het dak liet trillen. Hij leefde zijn woede uit op de deur en de balustrade van de veranda, rukte ze los en smeet ze in de alles verslindende maalstroom voor hij brullend door het kleine huis trok.

Annie kromp ineen, klampte zich aan Peg vast terwijl de tafel boven hen verschoof. De stoelen versplinterden toen ze werden opgepakt en tegen de muren gesmeten. De horren klapperden en het dak trilde terwijl de keilbouten die het op zijn plaats hielden het dreigden te begeven. De rondwervelende derwisj bracht vuil, wrakstukken en ijskoude regendruppels met zich mee die als naalden uit de draaikolk van boosaardigheid schoten, vond toen een ontsnappingsroute via het raam aan de achterkant en ging ervandoor.

Het dak zette zich met een kreun weer op zijn plaats terwijl de muren de zware klappen opvingen en de dakgoot krijste en rammelde. Ze hoorde het gerinkel van glas toen iets zwaars het raam aan de voorkant raakte en een bons toen iets anders tegen de muur van de slaapkamer terechtkwam. Ze zei een dankgebed aan het adres van John die het huis zo veilig en stevig had gemaakt, die had geweten dat je de wind binnen moest laten als je je dak niet kwijt wilde raken.

Ze bleef met opgetrokken knieën naast Peg liggen en probeerde het gejammer van de wind en het roffelen van de regen op het dak te negeren, maar het leek haar hoofd te vullen, het huis te vullen en klonk in elke vezel van haar door tot ze dacht dat ze gek zou worden.

Peg jankte zachtjes en schoof met een smekende blik in haar ogen onrustig heen en weer op de oude deken. Annie klopte haar afwezig op haar kop, want haar gedachten waren bij het vee en Benuk en zijn familie in het slaapverblijf. Ze kon alleen maar hopen dat ze het allemaal zouden overleven.

Annie had het koud en ze was nat en vies. De stinkende paardendeken leek in niets op haar comfortabele bed, maar tot haar verbazing was ze toch in slaap gevallen. Toen ze haar ogen opendeed, duurde het even voor tot haar doordrong dat het monotone gekreun van de wind was opgehouden en dat de regen niet langer op het dak hamerde. Er hing een diepe stilte, een gevoel van rust dat moest betekenen dat het ergste achter de rug was.

'We hebben het gered, Peg,' zei ze ademloos.

Maar Peg was nergens te bekennen. Annie kroop onder de tafel vandaan, ging met haar vingers door haar smerige haar en liep tussen de wrakstukken door naar haar slaapkamer.

De blue heelers renden langs haar heen door de voordeur naar buiten, maar Peg keek haar kwispelend aan vanaf het bed met zes pups die in zalige onwetendheid verkeerden over het drama dat aan hun komst vooraf was gegaan.

Annie glimlachte wrang. 'Was de vloer niet goed genoeg voor je?' Ze gaf een klopje op de zachte kop en feliciteerde haar terwijl ze de pups inspecteerde. Ze zagen er allemaal gezond uit en Peg leek het prima alleen te redden. Ze schonk water in een bak, wachtte tot de hond genoeg had gedronken en liet haar toen alleen.

Toen ze een blik wierp op Johns zware horloge dat ze om haar pols droeg, drong tot haar door dat het ochtend was. Terwijl ze zich door de gehavende hordeur een weg naar buiten baande naar de verwoeste veranda, zakte de moed haar in de schoenen. Het leek of het einde der tijden was aangebroken.

Bomen waren ontworteld en als lucifershoutjes in de omheinde wei gesmeten, haar moestuin was geruïneerd, de dakgoten, de afvoeren en de schoorsteen waren bedolven onder een zee van modder die traag langs de trap stroomde en aan haar voeten lag een dode Brolga-kraanvogel met gebroken vleugels. De veranda helde dronken naar één kant, de balustrade was verdwenen en het houten traliewerk lag in stukken. Het dak van de schuur was verdwenen, de blootliggende zakken wintervoer en het graan waren doorweekt en waardeloos. De pick-uptruck lag midden in de paardenkraal op zijn kant en zijn motorkap was opgerold als het deksel van een blikje sardines.

Annie keek met tranen in haar ogen naar de verwoesting. 'Ik kan dit niet meer aan,' mompelde ze. Ze liet zich op de bovenste tree van de trap zakken en verborg haar gezicht in haar handen. 'Het spijt me, John. Ik heb het geprobeerd, ik heb het echt geprobeerd. Maar het is te veel.'

Benuk verscheen om de hoek van het huis met de honden op zijn hielen. 'Alles goed met je, miss?'

Ze hief haar met tranen besmeurde gezicht. 'Nee, het gaat verdomme níét goed met me,' snauwde ze. 'Kijk eens om je heen, Ben. Hoe krijgen we dit in vredesnaam allemaal weer in orde?'

Hij keek haar onderzoekend aan. 'Dat hebben we al eerder gedaan.'

'Ja.' Ze stond op, veegde haar tranen weg en haar woede en angst maakten dat ze scherp naar hem uitviel. 'We doen het verdomme elk jaar, en weer, en weer, en weer,' snauwde ze. 'Als het geen tornado's zijn, dan is het een tropische storm of een overstroming of die verdomde sprinkhanen. De krokodillen eten de kalveren op, het gras gaat dood door de droogte en het vee wordt ziek door de vliegen en de muskieten.'

Hij wachtte tot ze adem moest halen. 'Maar het is je thuis, miss. Zo gaat het hier nu eenmaal.'

'Dat weet ik en ik ben het spuugzat.'

Hij liet zijn blik over de verwoesting gaan. 'Mister John dol op deze plek.'

'Maar het heeft hem vermoord, Ben.' De tranen begonnen opnieuw te stromen en ze deed geen poging om ze in te houden. 'Deze plek maakt uiteindelijk iedereen dood,' snikte ze.

Hij keek naar de lucht. 'Beter naar binnen. Storm komt terug.'

Ze volgde zijn blik. Hij had gelijk. Grote, zwarte wolken rolden door de lucht terwijl de wind zich een weg in hun richting baande over de savanne. Ze hadden zich alleen maar in het oog van de storm bevonden. Het korte ogenblik respijt was nauwelijks voldoende om hen voor te bereiden op de volgende aanval.

'Gaat het wel, miss? Beter iets op doen voor je ziek wordt.'

Ze raakte de pijnlijke zwelling op haar voorhoofd voorzichtig aan. Het was een lelijke snee en Benuk had gelijk. Als ze er niets aan deed, kon het makkelijk gaan ontsteken, net als met Johns been was gebeurd nadat hij het had opengehaald aan de tractor. Ze keek hoe hij zich weg haastte, wierp nog een laatste blik op de hemel, joeg de honden voor zich uit en ging naar binnen.

Met de EHBO-doos op haar knieën ging ze weer onder de keukentafel zitten en maakte de wond schoon terwijl de tranen over haar wangen rolden. Ze had zich nog nooit zo eenzaam en kwetsbaar gevoeld. Ze kon nergens heen, zich nergens verstoppen en niemand die het echt iets kon schelen wat er met haar gebeurde. Ze zat in de val.

De tornado werd krachtiger, de temperatuur duikelde weer omlaag en toen de storm de aanval inzette op het huis, begon ze te gillen. Maar haar opstandige, eenzame kreten waren niet te horen boven het gejammer van de meedogenloze wind.

Fleur maakte zich los uit Annies levendig vertelde verhaal. Ze deed haar ogen dicht en zag hoe de tornado zich op de savanne stortte. Ze kon het gehuil van de wind horen dat zich vermengde met dat van Annie en haar angst voelen terwijl de natuur probeerde alles van haar weg te rukken.

Ze kon zich niet voorstellen hoe het was om zoiets door te maken, om zo alleen te zijn, zo geïsoleerd en zo kwetsbaar. Haar bewondering voor haar tante groeide terwijl ze zich weer op het dagboek stortte. Annie had niet toegegeven aan haar angst of aan de wanhoop die de tornado had veroorzaakt. Ze was duidelijk uit harder hout gesneden en had geweigerd de boerderij in de steek te laten waarin John en zij zo veel van hun tijd, liefde en harde werk hadden geïnvesteerd. Ze was doorgegaan zoals ware pioniers altijd deden. Want de volgende pagina was twee maanden later gedateerd.

Fleur nestelde zich weer in de kussens en keerde terug naar Annies wereld.

December 1939
De afgelopen maanden zijn we van 's morgens vroeg tot 's avonds laat bezig geweest om de rotzooi op te ruimen, het vee te zoeken – dat, zoals ik al had voorspeld, naar de gekste plekken was gevlucht – en de schade te herstellen. Er was niet veel tijd voor iets anders en ik ben elke avond uitgeput mijn

bed in gerold, bijna nog te moe om te eten of me behoorlijk te wassen. Gelukkig is het regenseizoen nu begonnen en is er volop gras en stromen de kreken en riviertjes over. De Savannah is nu op zijn mooist met zijn tapijt van wilde bloemen.

Ik heb Kerstmis gevierd met mijn goede vrienden Susan en Ted Daley. Benuks zoon is erin geslaagd de pick-up weer aan de praat te krijgen, dus ik kon naar hen toe en ik ben twee dagen bij ze gebleven voor ik aan de lange terugreis begon. Onderweg ben ik gestopt bij de kerk en heb bloemen op Johns graf gelegd. Het voelt nog steeds niet goed om iets te vieren zonder dat hij erbij is, maar ik heb me gerealiseerd dat ik verder moet met mijn leven. Zolang hij in mijn gedachten is, zal hij altijd bij me zijn.

Een paar dagen nadat ik terug was op Savannah Winds werd ik 's nachts gewekt door het geluid van voetstappen op de veranda en het gepiep van de hordeur. Ik nam aan dat het een van Benuks kleinkinderen was die suiker uit mijn voorraadkast wilde stelen, dus ging ik snel naar de andere kamer om hem te betrappen. Maar de keuken was leeg en de modderige voetstappen op de veranda waren niet van een kind.

Omdat ik voortdurend op mijn hoede ben voor zwervers, trok ik mijn kleren aan, pakte Johns geweer dat altijd voor het grijpen ligt en ging met een lantaarn naar buiten. Ik floot zachtjes een van de honden en begon stilletjes met het doorzoeken van de bijgebouwen.

Bij de smidse bleef de hond gespannen staan met zijn oren gespitst en een zacht, dreigend gegrom in zijn keel. Ik gooide de deur open en spande de haan van het geweer. Het licht van mijn lantaarn viel op de geschrokken gezichten van twee jongemannen die ineengedoken tegen de muur zaten. De een was blank, de ander inheems. Geen van beiden zag er bijzonder gevaarlijk uit, dus ik beval de hond bij me te blijven. Ze kwamen aarzelend hun schuilplaats uit en met het geweer op hun rug gericht liepen ze in de richting van de boerderij.

Ik gaf ze wat te eten en terwijl de lange nacht voorbijging, kreeg ik hun verhaal te horen. Ik zal dat hier weergeven zoals zij het me hebben verteld.

Drie maanden eerder
Gum Tree Station strekte zich uit over honderden hectaren en was eigendom van een tiran die Thomas Rayner heette. Een man met een norse, pessimistische inslag die in dit uitgestrekte deel van Queensland berucht was om zijn lompheid en gierigheid.

Omdat hij er niets voor voelde om een eerlijk loon te betalen voor een dag hard werken, nam hij jongens aan van de nabijgelegen missies die eraan gewend waren lange uren te maken en hard te werken. Van hun schamele loon hield hij kost en inwoning in en hij liet ze ook betalen voor de kleding, laarzen, tabak en het bier dat hij voor buitensporige prijzen verkocht. Ze waren niet meer dan slecht betaalde contractarbeiders zonder het vooruitzicht dat ze ooit van hun steeds toenemende schuld zouden afraken. Degenen die de leiding hadden over katholieke missies deden net of ze niet zagen hoe slecht hij de jongens behandelde. Ze waren maar al te blij om van ze af te zijn als ze eenmaal veertien waren.

Sam en Djati waren al vier jaar in dienst van Rayner. Ze waren van verschillende missies naar de veehouderij gekomen, maar hun achtergronden kwamen overeen en ze werden al snel dikke vrienden. Ze waren de afgelopen maanden achttien geworden en waren gehard en gewend aan het slopende werk en de lange uren die Rayner van hen eiste. Ze droomden ervan dat ze op een dag de kans zouden krijgen om aan Rayner en zijn keiharde regime te ontsnappen.

Sam was bezig geweest jonge stieren door de loophekken te drijven naar de ruimte waar ze werden gebrandmerkt. Het stof dat de dieren opwierpen vermengde zich met het zweet waarmee zijn hemd aan zijn rug geplakt zat. Hij was zo gewend aan het geschreeuw van de mannen, het gebrul van de stieren en de stank van verbrande koeienhuid, dat hij er nauwelijks iets van merkte.

Hij deed het hek dicht achter het laatste beest, veegde met zijn vuile halsdoek het zweet van zijn voorhoofd en plantte zijn breedgerande hoed stevig op zijn hoofd. De zon was bijna onder en hij verheugde zich op het avondeten, ook al was dat elke avond hetzelfde: gestoofd schapenvlees, aardappelen en ongezuurd brood.

Hij keek over het erf en zag Djati worstelen met het beslaan van Rayners opstandige hengst. Het dier liep te schoppen en probeerde de lichtgekleurde Aboriginal te bijten terwijl hij met zijn brede flanken tegen hem aan beukte. Sam stond op het punt hem te hulp te schieten toen Rayner de hoek van de schuur om kwam, in één oogopslag de situatie in zich opnam en de zweep uitrolde die hij altijd bij zich droeg.

'Jij stomme, zwarte klootzak,' bulderde hij. 'Kijk uit wat je met mijn paard doet.' Hij gaf Djati een schop waardoor de jongen struikelde en bijna onder de flitsende hoeven van de hengst terechtkwam.

'Opstaan, lui stuk vreten en schiet op voor ik je in elkaar sla.' De bullenpees knalde op een paar centimeter van Djati's gerafelde overhemd en Rayners ogen fonkelden van sadistische voorpret. Hij vond het leuk om de gekleurde jongens te slaan.

Djati deed zijn uiterste best om het paard rustig te houden, maar het dier was van slag door het geschreeuw van Rayner en het knallen van de zweep. Met een machtige zwaai van zijn kop rukte hij de teugels uit Djati's handen en denderde het erf af.

De zweep raakte Djati met de volle kracht van Rayners woede. Djati dook op de grond in elkaar, rolde zich op tot een bal en beschermde zijn hoofd met zijn handen. Maar er was niets wat hem kon beschermen tegen het dodelijke leer en hij wist dat als hij zichzelf zou verdedigen, zich zou verzetten, hem dat alleen maar een heviger pak slaag zou opleveren.

Sam had Djati al te vaak een pak slaag zien krijgen en had zelf ook de zweep geproefd. Het was bekend dat Rayner al eerder gekleurde jongens had doodgeslagen en hij wilde niet dat zijn vriend dat zou overkomen. Zonder erbij na te denken kwam hij in actie. Hij pakte een stuk brandhout van de stapel en rende naar hen toe om hem te beschermen. Hij zwaaide het stuk hout en raakte Rayner vol op het achterhoofd.

Rayner zwaaide met een geschokte blik heen en weer op zijn benen en de zweep bungelde nutteloos in zijn hand voor hij hem in het stof liet vallen.

Angst bezorgde Sam extra kracht en hij zwaaide nogmaals met het stuk hout en hoorde de bons die hem vertelde dat hij doel had getroffen.

Rayner kreunde en viel als een gevelde boom op de grond.

Djati krabbelde overeind. Zijn ogen waren groot van angst terwijl hij neerkeek op Rayner. 'Je hebt hem verdomme vermoord, Sam,' zei hij ademloos.

Sam vloekte terwijl hij het stuk hout weggooide en achteruit wankelde. Rayner lag volkomen roerloos en hij zag bloed uit de wond in het stof van het erf druppelen. Hij bleef als verstijfd staan en was van angst niet in staat om helder te denken.

'Ik denk dat jullie twee er maar beter vandoor kunnen gaan, nu het nog kan,' zei een zware stem achter hem. Ernie Coleman was de voorman van de schaapscheerders, een voormalige bewoner van dezelfde missie waar Sam vandaan kwam en een prima vent om voor te werken.

Sam wierp een snelle blik in de richting van de overige mannen die stonden toe te kijken.

'Let maar niet op hen,' zei Ernie op gedempte toon. 'Die houden hun mond wel. Jullie zouden er verstandig aan doen om naar het westen te trekken,' voegde hij eraan toe. Zijn door weer en wind getekende gezicht onder de breedgerande hoed stond ernstig. 'Niemand verwacht dat jullie die kant op gaan.'

Sam knikte. Hij pakte Djati bij zijn arm, rukte hem los uit de lethargie die hem had bevangen, trok hem mee en begon te rennen. Hun laarzen wierpen stof op terwijl ze langs de boerderij renden. Mevrouw Rayner kwam de veranda op en haar geroep volgde hen terwijl ze over de naastgelegen wei renden en tussen de bomen verdwenen.

Ze bleven rennen tot ze niet meer konden, maakten toen een scherpe bocht en gingen in westelijke richting: het grote onbekende land waar een mens een schuilplaats kon vinden of de dood.

Ze liepen weken achtereen, stalen wanneer ze maar konden midden in de nacht eten uit afgelegen boerderijen, dronken uit de heldere, koude beken en rivieren die de grassteppe van de Savannah doorkruisten en sliepen waar ze konden. Een maand na hun ontsnapping hadden ze een groep ruiters aan de horizon gezien en ze hadden zich in het bladerdak van het regenwoud verstopt tot ze voorbij waren. Het had er veel van weg dat hun list geslaagd was, want het was duidelijk dat niemand hen meer achternazat.

Terwijl de zon genadeloos aan de hemel brandde en het rode stof opstoof onder hun voeten, namen ze het spoor voor hen in ogenschouw. Het leek zich tot in het oneindige uit te strekken waar het aan de horizon die net zo leeg was als hun maag oploste in de trilling van de hitte. Als ze niet snel iets te eten vonden, zouden ze bezwijken.

Sam wierp een blik op zijn metgezel. Djati's soepele passen waren vanaf het moment dat hij de gehate laarzen had weggegooid langer geworden en hij keek innig tevreden terwijl hij zijn gezicht naar de zon hief en de geuren van de omgeving opsnoof. De sporen van de zweep waren nog zichtbaar op zijn lichtbruine huid, maar het was duidelijk dat hij zich thuis voelde en van zijn herwonnen vrijheid genoot.

'Kan het een beetje langzamer, alsjeblieft?'

Djati grijnsde en bleef abrupt staan. 'Wat is er aan de hand, witte man? Kun je het tempo niet bijhouden?'

'Dat zou wel lukken, als ik maar iets fatsoenlijks te eten kreeg,' antwoordde Sam. 'Ik dacht dat jullie in de bush zo goed eten konden vinden? Ik zou op dit moment het achtereind van een buidelrat op kunnen.'

De lichtbruine ogen keken hem geamuseerd aan van onder een warrige bos roodbruin haar dat over zijn brede voorhoofd viel. 'Als je er een te pakken kunt krijgen, ga wat mij betreft je gang dan maar,' antwoordde hij. Zijn glimlach vervaagde toen hij naar het stoffige groepje bomen keek dat de enorme termietenheuvels overschaduwde die her en der in het droge landschap stonden. 'Ik zou niet weten waar ik moest zoeken,' gaf hij toe. 'Ik was nog te jong toen ze me weghaalden. Ik heb nooit de kans gehad om het te leren.'

'Je bent niet de enige, makker,' mompelde Sam. Hij ging met zijn vingers door zijn stoffige haar en zuchtte toen hij werd bevangen door het al te bekende gevoel van verlies. Dit rauwe, ongetemde land was al elf jaar zijn thuis. De straten van Londen waren slechts een vage herinnering en het gezicht van zijn moeder was verdwenen in de mist van al die achterliggende jaren. De duizelingwekkende eenzaamheid van hun omgeving leek alleen maar de enorme afstand te benadrukken die hij had afgelegd om dit moment, en deze plek, te bereiken.

Djati knikte vol meegevoel; ook hij had een lange tocht achter de rug. Voor zijn vijfde was hij bij zijn moeder weggehaald en hij had geen troostende herinneringen aan zijn familie, wist niets van de wetten van de stam of de gewoontes van zijn mensen. Het enige wat hij van zijn verleden had overgehouden, was zijn naam en daar klampte hij zich aan vast.

Ze liepen verder. Het was een leeg landschap, stil en gortdroog met alleen af en toe de roep van een eenzame kraai om hen te begeleiden. Dit was het land van de zwarte mens en voor Djati net zo buitenaards als voor Sam. Hij vroeg zich af of Djati iets van een herinnering aan zich voelde trekken, een diep besef dat zijn voorouders hier misschien hadden gelopen, dat dit was waar hij werkelijk thuishoorde. Aan zijn gezicht te oordelen was dat niet het geval.

Naarmate de weken verstreken waren ze alle gevoel van tijd kwijtgeraakt. Het regenseizoen brak aan en belemmerde hun voortgang door het spoor te overstromen en de aarde in modder te veranderen. Geen van beiden had een flauw idee waar ze waren en toen de honger eens te meer begon te knagen en hen licht in het hoofd maakte, zagen ze eindelijk een teken van leven, een boerderij en schuren. Het was Savannah Winds.

Ik haastte me om ze gerust te stellen dat Rayner de aanslag had overleefd. Hij had uiteraard de politie gewaarschuwd, maar de zoektocht werd al snel gestaakt toen het nieuws over de oorlog in Europa slechter werd en iedere gezonde man gehoor gaf aan Engelands noodkreet om hulp.

Ik nam ze in huis, gaf ze eten, kleding en een baan. Djati trok in het slaapverblijf bij Benuk en zijn familie in en Sam kreeg een plekje op de zolder van de schuur. Naarmate de tijd verstreek, kreeg ik meer te horen over hun geschiedenis en dat heeft me heel verdrietig gemaakt.

Hoewel ik heb beloofd dat ik mijn best zal doen om ze met hun familie te herenigen, zal die arme Djati zijn moeder waarschijnlijk nooit meer zien. Zo veel mensen van zijn volk zijn van hun land verdreven en over het hele land verspreid geraakt. Ik ben Ben heel erg dankbaar dat hij hem heeft opgenomen, want hij moet de troost en de bescherming leren kennen die alleen familie je kan geven.

Sam was verteld dat zijn moeder dood was en dat hij naar een katholiek weeshuis was gestuurd omdat zijn vader geen werk had en het niet kon bolwerken. Hij had gedacht dat het nieuwe leven dat hem in Australië was beloofd een avontuur zou worden, maar het bleek een leven vol ontberingen en wreedheid te zijn.

Hij herinnert zich nog maar flarden uit zijn jeugd – voetballen in een straat met rijtjeshuizen in Londen, zijn grootvader helpen met de marktkraam en het geluid van kerkklokken op zondagmorgen. Zijn moeder had ervoor gezorgd dat hij zijn adres kende voor het geval hij een keer zou verdwalen en dat was het enige wat hij elke avond in dat weeshuis herhaalde. Het enige wat hij in de daaropvolgende elf jaar voor zich hield in de hoop dat hij op een dag terug zou kunnen gaan.

Wat wreed om kinderen uit hun moeders armen te rukken, om ze ver weg te sturen en ze als slaven te gebruiken. Er zijn ogenblikken dat ik het gebrek aan medemenselijkheid tegenover deze kinderen niet kan begrijpen, terwijl ze vanwege hun onschuldige aard alleen maar liefde en bescherming zouden moeten krijgen. Ik huil om hen, net als de Bijbelse Rachel.

11

Fleur was ten slotte in een rusteloze slaap gevallen. Haar dromen waren verward en onrustig. Ze droomde van Sam en Djati tijdens hun schijnbaar eindeloze tocht door het ongenaakbare land op zoek naar een schuilplaats. Ze droomde van Greg en het intieme etentje met die vrouw en vond troost in de herinneringen aan Kingfisher Bay en Annies goedheid.

Haar plannen om Savannah Winds te bezoeken waren even in de ijskast gezet toen Melanie plotseling in Birdsong was opgedoken, maar dit leek het juiste moment om te gaan. Ze wilde niet langer in Brisbane blijven en, zoals ze tegen Beth had gezegd, ze wilde het graf van haar moeder bezoeken en in het reine komen.

Na een licht ontbijt bestaande uit toast en koffie koos ze het lange nummer dat Jacintha haar voor Savannah Winds had gegeven en wachtte een eeuwigheid tot er werd opgenomen.

'Môgge, Savannah Winds.' De zware mannenstem aan de andere kant klonk buiten adem, maar opgewekt.

'Hallo, met Fleur Mackenzie,' begon ze. 'Ik neem aan dat u is verteld wie ik ben en dat ik misschien contact zou opnemen?'

'Môgge, mevrouw Mackenzie. Ik vroeg me al af wanneer u zou bellen. U spreekt met Djati Wishbone. Het spijt me dat het zo lang duurde voor ik opnam, maar ik was bezig een handje te helpen bij het brandmerken. Hoewel de bel van de telefoon buiten overgaat, was er zo veel lawaai dat hij nauwelijks te horen was.'

Fleur barstte bijna in lachen uit. Djati moest tegen de tachtig lopen, maar hij was blijkbaar nog steeds in staat hard te werken. 'Ik ben van plan naar Savannah Winds te komen,' zei ze. 'Wat is daarvoor de beste manier?'

'Het is een heel eind, maar met een jeep kun je het wel bereiken. Het is de droge tijd en de meeste wegen zijn begaanbaar, maar ik zou het niet aanraden voor een vrouw alleen. Ik denk dat u beter af bent met een vlucht naar The Curry. Er gaat redelijk regelmatig een vliegtuig. Als u aangeeft wanneer u denkt aan te komen, dan zorg ik dat er iemand is om u op te pikken. Het is een aardig eind, dus ik moet het minimaal een dag tevoren weten.'

'Gaat het allemaal goed, daar? Kan ik iets voor jullie meenemen?'

'Het is een goed seizoen geweest, mevrouw Mackenzie,' antwoordde hij. 'De kudde is gegroeid en de prijs van rundvlees is ook gestegen. Wat voorraden betreft,' grinnikte hij, 'zouden een paar potten koffie, jam en vegemite welkom zijn, maar de meeste spullen krijgen we één keer in de maand per vrachtwagen. Misschien dat u wat snoep voor de kinderen kunt meenemen en wat leuke dingen voor de vrouwen. Die worden niet al te vaak verwend hier.'

Fleur glimlachte. 'Hoeveel vrouwen en kinderen zijn er?'

Hij zweeg even. Daar moest hij duidelijk over nadenken. 'Er zijn op dit moment twaalf kinderen en acht vrouwen. Er moeten volgende maand twee baby's worden geboren en mijn kleinzoon gaat binnenkort trouwen, dus dat zal het totaal nog een beetje opschroeven.'

'Dat is een behoorlijke familie die je daar hebt, Djati.'

'Ja.' Zijn zware stem klonk zacht en vol genegenheid. 'Ik neem aan dat ik een geluksvogel ben.'

Aangezien ze de hele nacht in Annies dagboeken had zitten lezen, moest ze hem daarin gelijk geven en ze was blij dat zijn verhaal zo'n gelukkig einde had. 'Ik bel zodra ik de vlucht geboekt heb,' zei ze, 'en ik verheug me er erg op om jullie allemaal te leren kennen.' Ze aarzelde even. 'Ik neem aan dat Blue daar niet is, hè?' vroeg ze aarzelend.

'Blue?' Het bleef even stil. 'Hoe hebt u Blue leren kennen, mevrouw Mackenzie?'

'Ik heb hem op Birdsong ontmoet. Ik begrijp dat hij een paar keer per jaar langskomt en ik vroeg me af of hij werd verwacht. Ik heb nooit de kans gekregen om hem te bedanken of afscheid te nemen.'

'Blue komt en gaat wanneer hij daar zin in heeft,' zei hij op zijn hoede. 'Je weet nooit wanneer hij opduikt.'

Fleur beëindigde het gesprek met de mededeling dat ze hem die avond zou bellen over de bijzonderheden en ging vervolgens aan de slag om een vlucht te regelen. Er waren tot het einde van de volgende week geen stoelen beschikbaar op de vluchten vanuit Brisbane, dus boekte ze een vlucht naar Townsville voor de volgende dag. Daar zou ze overnachten en de maandag daarop de vroege vlucht naar Cloncurry nemen. Het reisbureau reserveerde een kamer voor haar in de Coolabah Inn in Cloncurry, een schoon, modern en keurig hotel, aldus de dame van het agentschap.

Het was goed dat ze al snel zou vertrekken. Als ze in Brisbane bleef, bestond altijd de kans dat ze Greg tegen het lijf liep. Ze dacht aan de afspraak om met hem te gaan eten die ze zo hoopvol had gemaakt en ze besefte dat ze die zou moeten afzeggen. Ze kon hem gewoon niet onder ogen komen, nu ze van die Carla wist of hoe dat mens ook mocht heten.

Na een kort telefoontje met Jason om af te spreken om samen te gaan lunchen, pakte Fleur haar handtas en paraplu en ging inkopen doen voor de uitgebreide familie van Djati.

Het was zaterdagochtend en het regende zo hard dat de ruitenwissers moeite hadden het bij te houden. Het verkeer zat muurvast omdat een vrachtwagen verderop in de straat zijn lading had verloren. Tegelijkertijd was een groepje mannen bezig de linkerrijbaan op te breken om het riool te ontstoppen. Er klonk een hoop geschreeuw, er werden gebaren gemaakt en er werd getoeterd, wat niemand een steek verder bracht.

Greg probeerde de stad door te komen op weg naar een eendaagse conferentie. De vertraging frustreerde hem. Zijn gedachten waren bij de toespraak die hij die middag zou houden. Hij was zich maar al te bewust van het feit dat de tijd voorbijvloog, toen hij meende Fleur aan de overkant over het trottoir te zien lopen.

Hij knalde bijna op de auto voor hem toen hij probeerde het gezicht van de vrouw onder de felgele paraplu te zien. Ze leek op haar, met het lange, donkere haar dat danste terwijl ze liep en zich met haar mooie, slanke figuur door de mensenmassa haastte. Maar Fleur zou de volgende dag pas aankomen. Hij moest zich vergissen.

Terwijl hij ongeduldig met zijn vingers op het stuur trommelde, zag hij de vrouw opnieuw en deze keer was er geen twijfel mogelijk. Hij draaide snel zijn portierraam open en stak zijn hoofd in de stortbui. 'Fleur,' schreeuwde hij. 'Fleur, hier.'

Ze draaide zich niet om, hield zelfs haar pas niet in terwijl ze een zijstraat overstak en haastig verder liep over het trottoir. Greg voelde zich een beetje belachelijk toen hij de vragende blik in de ogen van de vrouw in de auto achter zich zag. Hij trok zijn hoofd weer naar binnen en droogde zijn gezicht en haar met een zakdoek. Fleur kon hem nooit hebben gehoord boven het lawaai van de pneumatische boren en het claxonnerende verkeer.

Hij zocht naar een plek om te parkeren en had zich al bijna neergelegd bij het feit dat hij er op een dag als vandaag geen zou vinden. Toen begon het verkeer langzaam in beweging te komen. Hij voelde een sprankje hoop. Als het verkeer bleef rijden, zou hij haar misschien inhalen. Maar de verkeerslichten sprongen op rood, Fleur sloeg een zijstraat in en hij verloor haar opnieuw uit het oog.

Zijn frustratie groeide. Nu zou hij haar nooit meer vinden en hij zou veel te laat komen voor de ochtendlezing. Hij belde snel met het hotel waar de conferentie zou worden gehouden en legde zijn situatie uit. Hij kreeg te horen dat andere deelnemers in dezelfde file stonden en dat de lezing een uur was uitgesteld. Hij kalmeerde een beetje en probeerde Fleur mobiel te bellen, maar ze had haar toestel uitgezet. Daarom belde hij het appartement en liet een boodschap achter.

Hij bracht de auto langzaam in beweging toen het licht op groen sprong en hij keek snel de zijstraat in in de hoop dat hij een glimp van haar kon opvangen. Maar er was geen spoor van de zwierige gele paraplu. Ze was opgegaan in de zaterdagochtendmenigte.

Hij concentreerde zich op het verkeer dat nu goed op gang kwam, maar zijn gedachten bleven terugkeren naar Fleur. Haar vroege thuiskomst kon een heleboel dingen betekenen. Ze kon heimwee hebben gehad, maar ze kon ook thuis zijn gekomen omdat ze hem graag wilde zien. Maar als dat de reden was, waarom had ze dan niet gebeld?

Toen hij eindelijk bij het hotel arriveerde, parkeerde hij zijn auto, opgelucht dat hij er was. Hij had voor het etentje van maandagavond een tafel gereserveerd in dezelfde bistro waar Carla en hij hun laatste maaltijd samen hadden genoten. Bovendien had hij geregeld dat er maandagochtend een bos bloemen bij Fleur zou worden bezorgd met op het kaartje de tijd en de plaats waar ze elkaar zouden ontmoeten. Omdat ze al thuis was, leek het een beter idee om ze vandaag al te laten afleveren.

Nadat hij de bloemist had gebeld, worstelde hij zich in zijn regenjas en pakte zijn aktetas. Het regende dan wel en de hemel was bedekt met dikke, grijze wolken, maar vanbinnen voelde hij zich warm en zonnig en zijn hart zong bij de gedachte dat hij weer met haar samen zou zijn.

Fleur had een drukke dag achter de rug. Het inkopen doen had haar uren gekost. Ze was in de warenhuizen op zoek geweest naar al die kleine dingen waar vrouwen en kinderen die niet de beschikking hadden over dergelijke plekken van zouden genieten. Nu ze eindelijk een excuus had om op de speelgoed- en babyafdeling te snuffelen, bleef ze lange tijd verlangend kijken naar de kleertjes en schoentjes, de zachte teddybeertjes en het leuke linnengoed. Toen ze besefte dat ze er helemaal niets mee opschoot om daar te staan zwelgen, ging ze naar de stoffenafdeling en koos daar verschillende soorten uit zodat Djati's vrouwen hun eigen jurken en rokken konden maken.

Ze werd zo in beslag genomen door haar taak dat ze aan de late kant was voor haar afspraak met Jason. Na het uitwisselen van de laatste roddels, vertelde hij haar dat het uitstekend ging in zijn nieuwe baan, dat Enrique geweldig was en dat hun vakantie naar Bali was geboekt. Hij was erg opgewonden, want het bedrijf waar hij nu voor werkte had net de opdracht binnengehaald voor de bouw van een winkelcentrum in Mooloolaba en hij had de leiding gekregen over het team dat het project tot een goed einde moest brengen.

Fleur was dolblij dat hij zo gelukkig was en ze was in de verleiding gekomen in te gaan op Jasons uitnodiging om samen met Enrique een borrel te gaan drinken in een of andere ruige bar. Nu was ze blij dat ze die uitnodiging had afgeslagen. Ze was volledig uitgeput en wilde alleen maar haar schoenen uitdoen, zich afdrogen en op de bank hangen om naar suffe tv-programma's te kijken.

Ze worstelde zich met haar boodschappentassen, doorweekte paraplu en handtas de lift uit en werd geconfronteerd met een enorme bos bloemen die iemand naast haar voordeur had achtergelaten. Ze liep het halletje door, zette de tassen neer en maakte de envelop open die erbij zat.

Lieve Fleur,

Ik heb je vreselijk gemist en ik kan niet wachten om je weer te zien. Ik heb voor maandagavond halfacht een tafel gereserveerd in La Rivera Bistro en ik hoop uit de grond van mijn hart dat onze avond samen het begin zal zijn van een inniger, rooskleuriger toekomst.

Veel liefs, Greg

Fleur propte het briefje in de zak van haar regenjas, frommelde de sleutel in het slot en droeg, de bloemen latend voor wat ze waren, haar spullen het appartement binnen en sloeg de deur achter zich dicht.

Toen ze haar inkopen op het aanrecht had gezet, stroopte ze haar natte jas af, hing hem in de badkamer en wreef verwoed haar haar droog. Waar haalde Greg het lef vandaan om een tafel te reserveren in hetzelfde restaurant waar hij Carla mee naartoe nam, dacht ze boos. En wat betreft de bewering dat hij van haar hield en dat hij haar miste: waar was hij verdorie mee bezig? Ze had hem nooit achterbaks gevonden en ze had zich niet kunnen voorstellen dat hij haar ontrouw was. En toch had zij hem samen met haar gezien en het had er alle schijn van dat hij dit toneelstukje gewoon wilde voortzetten. Ze kende hem duidelijk helemaal niet.

Ze liep terug naar de woonkamer en zag het lampje van het antwoordapparaat knipperen. Er waren verschillende berichten van vriendinnen die wilde weten waar ze uithing en of ze zin had om ergens iets te gaan eten, drinken of om een potje te badmintonnen. Het laatste bericht was van Greg en hij klonk alsof hij haast had.

'Hoi, Fleur. Ik was verrast toen ik je vanmorgen in de stad zag en ik hoop dat het niets ernstigs is waarvoor je eerder naar huis bent gekomen. Aangezien je terug bent, zou ik het fijn vinden als je me voor maandagavond even belt. Ik zit vandaag de hele dag bij een congres, maar je kunt een boodschap achterlaten. Ik hoop dat je de bloemen mooi vindt. Dag, schat.'

Fleurs vastberadenheid wankelde bij het horen van zijn stem, maar ze wiste het bericht. Bloemen, telefoontjes en e-mails maakten niet goed dat hij een leugenaar was en de boel beduvelde. Waarom deed hij al die moeite? Als hun huwelijk voorbij was en hij graag bij Carla wilde zijn, waarom had hij dan niet de moed om haar dat te vertellen in plaats van die schijnvertoning vol te houden? Misschien was het etentje het moment van de beslissende confrontatie; als dat het geval was, zou hij teleurgesteld worden.

Ze keek naar de vuilniszak die ze had volgepropt met zijn kleren en pakte vervolgens alles snel in een koffer. Daarna belde ze via de intercom het kantoor van de conciërge dat zich op de begane grond bevond. 'Ik heb hier een paar dingen die ik per koerier naar een adres hier in de stad wil laten brengen. Kunt u iemand sturen om ze op te halen?'

'Die werken pas maandagochtend weer,' waarschuwde hij. 'Het is na zessen.'

Fleur keek op haar horloge en kreunde. Ze had zich niet gerealiseerd dat het al zo laat was. 'Ik vertrek morgenochtend vroeg,' zei ze, 'dus ik zou het heel erg op prijs stellen als u ze zolang in uw kantoor kunt opslaan.'

Terwijl ze op de portier stond te wachten, krabbelde ze snel een briefje en stopte dat in de koffer. Toen de jongeman op de deur klopte, gaf ze hem Gregs adres en keek toe hoe hij zich met de koffer en de bloemen de lift in worstelde.

Ze deed de deur dicht, schonk een glas wijn in en begon haar koffers te pakken voor haar reis naar Savannah Winds. Ze kwam tot de conclusie dat als ze bezig bleef en zich concentreerde, ze geen tijd zou hebben om aan Greg te denken of aan Carla of aan de dromen die in duigen lagen en aan de verbroken beloftes waar ze zich de afgelopen weken zo aan had vastgeklampt.

Het was bijna middernacht toen Greg thuiskwam in het eenzame flatje en contact opnam met zijn boodschappendienst. Er waren verschillende telefoontjes van vrienden die hem mee uit eten vroegen of wilden dat hij meespeelde in een voetbalwedstrijd voor het goede doel of hem uitnodigden om zondagochtend te gaan zeilen. Maar er was niets van Fleur.

Hij slaakte een diepe zucht en zijn gedachten maalden door zijn hoofd terwijl hij zich klaarmaakte om naar bed te gaan. Zou de bloemist de bloemen nog niet hebben bezorgd, zoals hij had gevraagd? Was Fleur misschien nog niet thuis? Had hij te veel verwacht van de bloemen en het briefje en hield Fleur haar gedachten voor zich tot maandagavond?

Hij stapte in bed en lag in de duisternis te staren. Hij wilde haar bellen, haar stem horen, maar hij kon niet eerder iets doen dan de volgende dag.

Fleur verliet bij zonsopkomst haar appartement na een rusteloze nacht waarin de slaap maar niet wilde komen. Zelfs Annies dagboeken waren niet bij machte geweest om haar gedachten van Greg en diens verraad af te zetten. Ze had ze in haar koffer gestopt en was van plan verder te lezen op het moment dat haar gedachten niet zo verward en haar zenuwen minder gespannen waren.

De taxi bracht haar naar het vliegveld waar ze maar korte tijd hoefde te wachten voor haar vlucht vertrok. Binnen vier uur wandelde Fleur in de zon over de Strand in Townsville.

Dit brede, bestrate pad slingerde langs de kust en bood een adembenemend uitzicht op Magnetic Island aan de horizon. Het pad keerde en draaide onder schaduwrijke palmen en over groene gazons richting de jachthaven. Elegante buitenhuizen keken uit op het brede strand en Fleur bleef even staan om het enorme Coral Memorial Rock-zwembad te bewonderen. Het was door mensenhanden gemaakt en werd bij vloed elke keer gevuld met vers zeewater.

Ze wandelde over de promenade, langs de speeltuin en het lommerrijke park in de richting van de restaurants op de kleine, houten pier die uitzicht hadden op zee. Ze was weer in de tropen, waar de lucht vol was van de geur van exotische bloemen en de meeuwen rondcirkelden en elkaar in de zonneschijn toeriepen. De spanning begon weg te ebben en ze zat daar omringd door opgewekte toeristen en bewonderde het uitzicht onder het genot van een glas vruchtensap en een vissalade.

Greg was vroeg opgestaan en probeerde een keer of tien zonder succes het appartement te bellen. Uiteindelijk kreeg hij de conciërge te pakken en hoorde van hem dat Fleur die ochtend vroeg in een taxi was vertrokken. De man had geen flauw idee waar ze naartoe was, of voor hoelang, maar ze had twee grote koffers bij zich gehad.

'Tussen twee haakjes, meneer Mackenzie,' zei hij. 'Mevrouw Mackenzie heeft me gevraagd een koffer en een bos bloemen met de koeriersdienst naar u toe te sturen. Wilt u ze komen halen, of wacht u liever tot ik ze morgen kan laten bezorgen?'

Alle energie vloeide uit hem weg en hij liet zich in een stoel vallen. 'Ik kom ze wel halen,' antwoordde hij met een stem die schor klonk van emotie.

Nadat hij had opgehangen bleef hij lange tijd zitten. De pijn leek zijn hart te omklemmen en de tranen liepen over zijn gezicht zonder dat hij er acht op sloeg. Ze wilde zijn bloemen niet, had niet eens de moeite genomen op zijn boodschap te reageren. En toch waren haar e-mails tot dan toe vriendelijk en warm van toon geweest en had ze gezegd dat ze zich erop verheugde hem weer te zien en met hem uit eten te gaan. Waarom was ze van gedachten veranderd? Waar was ze heen, en waarom? Twee grote koffers betekenden dat ze voor langere tijd zou wegblijven. Ging ze terug naar Birdsong?

Hij dacht erover haar vader te bellen, maar verwierp dat idee vrijwel onmiddellijk. Na Fleurs confrontatie met hem over het testament was het niet erg waarschijnlijk dat zij hem in haar plannen zou betrekken. Hij stond op, staarde lange tijd naar de telefoon en kwam toen tot een beslissing.

'Hoi, Beth. Met Greg.'

'Hallo, Greg,' antwoordde ze. 'Alles goed met Fleur? Ik moet zeggen dat ze gisteravond aan de telefoon niet zo geweldig klonk en ik was bang dat ze misschien ziek was geworden van die ruzie met pap.'

'Die strijd over het testament heeft haar wel geraakt,' zei hij, 'maar Fleur is een taaie. Ik weet zeker dat ze daar wel overheen is.'

'Je hebt haar toch wel gezien sinds ze terug is? Ze heeft je toch zeker wel verteld over dat nare gedoe met haar moeder?'

'Ik heb geen idee waar je het over hebt, Beth,' zei hij en hij ging zitten. 'Fleur en ik wonen al een tijdje niet meer bij elkaar,' bekende hij, 'en ik heb haar eerlijk gezegd niet meer echt gesproken sinds ik uit huis ben.' Hij maakte in gedachten een snelle berekening en was geschokt toen bleek dat die vreselijke ochtend toen alles in duigen viel al drie maanden geleden was.

'O, Greg. Wat spijt me dat. Ik had geen idee. Fleur heeft er geen woord over gezegd en ik heb mijn handen zo vol gehad aan mijn eigen problemen dat ik niet eens in de gaten had dat er misschien iets fout zat tussen jullie. O, lieve deugd, ik ben niet echt een goede zus geweest, hè?'

Greg verzekerde haar dat Fleur de dingen het liefst voor zichzelf hield en dat er wat hun scheiding betreft geen derde in het spel was. Vervolgens wist hij haar zover te krijgen dat ze hem alles vertelde over de jongste onenigheid met haar vader.

Terwijl Beth aan het woord was, zonk de moed hem nog verder in de schoenen en hij werd vreselijk boos toen hij erachter kwam hoe verschrikkelijk Fleurs vader haar had bedrogen. De klootzak had bewezen net zo wraakzuchtig en wreed te zijn als zijn eigen vader. Hoewel hij leugens en bedrog gebruikte in plaats van zijn laarzen of zijn vuisten, kon de schade die hij had aangericht weleens hetzelfde blijvende effect hebben.

'Heb je enig idee waar ze naartoe zou kunnen zijn?' vroeg hij toen Bethany aan het einde van het trieste verhaal was gekomen.

'Ze heeft tegen me gezegd dat ze naar Savannah Winds wilde om haar moeders graf te bezoeken. Misschien zal ze zelfs proberen om Selina's familie op te sporen, al betwijfel ik of haar ouders nog in leven zijn.'

'Ik weet niet eens waar die boerderij ligt,' zei hij wanhopig.

'Het is voorbij Black Stump, ergens in de Gulf Country. Dat is alles wat ik weet. Je zou dat notariskantoor kunnen bellen dat het testament heeft geregeld, maar ik verwacht niet dat ze je iets zullen vertellen. Zwijgplicht en dat soort dingen.'

Ze bleef even stil. 'Het spijt me te horen dat Fleur en jij zo'n beroerde tijd doormaken. Laat het niet op zijn beloop, Greg, anders verstrijkt de tijd en voor je het weet is het te laat. En dan is er geen weg meer terug. Fleur en jij hebben een goed huwelijk en ik hoop van harte dat jullie kunnen bijleggen wat het ook is dat jullie uit elkaar heeft gedreven.'

Hij bedankte Beth en beloofde het haar te laten weten als Fleur contact zou opnemen en verbrak de verbinding. Het klonk alsof Beth uit ervaring sprak toen ze het had over meningsverschillen en dingen op hun beloop laten. Hij had nooit echt met Clive gepraat en hij had zich vaak afgevraagd waarom Beth het pikte dat hij haar zo achteloos negeerde en zo egoïstisch was. Hij vermoedde dat Clives idee van een 'potje ballen' weinig te maken had met het golfspel en hij vroeg zich af of Bethany hem eindelijk op heterdaad had betrapt.

Maar Beth was zijn probleem niet. Fleur moest vreselijk gekwetst zijn door wat haar vader had gedaan. Ze had ervoor gekozen om naar Savannah Winds te vluchten in plaats van naar hem toe te komen. Waarom zou ze dat doen zonder het hem zelfs maar te laten weten? Die verschrikkelijke onthullingen hadden haar toch zeker niet doen vergeten dat hij nog steeds onlosmakelijk deel uitmaakte van haar leven? Ze had hem vroeger altijd in vertrouwen genomen, waarom dan nu niet terwijl hij zo duidelijk had laten weten dat hij wilde proberen om de breuk tussen hen te herstellen?

Hij huiverde toen zijn gedachten een nieuwe wending namen. Was zij van gedachten veranderd wat betreft hun toekomst samen? Waren haar vlucht naar Gulf Country en het terugsturen van de bloemen haar manier om hem te vertellen dat ze moest ontsnappen, dat ze tijd nodig had voor ze hem weer wilde zien?

Op die regenachtige zondagochtend in zijn flatje besefte hij dat hij zijn vrouw helemaal niet kende, dat hij simpelweg geen idee had wat er in haar hoofd omging.

Fleur was de Strand afgelopen tot waar de weg van de kust afboog en naar het centrum van de stad liep. Ze wandelde door King Street en volgde de kronkelende Ross Creek die door het hart van de stad stroomde. Na een kop thee en een zoet broodje genuttigd te hebben, liep ze terug naar haar motel.

Ze zette de airconditioning zo hoog mogelijk en liet zich op het bed ploffen. Ze verbaasde zich erover, en schaamde zich ook een beetje, dat ze zo slecht in conditie was. Kwam het door de hitte in deze noordelijk gelegen stad dat ze zich zo slap voelde of door de opwinding en de dramatische gebeurtenissen van de afgelopen dagen? Ze hoopte dat daar de oorzaak lag, want ze had weinig zin haar plannen te moeten veranderen omdat ze ziek was.

De nacht viel snel, zoals altijd in de tropen, en na een verkoelende douche stapte ze in bed en sloeg Annies dagboek open bij de ansichtkaart die ze als boekenlegger had gebruikt. Binnen enkele minuten was ze opnieuw ondergedoken in een ander leven in een andere tijd.

Februari 1940
Djati lijkt goed te wennen. Hij heeft voor zichzelf een hut gebouwd aan de andere kant van de open plek en die ingericht met oude meubels die hij her en der heeft gevonden en heeft gerepareerd. Ik heb gezien dat Bens kleindochter, Sal, vaak in de buurt rondhangt als hij met zijn onderkomen bezig is en ik vraag me af of er iets broeit. Ben lijkt zich er niet al te druk om te maken. Eerlijk gezegd denk ik dat hij het aanmoedigt, want Djati en hij gaan vaak samen op zwerftocht

en ze lijken een sterke band te ontwikkelen. Ben is absoluut de patriarch van de groep en Djati ziet hem ongetwijfeld als een vaderfiguur. Dat is goed, want nu leert Djati tenminste iets over de gewoontes van zijn volk, ook al zijn Ben en hij van verschillende stammen.

Ik ben erg gesteld geraakt op Sams gezelschap en het is fijn om na een dag hard werken samen de maaltijd te gebruiken en over de dag en het vee te praten, en uiteraard over het nieuws uit Europa, dat met de dag ernstiger wordt. Ik vergeet weleens dat hij nog geen twintig is, want hij heeft de houding, de wijsheid en de kracht van een veel ouder iemand. Maar dit woeste, veeleisende land heeft nu eenmaal de neiging om jongens vroeg tot mannen te maken.

Vanavond hebben we nog tot lang nadat we klaar waren met eten zitten praten, al weten we dat we morgen weer voor dag en dauw op moeten. Het vee van alle fokkerijen in de omtrek is bij elkaar gedreven en wordt naar Longreach gebracht. De tocht zal verscheidene weken in beslag nemen, maar ik heb het al vaker gedaan en nu ons land in oorlog is, is het van vitaal belang dat we de vleesvoorraden op peil houden.

Het stof van enkele honderden stuks vee steeg op in een dikke, het zicht benemende wolk terwijl mannen en vrouwen hen in een gestaag tempo via waterputten en kreken in de richting van Longreach dreven.

Annie vond deze tocht naar de verzamelplaats veel leuker dan anders, want ze had voor de verandering niet alleen het gezelschap van andere vrouwen, maar ook dat van haar beste vriendin en buurvrouw, Susan Daley. Nu zo veel van de mannen al in dienst waren gegaan, hadden hun vrouwen, zussen en dochters het zware werk overgenomen en ze waren vastbesloten te bewijzen dat ze de schoorsteen konden laten roken, de fokkerijen soepel laten functioneren en het vee gezond houden.

Als ze deze oorlog wilden winnen en hun mannen veilig naar huis wilden laten terugkeren, dan was geen karwei te zwaar. Ze waren een taai ras, deze vrouwen uit de outback van

Queensland, gebruind door de zon, hun handen ruw, hun kleding mannelijk en hun humor net zo rauw als het land dat ze probeerden te temmen. Om te overwinnen zouden ze net zo hard en onverschrokken vechten als hun mannen.

Er waren een paar oudere mannen die vooropreden en de kudde in het juiste spoor hielden, maar de vele inheemse drijvers en knechten vormden de ruggengraat van de groep. Ze lieten bij het terugbrengen van afgedwaald vee zien hoe goed ze konden rijden en met de lasso konden omgaan. Ze hielden de kudde dicht bij elkaar en in een bedaagd tempo in beweging, om niet te veel van ze te eisen zodat hun vetreserves op peil bleven.

De blue heelers beten naar hoeven en joegen achter jonge stieren aan die ervandoor gingen en schoten zo als bliksemschichten heen en weer dat ze weinig risico liepen om een schop te krijgen of te worden vertrapt. Annie zag vol trots hoe goed Pegs pups het deden op hun eerste lange tocht.

Terwijl ze naast haar vriendin Sue Daley reed, zag ze hoe Djati en Sam wegreden bij de kudde om achter een stierkalf aan te gaan dat de benen nam. 'Ik zou niet weten wat ik zonder die twee had gemoeten,' mompelde ze. 'Hun hulp heeft een wereld van verschil gemaakt en ze lijken voor dit werk in de wieg gelegd.'

'Een knappe jonge vent, die Sam,' antwoordde Sue terwijl ze toekeken hoe hij zich uit het zadel boog en het kalf optilde dat hij voor zich op zijn zadel legde voor hij terugging naar de kudde. 'Is zeker wel fijn om een beetje fatsoenlijk mannelijk gezelschap te hebben, nu je al zo lang alleen bent?'

Annie keek haar achterdochtig aan, maar Sue leek erop gebrand om geen stof in haar neus en mond te krijgen en het grootste deel van haar gezicht ging schuil achter haar halsdoek. 'Ik weet niet wat je bedoelt,' zei ze een beetje onvriendelijk. 'Hij werkt voor me en hij is nog maar een jongen.'

Sue's ogen fonkelden onder de breedgerande hoed. 'Hij ziet er mans genoeg uit,' zei ze, 'en hij is ook nog knap.' Ze giechelde. 'Als ik Ted niet had en in jouw situatie verkeerde, weet ik niet of ik me met een knaap als hij in de buurt zou kunnen beheersen.'

'Doe niet zo belachelijk,' sputterde Annie tegen, maar ze voelde haar gezicht warm worden. 'Ik ben een respectabele weduwe.'

'Respectabel zijn is ook niet alles.' Haar ogen fonkelden boven de halsdoek. 'Je bent nog steeds in de twintig en je bent al bijna drie jaar alleen. Je moet zo langzamerhand toch een beetje rusteloos worden. Ted is nog geen drie maanden weg en ik mis zijn troost nu al, als je begrijpt wat ik bedoel.'

Annie had genoeg gehoord. Ze spoorde de merrie aan tot een galop en reed het daaropvolgende uur naast de kudde.

Toch bleven Susans woorden door haar hoofd spoken. Ze moest toegeven dat ze Sam aardig vond en dat ze een zekere aantrekkingskracht tussen hen beiden had gevoeld tijdens de lange avonden die ze samen hadden doorgebracht. Maar ze zou wel heel stom zijn als ze dacht dat het ergens toe zou leiden. Ze was bijna zes jaar ouder dan hij en ze had niet het recht om iets te voelen voor iemand die haar waarschijnlijk als een oude vrouw beschouwde of, erger nog, haar als een moederfiguur zag.

Het leven in de outback maakte van jongens inderdaad snel mannen, maar het maakte ook oude bessen van jonge vrouwen. En zij kon het weten, want ze had zichzelf in de spiegel gezien. De zon had haar ouder gemaakt, haar ooit weelderige, donkere haardos was droog en dof, haar handen waren ruw, de nagels onverzorgd en vuil. De versleten oude tuinbroek en het gerafelde, ruimvallende overhemd maakten haar slanke figuur vormloos en ze vermoedde dat ze van een afstandje gemakkelijk aangezien kon worden voor een onverzorgde plattelandsjongen.

En toch moest ze toegeven dat ze de afgelopen weken iets had gevoeld. Hoewel ze die gevoelens probeerde te negeren, bleven ze bestaan.

Maart 1940

De lange tocht duurde voort en bij het passeren van de afgelegen fokkerijen pikten ze nog meer vee op. Die onderbrekingen betekenden waterputten voor de dieren, voor de drijvers een fatsoenlijke warme maaltijd en de kans om in bad te gaan – de ultieme luxe na een paar weken in het zadel en gehuld te zijn geweest in stof.

Na een hele tijd verschenen eindelijk de telegraafpalen en de spoorlijnen van Longreach trillend aan de horizon. De stemming werd opgewekter, maar het vee rook water en begon sneller te lopen. Het was duidelijk dat iedereen op zijn qui-vive moest zijn om te voorkomen dat ze op hol sloegen. Als dat gebeurde, konden kalfjes en jonge stieren vertrapt worden en de waterputten zouden in waardeloze modder veranderen voor alle dieren voldoende konden drinken.

Ze verdeelden de kudde in groepen en het kostte ze de hele verdere dag en een deel van de avond om sommige dieren bij de putten weg te houden terwijl andere zich vol dronken. Toen ze allemaal eenmaal veilig binnen de tijdelijke omheining stonden met voldoende voedsel om ze bezig te houden, haastten de vrouwen zich naar het hotel in de hoop als eerste de badkamer te kunnen bezetten.

De inheemse drijvers gingen naar de andere kant van de stad waar ze welkom waren in de bar. De rest zocht zijn heil in de drie hotels aan de hoofdstraat en de mannen gingen linea recta naar hun favoriete kroeg.

Er waren enorme hoeveelheden bier voor nodig om het stof van de tocht uit hun keel te spoelen. Iedereen wist dat er voor de avond om was verschillende knokpartijen zouden uitbreken, maar dat maakte allemaal deel uit van de lol. Aan het einde van een slagenwisseling werden handen geschud en dat was dan weer een goed excuus om nog meer bier te drinken. De volgende ochtend zouden er nogal wat pijnlijke hoofden zijn en het zou een paar dagen duren voor ze allemaal weer bij elkaar waren voor de terugreis.

Aangezien vrouwen niet in de bar werden toegelaten, zaten ze op de veranda en keken naar de activiteiten in de brede straat terwijl ze koel, verfrissend bier en grote hoeveelheden hete, zoete thee dronken terwijl ze wachtten op hun beurt in de enige badkamer.

Lang nadat de anderen waren vertrokken was Annie nog bezig geweest bij het vee. Ze moest de aantallen die ze hadden binnengebracht en de herkomst van het vee dat niet van Savannah Winds kwam vaststellen. De veiling zou de volgende ochtend plaatsvinden en pas dan zou ze een idee hebben hoe goed het seizoen was geweest. Het had er alle schijn van dat de prijs van rundvlees omhooggeschoten was en ze raakte opgewonden bij de gedachte dat ze haar schulden bij de bank kon aflossen.

Toen ze eindelijk bij het hotel kwam, zag ze dat er nog steeds een rij wachtenden was voor de badkamer en ze besloot op de verlaten achterveranda te gaan zitten. Ze gokte erop dat er nog warm water zou zijn tegen de tijd dat ze klaar was om naar bed te gaan.

Het was vredig aan de achterkant van het hotel, ook al klonk het geluid van geschreeuw, luidruchtig gezang en brekend glas uit de hoofdstraat ook hier. Na die lange weken van samen optrekken, voortdurend op elkaars lip zitten, was het heerlijk om tijd voor zichzelf te hebben.

Ze zat daar een tijdje te kijken hoe de maan boven haar langs ging en te luisteren naar de krekels en het geluid van het briesje in het gras. Ze voelde langzaam de spanning uit zich wegvloeien en de stijfheid en pijntjes van de lange tocht langzaam minder worden.

Na een groot glas koel bier, draaide ze een shagje en ging in het licht zitten dat uit het keukenraam scheen om in haar dagboek te schrijven. Ze was de afgelopen weken niet vaak in de gelegenheid geweest om te schrijven omdat ze in slaap viel zodra haar hoofd het kussen raakte.

Ze was zo verdiept in het schrijven dat ze hem niet had horen aankomen en ze schrok op toen zijn lange schaduw over de pagina viel. 'Hallo, Sam,' zei ze terwijl ze haar dagboek aan de kant schoof. 'Ik dacht dat jullie allemaal in de Southern Cross zaten.'

Hij leunde tegen de balustrade van de veranda, zette zijn hoed af en draaide die rond tussen zijn sterke vingers. 'Ik heb genoeg bier gehad,' zei hij rustig. 'Bovendien moet ik met je praten.'

Terwijl ze naar hem opkeek, kreeg ze een bang voorgevoel. 'Wat is er loos?''

Hij schuifelde met zijn voeten en weigerde haar aan te kijken. 'Je bent heel goed voor Djati en mij geweest,' begon hij zenuwachtig, 'en ik wil dat je weet dat we allebei heel erg waarderen wat je voor ons hebt gedaan.'

Annies hart begon sneller te kloppen toen tot haar doordrong dat Sam weleens zijn ontslag zou kunnen indienen. Ze was geschokt dat het idee dat hij wegging haar zo van streek maakte. 'Je kunt maar beter ter zake komen, Sam,' zei ze behoedzaam.

'Het spijt dat ik je dit moet aandoen, Annie,' zei hij lijzig, 'maar ik ga morgenochtend vroeg weg.'

Haar energie leek te verdampen, nu haar angst bewaarheid werd. Ze ging staan om hem aan te kunnen kijken. 'Weg? Waar ga je heen, en waarom? Heeft iemand je meer geboden? Als dat zo is, dan ben ik...'

'Ik heb dienst genomen in het leger,' onderbrak hij haar terwijl hij papieren uit de zak van zijn overhemd haalde. 'De trein naar Rockhampton vertrekt om vijf uur.'

Annie nam de papieren met trillende handen over en haar ogen vlogen over de woordenbrij die ze met moeite wist te ontcijferen. 'Hoe heb je in dienst kunnen gaan zonder papieren om te bewijzen wie je bent?'

'Dat kon ze helemaal niks schelen,' mompelde hij. 'Ze willen gewoon zo veel mogelijk gezonde kerels zien te vinden die bereid zijn om te gaan vechten.'

'O, Sam,' zuchtte ze. 'Je had niet in dienst hoeven gaan. Je werk stelt je daarvan vrij. De oorlog wordt hier uitgevochten, op het land, op de veemarkten.' Ze keek naar hem op. 'Ik kan naar het rekruteringskantoor gaan en dat tegen ze zeggen, als je dat wilt. Ik heb iedereen nodig die ik maar kan krijgen als ik elk jaar een kudde naar de markt wil brengen.'

'Dat begrijp ik wel,' antwoordde hij terwijl hij haar recht in haar gekwelde ogen keek. 'Maar ik kan niet hier zitten wachten tot de oorlog is afgelopen terwijl anderen hun leven geven voor mijn vrijheid. Ik ben sterk en gezond en ik kan met een geweer omgaan. Ik moet mijn steentje bijdragen.'

Ze zag de vastberadenheid in de manier waarop hij zijn kaken op elkaar klemde en wist dat niets hem van mening kon doen veranderen. 'Dus je gaat morgenochtend weg?' zei ze zacht en haar ogen vulden zich met tranen terwijl ze net deed alsof ze de reisdocumenten stond te bestuderen.

Hij knikte. 'Ik krijg een training van een paar weken in Rocky en dan sturen ze me overzee. Het zesde is al in Palestina aan het vechten, maar er bestaat een grote kans dat ze me naar Europa sturen. De man van het rekruteringskantoor zei dat als de oorlog lang genoeg duurt, ik zelfs in Engeland kan belanden.'

Annie zag de honger in zijn ogen en besefte dat de drang om samen met zijn landgenoten te vechten niet de enige reden was waarom hij zich verplicht voelde om te gaan. 'Ik hoop dat je daar terechtkomt,' zei ze zacht. 'Maar het lijkt erop alsof er vooral ver van de kusten van Engeland gevochten zal worden.'

Hij schudde zijn hoofd. 'Als Frankrijk wordt verslagen, dan is het maar een kort stukje over het Kanaal naar Engeland.' Hij zuchtte. 'Een invasie is nog steeds een mogelijkheid en de Engelsen hebben de vrouwen en kinderen al uit de steden geëvacueerd.'

'Zelfs als je in Engeland belandt, zul je je familie misschien niet vinden,' waarschuwde ze.

'Maar ik moet het proberen,' zei hij vastberaden. Hij zweeg even en beet op zijn lip. 'Ik moet ze laten weten dat ik nog leef en dat ik altijd aan ze ben blijven denken. Ik moet ook een bezoek brengen aan het graf van mijn moeder, als ik het kan vinden. Ik heb nooit de kans gehad om afscheid van haar te nemen.'

Annie knikte, te geëmotioneerd om een woord te kunnen uitbrengen.

'Het spijt me dat ik je zo in de steek laat,' zei hij zachtjes. 'Maar Djati blijft op Savannah Winds. Hij is een goeie kerel en hij heeft beloofd dat hij voor je zal zorgen.'

Ze wilde niet zeggen dat Djati geen plaatsvervanger was, dat hij hoewel ze hem bewonderde en respecteerde vanwege de manier waarop hij tot rust gekomen was en zo veel van zichzelf in Savannah Winds stopte nooit in Sams schoenen kon staan.

Susans plagerige woorden van die ochtend spookten door haar hoofd. Nu hij wegging moest ze toegeven dat hij meer voor haar bleek te betekenen dan ze had gedacht. Ze stak hem de papieren toe en merkte dat haar handen trilden.

Hun vingers raakten elkaar en de tijd leek stil te staan terwijl ze elkaar aanstaarden, hun blikken aan elkaar gekluisterd in dat ene moment dat zich tot in de oneindigheid leek uit te strekken.

Annie voelde haar hart tekeergaan, zag de ader in zijn hals kloppen en hoorde de hese manier waarop hij ademde. Ze zag de vraag in zijn ogen. Een vraag die ze dolgraag zou willen beantwoorden. Maar ze durfde niet, want wat had dat voor zin? Hij stond op het punt weg te gaan.

Ze maakte zachtjes haar hand los uit zijn greep en probeerde helder te denken. 'Kom je ooit nog terug naar Australië?' vroeg ze bang.

'O, ja,' zei hij en hij pakte haar hand weer. 'Ik heb de plaats en de mensen – de persoon – gevonden waar en met wie ik de rest van mijn leven wil delen.'

Annie bloosde en boog haar hoofd. 'Maar je familie in Engeland dan?'

Hij nam haar gezicht in zijn handen en dwong haar hem aan te kijken. 'Jij bent nu mijn familie, Annie, en Savannah Winds is mijn thuis. Wat er ook gebeurt, ik kom bij je terug.'

Zijn vingers gingen door haar stoffige, verwarde haar en hij legde zijn hand om haar achterhoofd terwijl hij een stap dichterbij deed. 'Annie, ik hou al van je vanaf het moment dat ik je met die woeste uitdrukking op je mooie, lieve gezicht in de deuropening van de smidse zag staan en je geweer op mijn borst gericht hield.'

'Echt waar?' Annie voelde de elektrische lading van zijn aanraking, zag de boodschap van liefde in zijn onwrikbare blik. Terwijl ze nauwelijks durfde geloven dat haar dit werkelijk overkwam, deed ze een stap in zijn richting, niet in staat om weerstand te bieden aan de aantrekkingskracht van zijn omhelzing.

Zijn arm gleed om haar middel, trok haar dichter tegen zich aan terwijl hij langzaam, aarzelend zijn hoofd boog en even haar mond beroerde met zijn lippen voor hij er volledig bezit van nam.

Annie was verloren. Ze voelde de vitale kracht van zijn zoen door haar lichaam trekken en het opkomen van de lang vergeten behoefte die elk stukje van haar lijf zich aan hem deed overgeven. Zijn lippen waren veeleisend, zijn armen klemden haar tegen hem aan alsof hij haar nooit meer los wilde laten. Ze beantwoordde zijn kussen met dezelfde hartstocht, haar handen woelden door zijn woeste haardos en haar hart ging tekeer terwijl ze haar lichaam vol verlangen tegen hem aan perste.

'Ahum.'

Ze vlogen met rode gezichten en buiten adem uit elkaar.

'Sorry dat ik stoor,' zei Susan met een veel te begrijpende glimlach. 'Ik kwam even zeggen dat het jouw beurt is voor het bad, Annie.' Ze trok een wenkbrauw op. 'Al moet ik zeggen dat een koude douche meer op zijn plaats lijkt.'

'Dank je,' mompelde ze zonder haar vriendin aan te kijken. Ze voelde de hitte in haar lichaam en in haar gezicht, voelde nog steeds de lading van zijn kussen en de wervelende, heerlijke gevoelens die ze bij haar hadden opgeroepen.

Terwijl Susans gegiechel samen met haar voetstappen wegstierf, nam Sam Annies handen in de zijne. 'Het spijt me,' zei hij. 'Ik hoop dat ik je niet in moeilijkheden heb gebracht.'

Ze keek hem door haar wimpers aan en bloosde nog heviger. 'Mijn reputatie is waarschijnlijk naar de maan,' giechelde ze. 'Maar ik kan niet zeggen dat ik daarmee zit.'

Hij kuste haar beide handen en ging toen vederlicht met zijn lippen over haar wang. 'Vaarwel, Annie,' fluisterde hij. 'Blijf aan me denken tot ik terugkom.'

Annie hield hem tegen toen hij wilde weglopen. 'Ik hou ook van jou,' fluisterde ze, bijna bang om de woorden te zeggen die in haar hart weerklonken. 'Kom veilig terug.'

Hij trok haar stevig tegen zich aan en was toen zonder nog een woord te zeggen vertrokken.

Annie voelde zich verloren toen hij in de duisternis buiten de veranda verdween. 'God zij met je, Sam,' fluisterde ze door haar tranen. 'Kom gauw naar huis. Ik zal op je wachten.'

Dit is de eerste keer dat ik de kille realiteit van de oorlog ervaar en nu weet ik wat al die andere vrouwen voelen wanneer ze afscheid nemen van hun man. Ze vergieten geen tranen terwijl ze op de treinperrons en andere vertrekplaatsen staan. Ze glimlachen en zwaaien en zeggen tegen hun geliefden hoe trots ze op hen zijn. Maar nu weet ik dat ze diep vanbinnen bittere, bange tranen huilen.

Wanneer zal ik hem weerzien? Zal hij bij me terugkomen? En als dat gebeurt, zal de oorlog hem dan hebben veranderd? Voor het eerst sinds mijn jeugd neem ik mijn toevlucht tot gebed en doe God beloftes in ruil voor zijn veilige terugkeer naar mij en naar Savannah Winds.

12

Greg kwam laat in de middag bij het appartementsgebouw aan en nam de koffer in ontvangst. Hij gaf de bloemen aan de portier met de boodschap dat hij die aan zijn vrouw mocht geven. Het had weinig zin om ze te houden en de aanblik van het boeket in zijn kleine flatje zou gewoonweg te deprimerend zijn, want het zou alleen maar de nadruk leggen op de steeds wijder wordende kloof tussen Fleur en hem.

Toen hij de koffer in zijn auto had gelegd en hem openmaakte, vond hij het briefje.

Ik stuur je spullen terug, aangezien je duidelijk niet van plan bent me te vertellen wat je allemaal hebt uitgespookt sinds je bij me weg bent. Ik dacht dat je een man van eer was, maar ik heb me blijkbaar vergist. Je kunt de reservering voor het etentje afzeggen of met je vriendin gaan. Het is kennelijk je favoriete plek voor afspraakjes.

Ik neem wel contact op zodra ik terug ben.

Fleur

'Verdomme!' Hij sloeg het deksel van de kofferbak dicht, drukte op de knop voor de lift en bleef ongeduldig met zijn voet tikken tot die kwam. Hij vloekte binnensmonds terwijl de lift hem naar het penthouse bracht. Fleur was eerder thuisgekomen dan verwacht en ze moest onderweg zijn geweest naar zijn flatje, dat maar een paar deuren verwijderd was van La Rivera, en hem daar samen met Carla hebben gezien. Toen had ze twee en twee bij elkaar opgeteld en had als uitkomst tien gekregen.

'God, wat een zooitje,' kreunde hij terwijl de liftdeuren opengingen. 'Geen wonder dat ze er als een haas vandoor is gegaan en niets meer met me te maken wil hebben.'

Hij had half en half verwacht dat ze andere sloten had laten inzetten, maar zijn sleutel draaide gemakkelijk rond. Hij deed de deur achter zich dicht en leunde er tegenaan om zijn hartslag tot bedaren te brengen. Zijn gedachten gingen terug naar die avond en toen de beelden van zijn laatste etentje met Carla hem weer voor de geest kwamen, begreep hij hoe intiem het moest hebben geleken voor iemand die stond toe te kijken.

'O, Fleur, liefste,' kreunde hij. 'Je hebt het zó bij het verkeerde eind.'

Maar hoe kon hij het rechtbreien? Haar mobiele telefoon stond uit en hij had geen flauw idee hoe hij haar op Savannah Winds kon bereiken. Met dat in gedachten begon hij een langzame, grondige speurtocht tussen alle papieren en papiertjes die hij in het appartement maar kon vinden. Haar laptop was nergens te bekennen, dus hij kon haar mails niet bekijken of erachter komen of ze hem had gebruikt om haar reis te boeken. Ze moest ergens iets hebben opgeschreven, ze moest ergens een aanwijzing hebben achtergelaten waar de veefokkerij was en hoe ze er zou komen.

Hij doorzocht elke la en elk schap in de slaapkamers, liet een spoor van rommel achter en werd met de minuut wanhopiger. Hij sloeg boeken open en verzekerde zich ervan dat er niets tussen de pagina's was gestopt, doorzocht Fleurs talrijke handtassen en schoenendozen, rommelde zelfs in haar sieraden.

Hij richtte zijn aandacht op haar werkkamer, maar vond niets. De keuken met de rij kookboeken leverde ook niets op en met steeds minder hoop begon hij elk tijdschrift door te bladeren voor hij de stapels oude brieven naast de telefoon bekeek.

Hij wilde de moed al opgeven en legde de stapel gebruikte enveloppen achteloos terug op tafel. Ze vielen op de grond en hij begon ze met een zucht van ongeduld op te rapen.

Zijn hand bleef stil hangen. De verfomfaaide envelop zat onder de krabbels en tekeningetjes, maar in het midden stonden twee woorden die meerdere keren waren omcirkeld, als om hun belang te onderstrepen. 'The Curry,' mompelde hij en zijn hoop groeide. 'Ze is naar Cloncurry.'

Hij liep de kamer door, pakte een gedetailleerde kaart van Australië en spreidde die uit op het aanrecht. Cloncurry vinden was eenvoudig, want de geschiedenis ervan was onlosmakelijk verbonden met Qantas en de Flying Doctor Service die daar waren opgericht en hij herinnerde zich de lessen op school nog waarin de laatste rampzalig verlopen tocht van Burke en Wills in kaart werd gebracht.

Terwijl hij het omliggende gebied nauwkeurig bestudeerde, zag hij een klein, geel vierkantje dat aangaf dat er een boerderij was en daarnaast stond de naam Savannah Winds. Hij liet zich achterovervallen op de bank, geschokt door de kracht van zijn reactie nu hij het eindelijk had gevonden. 'Het enige wat ik nu nog hoef te doen,' zei hij ademloos, 'is een manier zien te vinden om daar te komen.'

Fleur was diep getroffen door Annies dagboek en haar dromen waren vol beelden van die ruige jongemannen die de boerderijen in de outback verlieten voor het slagveld in Europa. Net als in de Eerste Wereldoorlog hadden ze gehoor gegeven aan de oproep vanuit Engeland, maar velen van hen waren niet teruggekeerd. Fleur vroeg zich af of Sam zijn familie ooit had gevonden en of hij woord had gehouden en was teruggegaan naar Annie.

Het was nog niet eens licht toen haar wekker afging en ze haastte zich om te douchen en zich aan te kleden om klaar te zijn wanneer de taxi kwam. Een snelle kop thee en een paar koekjes was alles wat ze bij wijze van ontbijt naar binnen wist te werken voor haar koffers in de taxi werden gehesen en ze door de lege straten naar het vliegveld werd gebracht.

De vlucht vertrok op tijd, er waren minder dan veertig mensen aan boord, en de twee propellers brulden buiten voor haar raampje terwijl ze over de startbaan raceten en het luchtruim kozen. De meeste passagiers waren mannen met verweerde, gegroefde gezichten, ruwe handen en de tanige kracht van mensen die lange uren maakten in een vijandige omgeving. Ze wekten een beheerste indruk, spraken op rustige toon met elkaar of deden een dutje.

Fleur nestelde zich in haar stoel voor de tweeënhalf uur durende vlucht en probeerde niet aan Greg te denken en hoe ver ze vluchtte om hem te ontlopen.

'Verdorie, meid, wat zit hier allemaal in?' De taxichauffeur zweette terwijl hij met de koffers zeulde, ze op de achterbank zette en het portier dichtsloeg.

De hitte die op haar afkwam toen ze de aankomsthal uit liep maakte haar nu al slap. 'Potten koffie en vegemite en ladingen kinderspeelgoed,' antwoordde ze met een grijns. 'Ik ga naar Savannah Winds.'

Hij veegde zijn voorhoofd af en zette de zweetdoordrenkte Akubra weer op zijn hoofd. Hij was gekleed in een overhemd dat ongetwijfeld hagelwit was geweest toen hij het die ochtend aantrok, zijn buik hing over de band van zijn kniebroek en zijn stevige knieën waren zichtbaar boven de al stoffige kousen en stevige wandelschoenen. 'Daar zullen ze wel blij mee zijn,' zei hij terwijl hij het portier voor haar openhield. 'Ze komen niet zo vaak deze kant op.'

Fleur slaakte een zucht van genoegen toen ze de ondraaglijke hitte verruilde voor het ijskoude interieur van de taxi. Hoe waren ze erin geslaagd hier te overleven voor de airconditioning werd uitgevonden?

Hij stapte naast haar in en de taxi kreunde onder zijn gewicht toen hij het portier dichtsloeg. 'Tussen twee haakjes, Len is de naam en ik neem aan dat jij Fleur Mackenzie bent.'

Haar ogen werden groot terwijl hij haar de hand schudde. 'Hoe weet je dat in hemelsnaam?'

Hij tikte tegen de zijkant van zijn neus en grijnsde. 'Er gebeurt hier niet veel zonder dat iedereen ervan weet,' zei hij terwijl hij de Qantas-hangar, nu een monument, achter zich liet en richting stad reed. 'Bovendien komen er niet elke dag mooie jonge vrouwen naar de stad en ik hoorde dat je een kamer in de Coolabah had geboekt.'

'Niet te geloven,' mompelde ze.

'Maak je niet druk, meid,' zei hij luchtig. 'Als je hier een tijdje blijft, raak je er wel aan gewend.' Hij reed bijna stapvoets. 'Het speet me van Annie te horen,' zei hij gemoedelijk. 'Maar Djati en zijn bende doen het prima, dus het komt wel goed. Annie is uiteraard al jaren weg en ik herinner me haar alleen nog van toen ik een kleine jongen was. Een aardige vrouw. Had altijd tijd voor een praatje.'

'Hoe ver is het naar Savannah Winds?' vroeg ze terwijl ze door de verlaten straat sukkelden die breed genoeg was om een vliegtuig te laten landen.

Hij trok een gezicht. 'Ik denk dat het anderhalf dag duurt om er te komen,' mompelde hij. 'Het is een aardig eind weg en we hebben gisteravond regen gehad, dus het zou kunnen dat de kreken behoorlijk vol staan.'

Hij draaide de taxi het terrein van een leuk uitziend motel op. 'Ik hoop dat je warme kleding bij je hebt,' zei hij voor hij uitstapte en de bagage van de achterbank pakte. 'Je zult morgenavond buiten overnachten en het wordt koud genoeg om de ballen van een stier te bevriezen.'

'Ik heb een spijkerbroek, een trui en een schapenvacht bij me,' antwoordde ze met een glimlach.

Hij ging een karretje halen, laadde er de koffers op en duwde alles door de automatische deuren naar binnen. 'Heel verstandig,' zei hij en hij schoof zijn hoed naar achteren. 'Doreen zorgt verder voor je.' Hij ramde zijn dikke vuist op de bel die op de balie stond. 'Ze is waarschijnlijk achter de kippen aan het voeren,' mompelde hij. 'Het mens is zo doof als een kwartel, maar weigert dat te erkennen.'

Fleur betaalde hem en hij sjokte het motel uit en reed weg. Ze belde nog eens, zonder resultaat, dus liep ze door de achterdeur naar buiten en kwam bij een stuk akkerland en een erf. Er stonden rijen groente, een kippenren, drie geiten en een paard in een omheinde wei. Een oude hond lag buiten bij zijn kennel languit op de warme stenen van het pad. 'Hallo? Doreen?'

'Ja, liefje. Ik heb je gehoord.' Doreen was ongeveer een meter vijftig lang en ze had haar beste jaren gehad. Ze had een woeste bos oranje haar, een enorme boezem en een apart gevoel voor kleding. Ze droeg een rode top die zicht bood op haar decolleté, een paarse rok waar tamelijk dikke, gebruinde knieën onderuit staken en haar kleine voeten staken in een paar knalroze rubberlaarzen.

'Sorry,' zei Fleur, 'ik heb op de bel in de receptie gedrukt, maar Len zei...'

'Je moet niet luisteren naar wat Len zegt, schat,' zei ze terwijl ze een bos wortelen en uien tegen haar gigantische boezem drukte. 'Er is helemaal niets mis met mijn oren.' Ze glimlachte naar Fleur en haar perfecte gebit glinsterde in de zon. 'Kom mee, dan zullen we je even installeren, Fleur, en daarna kunnen we een kop thee drinken en lekker gaan kletsen. Je hebt geen idee hoe ik het mis om met een andere vrouw te praten die wat meer te vertellen heeft dan de plaatselijke roddels en de prijs van rundvlees.'

Fleur volgde haar gehoorzaam het motel in, wachtte terwijl zij de sleutel pakte en vervolgens het karretje met de koffers over het keurige door bloemen omzoomde pad naar de rij witte onderkomens reed. Er stonden bakken vol bloemen onder het rondlopende afdak dat voor schaduw zorgde voor de stoelen die buiten elke kamer stonden en de zoetgeurende bladeren van een enorme peperboom hingen over een hoek van de parkeerplaats. Felgekleurde vogels bevolkten de bomen in de buurt en ze kon de eenzame, weeklagende roep van een kraai horen.

'Ik heb je in nummer twaalf gestopt,' zei Doreen. 'Dat is een eind bij die luidruchtige bende in één en twee vandaan, maar dicht bij de eetzaal.' Ze trok een gezicht. 'Er zijn heel veel jonge knechten in de stad en ze drinken de boel droog, maar ze zullen je niet lastigvallen. Daar zorg ik wel voor.'

'Heb je veel klandizie hier?' vroeg ze. 'Je zit zo afgelegen.'

'Best wel,' antwoordde ze. 'Voornamelijk handelsreizigers en cowboys, maar er komt zo af en toe ook een verdwaalde toerist.'

Fleur zag een keurige, schone en smaakvol ingerichte kamer met een eigen badkamer, een koelkast, een broodrooster en alles wat ze nodig had om thee of koffie te zetten. Het enige wat niet helemaal op zijn plaats leek, was het enorme, ouderwetse televisietoestel in de hoek van het vertrek.

'Die moet ik wel hebben,' zei Doreen. 'De mannen kijken graag naar sport en tekenfilms, maar veel meer is er ook niet op en de ontvangst is soms belabberd, alsof je naar een sneeuwbui zit te kijken.' Ze grinnikte. 'Niet dat ik ooit sneeuw heb gezien.' Ze klemde nog steeds de groenten tegen haar borst. 'Eerst hier maar eens voor zorgen,' mompelde ze. 'Kom naar de keuken om me gezelschap te houden als je zover bent. Het is die kant op.'

Fleur knikte en slaakte een zucht terwijl ze de deur dichtdeed en de kleine figuur bedrijvig wegliep. Cloncurry was duidelijk een bron van roddels, maar de inwoners waren beslist vriendelijk, ook al waren ze geneigd je de oren van je hoofd te kletsen. Ze wist niet zeker of ze zich verheugde op de komende paar uur, of ertegenop zag.

Greg liep over van frustratie. Zijn lijst met operaties was een nachtmerrie en hoewel het hem was gelukt om verschillende, minder urgente gevallen uit te stellen en andere in handen te geven van zijn team van zeer capabele chirurgen, bleven er toch een paar over die hij zelf moest uitvoeren. Hij had zijn probleem besproken met de ziekenhuisdirecteur, die er schoorvoetend mee had ingestemd dat

Greg drie weken vakantie zou nemen zodra hij zijn huidige lijst had afgewerkt.

Het was hem gelukt om een vlucht op woensdagavond van Brisbane naar Townsville te boeken, maar hij zou te laat aankomen om de aansluitende vlucht naar Cloncurry te halen. Dat betekende dat hij in Townsville moest overnachten en dat er weer een dag verloren ging. Hij besloot een auto te huren zodra hij in die oude kopermijnstad arriveerde en de plaatselijke bevolking de weg naar Savannah Winds te vragen.

Hij was die maandag vroeg begonnen en na een hele dag in de operatiekamer en op de afdelingen was hij uitgeput. Hij zakte onderuit in zijn stoel en staarde uit het raam naar de twinkelende lichtjes van Brisbane.

Hij dacht dat Fleur onderhand wel in Cloncurry zou zijn en waarschijnlijk al op weg naar de boerderij. Hij had een flauw vermoeden van de manier waarop hij zou worden ontvangen, maar hij was vastbesloten ervoor te zorgen dat ze hem zou aanhoren, vastbesloten haar ervan te overtuigen dat ze het bij het verkeerde eind had en haar ervan te verzekeren dat zij de enige vrouw was die hij wilde. Dat hij om te beginnen stom was geweest om het risico te nemen haar te verliezen.

'Hoi, Greg. Stoor ik?'

Hij glimlachte flauw. 'Kom binnen, Carla. Neem een kop koffie. Het is net gezet.'

'Ik blijf niet lang, het is al laat en ik wil helpen de kinderen in bed te stoppen.' Ze kwam het kantoor binnen en ging op de hoek van zijn bureau zitten. 'Je ziet er bezorgd uit,' zei ze nadat ze hem een tijdje zwijgend had bestudeerd. 'Wil je erover praten?'

'Fleur denkt dat we een verhouding hebben,' zei hij ronduit.

'O, mijn god, nee toch?' Ze sloeg een hand voor haar mond en haar ogen waren groot van afschuw. 'Dat is vreselijk. Hoe komt ze daar nou bij?'

'Ze moet ons in de bistro hebben gezien.' Hij wreef met zijn handen over zijn gezicht en vertelde verder. 'Nu is ze ervandoor; ze weigert met me te praten en ik moet hier blijven tot ik alle operaties heb afgewerkt voor ik naar haar toe kan.'

'Dat spijt me zo, Greg.'

Hij zag oprechte bezorgdheid in haar blik. 'Mij ook,' zei hij met een meelijwekkende zucht. 'Maar ik heb een heel belangrijke les geleerd. Ik hou van mijn vrouw en ik wil haar terug. En ik zal haar met liefde kinderen geven als dat betekent dat ze bij me blijft.' Zijn stem werd zachter terwijl hij zijn hoofd boog. 'En ik wil dat ze bij me blijft, Carla. Echt waar.'

'Je moet die kinderen zelf wel willen,' maande ze. 'Ben je echt klaar om die stap te nemen?'

Hij keek haar vastberaden aan. 'Meer dan klaar.'

'Dan zit mijn werk erop.' Ze glimlachte terwijl ze zich van het bureau liet glijden. 'Veel geluk, Greg. Ik hoop dat alles goed voor je uitpakt.'

Carla liep het kantoor uit. Er blonken verraderlijke tranen in haar ogen toen ze de deur achter zich dichtdeed en een einde maakte aan iets wat nooit de kans had gehad om te beginnen.

Het was heel gemakkelijk gebleken om met Doreen te praten en de middag was voorbijgevlogen. Fleur was zich ervan bewust dat alles wat ze zei snel zou worden doorverteld, dus ze was op haar hoede. Doreen kon goed luisteren was en een expert in het lospeuteren van de kleinste details en ze vreesde dat ze Greg had afgeschilderd als een vreselijke schoft. Omdat Greg hier nooit zou komen, of Doreen zou ontmoeten, deed het er niet echt toe.

De avond was gevallen en de temperatuur begon te dalen. De knechten hadden hun vleespasteien, bergen aardappelpuree en groenten al op en waren naar de kroeg. Fleur zat met Doreen in de huiselijke keuken.

'Kijk hier eens, schat,' zei ze terwijl ze een bord met verse salade en een plak ham op tafel zette. 'Weet je zeker dat je geen gebakken aardappelen wilt of brood met boter? Je bent veel te mager.'

Fleur keek naar de dikke, met vet doorregen plak ham die minstens de helft van haar bord in beslag nam en wist zeker dat ze het nooit allemaal op zou krijgen. 'Dit is meer dan genoeg. Ik kan niet zo veel eten met deze hitte.'

'Ik kan niet zeggen dat ik daar last van heb,' zei Doreen en ze sloeg haar armen over elkaar onder haar omvangrijke boezem terwijl ze tegenover haar ging zitten. 'Aan de andere kant, ik ben hier geboren, dus ik ben eraan gewend.'

Fleur begon van de overheerlijke salade te eten die zij die middag geholpen had te plukken. De sla was knapperig, de tomaten zoet en de radijs en de uien hadden een scherpte die je nooit vond in een salade uit de winkel. 'Je moet dan wel een heleboel mensen uit de omgeving kennen,' zei ze behoedzaam.

'Is ook zo. Ze komen van de fokkerijen naar de stad, meestal voor de races of voor een of ander feest en als ik ze al niet van gezicht ken, dan houdt het plaatselijke roddelcircuit me wel op de hoogte van wat ze allemaal uitspoken.' Ze grijnsde. 'Voor een stadje in de rimboe met meer krokodillen en vee dan mensen is dit niet echt een grote gemeenschap.'

'Ik neem aan dat je de familie Daley weleens tegen het lijf bent gelopen,' vroeg ze gemaakt nonchalant.

Doreens ogen begonnen te schitteren. 'Reken maar,' antwoordde ze. 'Jack en Martha hebben hun eigen vliegtuig en komen vaak voor een paar dagen over. Ik heb met Martha op school gezeten, dus dat is altijd een mooie gelegenheid om bij te praten en samen een bioscoopje te pikken.' Ze hield haar hoofd schuin en keek haar doordringend aan. 'Hoe ken jij de Daleys?'

'Ik ken Selina van lang geleden,' mompelde ze en ze durfde de andere vrouw niet aan te kijken.

'O.' De heldere ogen bleven haar strak, maar nadenkend aankijken. 'Ze was de oudere zus van Jack. Arme meid, zo triest. Haar ouders, Sue en Ted, zijn nooit over wat er met haar is gebeurd heen gekomen. Ze geloven dat Sue aan een gebroken hart is gestorven en Ted is daarna nooit meer de oude geweest. Hij is een paar maanden na Sue overleden. Het was allemaal heel erg verdrietig.'

'Het moet vreselijk moeilijk zijn om over de zelfmoord van je dochter heen te komen,' zei Fleur die haar best deed de onderzoekende blik te ontlopen. 'Ik neem aan dat ze ergens in de buurt van de boerderij is begraven? Hoe heet die ook al weer? Dat vergeet ik steeds.'

Doreen fronste haar voorhoofd en haar ogen schitterden fel. 'Emerald Downs,' antwoordde ze, 'en ja, Selina is op de familiebegraafplaats bij de boerderij begraven. De kerk wilde haar niet in gewijde grond begraven vanwege de manier waarop ze is gestorven. Ze had een hele fles pillen ingenomen en haar ouders vonden haar pas toen het te laat was.' Ze slaakte een diepe zucht. 'Sue en Ted hebben ervoor gekozen om naast haar te worden begraven.'

Fleur kauwde op de ham en had moeite met slikken toen ze eraan dacht hoe radeloos haar moeder moest zijn geweest om zoiets te doen.

'Wat er met dat arme meisje is gebeurd was een grof schandaal,' zei Doreen zacht, 'maar als je Selina hebt gekend, moet je toch weten wat haar zenuwinzinking heeft veroorzaakt?'

Fleur wou dat ze het gesprek niet was begonnen. Ze hield haar blik strak op haar bord gericht toen haar ogen zich vulden met tranen. 'Ik weet dat Annie haar peetmoeder was en dat ze haar heeft geholpen toen ze vanuit Brisbane hiernaartoe vluchtte. Maar Selina's echtgenoot heeft haar gevonden en de baby meegenomen. Ik geloof niet dat ze haar ooit nog heeft teruggezien.'

'Dat was meer dan dertig jaar geleden,' zei Doreen. 'Hoe kan het dat jij daar zo veel van weet? Je moet zelf nog een baby zijn geweest.'

Terwijl Fleur een antwoord probeerde te bedenken dat haar tevreden zou stellen, ging Doreen plotseling rechtovereind zitten en slaakte een kreet van herkenning. 'O, hemel, jij bent die baby, natuurlijk! Nu snap ik het. Geen wonder dat Annie jou Savannah Winds heeft nagelaten.'

Fleur liet haar bord voor wat het was en schoof het aan de kant.

'Ik zie nu de gelijkenis. Ik wíst dat je me aan iemand deed denken,' ging Doreen onstuitbaar verder. 'Je hebt iets van Selina in de manier waarop je kijkt en in de trekken rond je mond.' Ze vouwde haar dikke vingers op tafel in elkaar en haar gezicht straalde van opwinding. 'O, hemel,' zei ze opnieuw. 'Ik had niet gedacht dat ik de dag nog zou beleven dat je weer thuiskwam.'

Fleur vocht met de emoties die haar dreigden te overmannen. 'Dus je herinnert je haar nog? Wat was ze voor iemand?'

'Ze was een paar jaar jonger dan ik en heel knap, met lang zwart haar en fantastische, groene ogen. Ze was altijd rusteloos, wilde meer dan het leven op een veeboerderij haar kon bieden. Ze ging aan de kust op school, net als wij allemaal, en toen ze eenmaal van het stadsleven had geproefd, kon ze niet meer terug.'

'Dus ze was een knappe, jonge vrouw met ambities,' zei Fleur zacht.

Doreen knikte. 'Ze was twee jaar achter elkaar Miss Cloncurry en zo'n beetje de beste ruiter en paardenverzorgster in de wijde omtrek. Ze werd een keer verkozen tot rodeokoningin. Alle jongens zaten achter haar aan en ze flirtte graag, maar ze was niet echt in ze geïnteresseerd. Ze was vastbesloten een stadsjongen aan de haak te slaan.'

Fleur deed er het zwijgen toe en Doreen slaakte een diepe zucht. 'En dat werd haar ondergang,' zei ze verdrietig. 'Annie gaf haar het adres van haar broer en ze was net klaar met school of ze ging naar Brisbane om werk te zoeken.'

'En ontmoette daar mijn vader,' zei Fleur zuur.

Doreen knikte. 'Dat was een zwarte dag. Annie was geschokt en ze voelde zich verantwoordelijk omdat ze hen bij elkaar had gebracht. Maar hoe had ze kunnen weten dat zo'n jong meisje voor een man zou vallen die oud genoeg was om haar vader te zijn? En nog getrouwd ook, met een ziekelijke vrouw en twee kinderen, maar dat leek haar niets te kunnen schelen.'

'Haar ouders moeten toch wel geprobeerd hebben haar op andere gedachten te brengen?'

'Sue en Ted hebben inderdaad geprobeerd het haar uit het hoofd te praten, net als Annie, maar Selina wou niet luisteren. Don Franklin had haar het hoofd op hol gebracht en ze keek niet verder dan zijn geld en zijn status. Ze trouwde tegen alle adviezen in binnen een jaar nadat zijn vrouw was overleden met hem. Dat was allemaal wat overhaast en toen werd jij zes maanden na de bruiloft geboren. Nou ja...'

'Denk je dat de familie het goed zal vinden als ik haar graf bezoek?' vroeg ze aarzelend. 'Ik wil geen moeilijkheden veroorzaken,' voegde ze er haastig aan toe, 'maar ik wil haar graag eer bewijzen.'

'Natuurlijk vinden ze dat goed,' antwoordde ze. 'Het is zoiets als het verloren schaap dat terugkomt bij de kudde.' Ze depte haar vochtige ogen. 'O hemel, ik ben behoorlijk geëmotioneerd.'

'Ik ook,' zei Fleur met trillende stem. 'Stom, hè?'

Doreen slikte haar tranen weg en keek op haar horloge. 'Het is aan de late kant om nu nog te bellen, maar ik zal Martha morgenochtend bellen en het haar vertellen. Ze zal wel contact met je opnemen als je eenmaal op Savannah Winds zit.'

'Dat is echt heel aardig van je, Doreen,' mompelde Fleur. 'Heel hartelijk bedankt.'

'Dat stelt niets voor, schat,' antwoordde ze en wuifde met haar zakdoek. 'Blij dat ik kan helpen. Ieder kind heeft recht op de waarheid en ik ben alleen maar blij dat je dat hele eind hiernaartoe bent gekomen om in het reine te komen met je moeder.' Ze snoot haar neus en haar blik werd waakzaam. 'Weet je vader dat je hier bent?'

'Ik neem aan dat hij dat inmiddels wel heeft geraden,' zei ze. 'We kunnen niet zo goed met elkaar overweg.' Ze wilde het gesprek weer op haar moeder brengen. 'Wat kun je me nog meer over Selina vertellen?'

Doreen dacht na. 'Ze was eerlijk gezegd een kind van de jaren zestig, verliefd op het leven en op de vrijheid om te doen en te laten wat ze wilde. Dat is waarschijnlijk de reden dat ze je Fleur heeft genoemd. Je bent geboren in de tijd dat flowerpower de wereld overspoelde.' Ze zweeg, diep in gedachten. 'Ik moet ergens een foto van haar hebben,' zei ze ten slotte.

'Mag ik die zien?'

'Natuurlijk, als ik hem kan vinden,' antwoordde ze. 'Wil je dat ik hem nu ga zoeken?'

'Alsjeblieft.' Fleur hoorde de ondertoon van vertwijfeling in haar eigen stem en toverde een aarzelende glimlach tevoorschijn. 'Ik kan je wel helpen zoeken als je wilt. Ik heb helemaal niets van haar, weet je. Pap heeft alles verbrand wat ze had achtergelaten en het was verboden haar naam te noemen.'

'Oké, kom op dan.' Doreen werd weer zakelijk en stommelde de keuken uit naar de zitkamer vol kant en tierelantijnen. 'Pak jij die fotoalbums van de boekenplank en leg ze op een stapel op tafel. Daarna moet je me helpen die oude koffer van onder het bed te slepen. Ik vermoed dat daar ook wat oude kiekjes in verstopt zitten.'

De koffer stond geopend in het midden van de kamer en Doreen begon in haar verleden te rommelen. Ze haalde een vergeelde trouwjurk tevoorschijn, babykleding en speelgoed, gedeukte hoeden, versleten leren schoenen en tassen en ouderwetse katoenen jurken die haar nooit meer zouden passen. Oude geboortekaartjes en kindertekeningen werden bij de stapel op de vloer gevoegd, samen met schoolboeken en verbleekte rozetten van gymwedstrijden en rodeo's.

Ze pakte de paar zwart-witfoto's die onderin lagen en keek ze snel even door. 'Dit is niet veel,' mompelde ze. 'Ik weet niet waarom ik dit allemaal heb bewaard – het meeste is rijp voor de vuilnisbak.'

'Maar er zitten toch wel herinneringen aan vast, of niet?'

Doreen trok een gezicht en sloeg het deksel dicht. 'Dat klopt en geen ervan biedt me veel troost,' antwoordde ze zuur. 'Mijn man is ervandoor gegaan met een andere vrouw en mijn kinderen en kleinkinderen zitten overal en nergens. Ik zie ze soms een heel jaar niet en ze bellen maar zelden.'

Ze boog zich over de stapel fotoalbums op tafel en begon ze op jaartal te rangschikken. 'Dit stelletje is te recent, dus het heeft geen zin ze te bekijken,' zei ze binnensmonds en ze legde de helft opzij.

Fleur ging naast haar op de bank zitten terwijl ze langzaam de pagina's omsloeg waarop een veel slankere en jongere Doreen in de camera glimlachte. Van een baby op een schapenvacht via een stralende jonge bruid naar een jonge moeder met een baby op haar arm en een peuter aan haar rokken. De vroege jaren waren ruimschoots vastgelegd.

'Op deze ben je heel knap,' mompelde ze toen er een pagina verscheen met een lachende jonge vrouw op een paard.

'Dat was ik toen ook,' zei ze met een zucht. 'Oud worden is een vreselijke straf,' voegde ze er treurig aan toe, 'maar ik denk dat het alternatief nog veel minder leuk is, dus ik doe het er maar mee en probeer niet te denken aan hoe het is geweest.'

Haar gezicht lichtte op toen ze een pagina omsloeg en met een dikke vinger naar een van de foto's wees. 'Daar is ze,' riep ze uit. 'Ik wist dat hij ergens zat. Dit was op Selina's zestiende verjaardag en haar vader heeft de foto vlak voor haar feestje gemaakt.'

Fleur nam met trillende handen het album over. Ze zag een donkerharige schoonheid die heel sereen naar de camera glimlachte terwijl ze naast Doreen op een veranda stond. Ze was een stuk langer dan Doreen, haar donkere haar had een scheiding aan de zijkant en viel in golven op haar schouder. Ze was slank en droeg een jurk met een boothals. De jurk was om het middel ingesnoerd met een brede witte riem en de wijdvallende rok toonde een zee van petticoats en fraai gevormde benen.

Fleur kreeg tranen in haar ogen terwijl ze met haar vingers over de foto ging. Dit was haar moeder. Dit was de vrouw die zo veel van haar had gehouden dat ze zich liever van het leven beroofde dan zonder haar verder te moeten. Het jonge meisje, dat binnen een paar jaar het slachtoffer zou worden van Don Franklins verachtelijke verraad.

Fleur kon haar tranen niet langer bedwingen toen ze in ogen keek waarvan ze zeker wist dat die ooit vol liefde naar haar hadden gekeken.

Doreen schraapte haar keel. 'Je mag hem wel houden, als je wilt,' zei ze schor.

'Dank je,' fluisterde ze. Met de kostbare foto tegen haar hart gedrukt nam ze afscheid en ging er haastig vandoor. Ze wilde alleen zijn met haar moeder. Ze wilde naar de foto staren en het wezen van de vrouw in zich opnemen voor wie ze te jong was geweest om zich haar te kunnen herinneren.

Die nacht droomde ze van zachte armen die haar omhelsden, van een zoet parfum dat ze niet kon thuisbrengen en het met de stem van een jonge vrouw zacht gezongen wiegeliedje dat haar in een diepe en rustgevende slaap bracht.

13

Fleur had wonderbaarlijk goed geslapen en nu, eenmaal gedoucht en aangekleed, verheugde ze zich op het ontbijt. Ze pakte haar handtas en vest en stapte naar buiten, de relatief koele lucht van de vroege ochtend in. Ze werd begroet door het gekwetter en gefluit van de vogels in de peperboom.

Ze had 's nachts helemaal niets gehoord, maar drie pick-uptrucks stonden slordig geparkeerd voor de nummers één en twee en bij de deur stonden twee kratten lege bierflessen. De boerenknechts waren ongetwijfeld bezig hun roes uit te slapen.

'Goedemorgen, schat,' zei Doreen met een stralende glimlach toen Fleur de keuken binnen kwam. 'Ik heb een stevig ontbijt voor je klaargemaakt om de dag mee door te komen.' Ze zette een enorm bord met gebakken eieren, spek, witte bonen, tomaten en champignons voor haar neer. 'En netjes je bord leegeten, hoor,' commandeerde ze bazig. 'Het zit me helemaal niet lekker dat je zo mager bent.'

Fleur viel er tot haar eigen verbazing op aan en zag kans vrijwel alles, behalve de bonen, op te eten. 'Dat was verrukkelijk,' zei ze met een grijns terwijl ze op haar maag klopte. 'Mijn korte broek zat al strak, maar het voelt nu aan alsof hij een paar maten te klein is.'

Doreen snoof en smeerde zo veel boter op haar toast dat er tandafdrukken achterbleven toen ze erin beet. Ze kauwde en slikte en nam een grote slok thee. 'Je moet als je aan je dag begint een goed ontbijt in je maag hebben,' zei ze genoeglijk. 'Jullie stadsmeisjes zorgen niet fatsoenlijk voor jezelf.'

Fleur besloot dat het tijd was om van onderwerp te veranderen. 'Heb je al kans gezien Martha Daley te spreken te krijgen?'

Doreen schudde het hoofd. 'Ik kon alleen de bedrijfsleider te pakken krijgen. Ze zijn een paar dagen weg, dus heb ik een boodschap achtergelaten dat Martha me meteen moet bellen als ze terug zijn.' Ze veegde haar mond af aan een servet en nam haar mok thee in beide handen. 'Maak je niet druk, schat. Je hoort snel genoeg van haar.'

De roffel op de deur deed hen allebei schrikken. Ze draaiden zich om en keken naar het profiel van een grote man dat zichtbaar was door het geslepen glas.

'Blijf daar niet zo staan, Djati Wishbone,' gilde Doreen vrolijk. 'Je verpest het uitzicht hier.'

Hij was lang, had een lichte huidskleur en bruine ogen. Het staalgrijze haar boven het knappe, maar verweerde gezicht was keurig geknipt. Zijn tanige figuur wekte een soepele en krachtige indruk, wat nog eens benadrukt werd door de gespierde onderarmen en grote handen. Voor een man die net zijn tachtigste verjaardag had gevierd, zag hij er gezond en energiek uit.

Hij moest zijn hoed afnemen en zijn hoofd buigen om door de deur te kunnen. 'Môgge, Doreen,' zei hij met een diepe bromstem terwijl hij een blik in Fleurs richting wierp. 'Aangenaam kennis te maken, mevrouw Mackenzie.'

Haar hand verdween in zijn stevige handdruk terwijl ze elkaar begroetten. 'Noem me alsjeblieft Fleur, Djati,' zei ze.

'Ga zitten, Djati,' commandeerde Doreen. 'Je gaat hier niet weg zonder mijn beroemde ontbijt.'

Hij grinnikte. 'Dat was ik ook helemaal niet van plan,' zei hij met een knipoog naar Fleur. 'Jouw ontbijt is legendarisch en aangezien ik sinds gistermorgen op pad ben, heb ik een behoorlijke trek.'

'Een ogenblikje dan.' Doreen bond een schort om haar niet onaanzienlijke middel en ging aan de slag.

'Als je al zo lang onderweg bent, wil je dan niet eerst uitrusten en wat slaap inhalen voor we teruggaan?'

Hij grijnsde en schudde zijn hoofd. 'Ik heb vannacht gekampeerd en ik slaap dan altijd als een roos. Als ik een ontbijt binnen heb, ben ik weer tiptop in orde.' Hij keek haar nadenkend aan. 'De laatste keer dat ik je heb gezien, was je nog maar een kleine baby,' mompelde hij. 'Je lijkt heel erg op je ma, voor zover ik het me kan herinneren.'

Fleur glimlachte. 'Daar ben ik ook achter,' zei ze zacht en ze begon uit te leggen hoe behulpzaam Doreen de avond ervoor was geweest.

Ze zaten over Annie, Selina en Savannah Winds te praten terwijl hij zich door de berg eten werkte die Doreen voor hem had neergezet. Na verloop van tijd schoof hij voldaan zijn bord van zich af en dronk het laatste restje van zijn thee. 'Dat was super, Doreen. Het zal Sal spijten dat ze dit is misgelopen.'

'Hoe gaat het met Sal? Ik heb gehoord dat ze last had van haar knie?'

'Het gaat goed. De dokter zegt dat ze binnenkort een nieuwe moet hebben, maar ze redt het uitstekend. Ze wilde meekomen, maar toen begonnen de achterkleinkinderen te protesteren dat ze ook mee wilden, dus toen besloot ik dat het eenvoudiger was om maar in m'n eentje te gaan.'

Fleur luisterde terwijl ze kletsten en paste de stukjes in elkaar die ze uit Annies dagboeken te weten was gekomen. Djati was duidelijk met Benuks kordate kleindochter getrouwd en hij was zo te zien een tevreden mens. Wat fijn dat ze hem nu eindelijk ontmoette en wat fijn om te weten dat de haveloze, terneergeslagen jongeman die al die jaren geleden bij Annie op de stoep had gestaan het zover had geschopt.

'We moesten maar eens gaan,' zei hij ten slotte. 'Wat ben ik je schuldig, Doreen?'

'Voor mijn rekening,' zei Fleur snel en voor hij kon protesteren overhandigde ze een bedrag dat genoeg was voor haar logies en eten en zijn ontbijt. 'Mooi,' zei ze terwijl ze de ijszakken pakte die Doreen die nacht voor haar had laten bevriezen. 'Ik heb genoeg spullen voor je familie gekocht om een winkel mee te vullen, dus er staan twee zware koffers in mijn kamer. Als dit in de koeltassen zit, ben ik klaar om te vertrekken.'

Het ijs werd om het snoep en de make-up in de koeltassen gepakt. Djati zette de koffers achter in de pick-up die zo onder het rode stof zat dat nauwelijks was te zien welke kleur hij oorspronkelijk had gehad.

Fleur wendde zich tot Doreen die bij de pick-up stond en werd bijna gesmoord in een innige omhelzing. 'Bedankt voor alles,' zei ze zacht terwijl ze de tranen weer voelde prikken.

'Dat zit wel goed, schat. Beloof me alleen dat je even aanwipt wanneer je teruggaat naar die grote stad van je.' Ze nam Fleurs gezicht in haar zachte, dikke handjes. 'Het was leuk je te ontmoeten,' mompelde ze terwijl haar ogen schitterden van niet-vergoten tranen. 'Het was net of Selina weer thuisgekomen was.'

Fleur knipperde heftig met haar ogen, stapte in de truck en liet zich op het gebarsten leer van de bank vallen. De auto rook naar hond, leer en metaal en de vloer lag bezaaid met oude tijdschriften, snoepwikkels en, vreemd genoeg, een heel erg versleten en vuile broek die Djati haastig onder de bank schoof.

'Klaar?' Djati keek haar met een begrijpende glimlach aan.

'Klaar,' zei ze vastberaden.

'Savannah Winds, we komen eraan.' De pick-up reed het erf van het motel af en Fleur zwaaide naar de kleine figuur die nu op de weg stond. De vriendelijkheid van vreemden bleef haar verbazen en het geschenk dat Doreen haar had gegeven was onbetaalbaar.

Ze hadden Cloncurry in een wolk van stof ver achter zich gelaten en reden over de Matilda Highway naar het Burke en Wills Wegrestaurant waar ze stopten voor een heel late lunch. Het restaurant lag op de kruising met de smalle noordoostelijke weg die door Normanton en Karumba naar de kust liep en met een veel smallere weg in westelijke richting, die volgens Djati naar het nationale park Lawn Hill voerde en verder eigenlijk nergens heen.

'Vanaf hier wordt het leuk,' zei hij opgewekt en hij boog scherp af van de hoofdweg. Hij sloeg een nauwelijks waarneembaar spoor in dat door een wildernis vol weelderig gras en slanke bomen leek te slingeren die doorkruist werd door ontelbare rivieren en kreken. 'Het heeft nogal geregend. Dat is ongebruikelijk in deze tijd van het jaar, maar de weg is begaanbaar.'

De zon brandde op de voorruit en het werd ondraaglijk heet in de cabine. Fleur en Djati hadden allebei het portierraam opengedraaid om ieder zuchtje wind op te vangen, want de airconditioning had het al lang geleden begeven.

Hoog gras stond te wuiven op de oevers van de riviertjes en Fleur staarde vol ontzag naar de uitgestrekte savanne die zich langzaam ontvouwde. Ze keek een beetje angstig omlaag wanneer ze kreken vol rotsblokken en snelstromende rivieren doorkruisten. Als ze hier pech kregen, zou niemand dat weten en dan zouden ze dagen, misschien zelfs weken, vast komen te zitten. En dit was krokodillenterrein.

Het was alsof Djati haar gedachten had gelezen. 'Ik heb allerlei reserveonderdelen bij me,' zei hij met zijn zware stem die haar angst wegnam. 'En ik heb ook een radiozender en ontvanger. Binnen een paar uur kan er iemand bij ons zijn.'

'En ik heb mijn mobieltje,' zei ze. 'Dat kunnen we ook gebruiken.'

Hij schudde zijn hoofd. 'Daar heb je hier niets aan. Geen ontvangst.'

Fleur dacht aan de laptop in haar bagage en vroeg zich af of dat de enige manier was waarop haar familie in geval van nood met haar in contact kon komen. 'Ik neem aan dat jullie afhankelijk zijn van computers om contact te onderhouden met de buitenwereld?'

Hij lachte. 'Dat werkt ook niet,' zei hij. 'We hebben de telefoon en de radio. De technologie is in dit deel van Australië nog niet doorgedrongen.' Hij keek met een meelevende blik in haar richting. 'Ik weet dat jullie stadsmensen denken dat je niet kunt overleven zonder jullie mobiele telefoons en jullie computers, maar je went snel genoeg aan hoe het er hier aan toe gaat.'

Ze reisden verder in een gemoedelijke stilte die alleen werd doorbroken wanneer Fleur een vraag stelde of Djati haar iets aanwees. Drie uur later, toen het al een beetje begon te schemeren, zag Fleur plotseling iets schitteren aan de hemel.

'Wat is dat?'

Hij tuurde door de smerige voorruit. 'Sprinkhanenplaag,' zei hij grimmig.

'Maar ze zijn zo mooi,' riep ze uit terwijl de glinsterende, dansende wolk dichterbij kwam. 'Het is net alsof het lovertjes regent.'

'Ze zijn echt een plaag,' mompelde hij. 'Zo'n zwerm vreet binnen een paar uur hele hectares kaal. Doe je raampje dicht. Ze komen eraan.' Hij ging bijna stapvoets rijden terwijl de hemel verduisterde en de zwerm hen insloot.

Fleur draaide haar raampje omhoog terwijl de eerste sprinkhanen met een ziekmakende klap de voorruit raakten. De leerachtige lijven roffelden op de carrosserie van de truck en Fleur deinsde achteruit toen ze zich opstapelden tegen de voorruit, fladderend met hun zilveren vleugels terwijl hun pootjes en voelsprieten heen en weer bewogen in hun doodstrijd. Ze had zich niet gerealiseerd hoe groot ze waren. Sommige moesten meer dan vierenhalve centimeter lang zijn.

Djati zette de ruitenwissers in de hoogste stand en al snel was de voorruit bedekt met hun troep.

Fleur kon het niet langer aanzien, dus deed ze haar ogen dicht tot het geroffel ophield en de hemel weer lichter werd. 'Dat was smerig,' zei ze huiverend.

'Moet je eens buiten zijn als ze komen,' antwoordde hij. 'Ze vliegen recht op je af, want ze lijken niets anders te zien dan het gras of het nieuwe graan en ze knallen op alles wat er in hun baan komt.' Hij drukte het gaspedaal in en de truck begon weer sneller te rijden.

'Waarom zwermen ze zo?'

'Dat komt door het weer. We hebben regen gehad, maar ook een hete, droge periode, en dat zijn perfecte omstandigheden voor jonge sprinkhanen om te gaan paren en zwermen. Ik hoop niet dat ze al ons gras voor de nieuwe kalveren hebben opgegeten. Het is duur om voer te moeten kopen.'

Fleur besefte dat ze nog veel te leren had als ze deze uitgestrekte, afgelegen streek wilde leren kennen en haar bewondering voor Annie nam nog verder toe.

Djati bracht eindelijk de pick-up tot stilstand en zette de motor uit. 'We moeten stoppen voor de nacht,' zei hij. 'Het is gevaarlijk om in het donker te rijden.'

Fleur keek argwanend om zich heen terwijl ze uit de pick-up klauterde. Ze stonden op een lage heuvel bij een stroompje. Er groeide niet veel gras, maar er stonden wel dichte groepen mulgabomen, de hogere en elegantere gidgees met hun afhangende, brede kruinen en de slanke ironwoods met takken met hangende groengrijze bladeren. 'Hoe zit het met slangen en krokodillen?'

'Er kan je niets gebeuren,' zei hij. 'Ik maak een bed voor je in de pick-up.'

'En jij dan?'

'Ik slaap in de laadbak.' Hij liep naar de achterkant van de auto die vol stond met Fleurs koffers, reservebanden, jerrycans met water en brandstof, touwen, schoppen en zo'n beetje alles wat ze in geval van nood nodig zouden kunnen hebben. Hij trok het dekzeil eraf en was daarmee het grootste deel van sprinkhanenlijven kwijt. Toch moest hij nog een hele berg uit de laadbak scheppen. 'Ik heb geen zin om hiermee het bed te delen,' zei hij en hij trok een vies gezicht.

Nadat hij de sprinkhanen had verwijderd en alles tot zijn tevredenheid had opgestapeld, rolde hij een slaapzak uit en pakte een kussen en een extra deken voor hij een muskietennet vastmaakte. Er was nog een dikke slaapzak voor Fleur, een kussen en twee dekens die hij over de bank in de cabine van de pick-up uitspreidde.

'Laat je niet verleiden om het raam open te zetten,' waarschuwde hij. 'Je wordt levend opgevreten door de muggen.' Hij liet zijn blik gaan over haar korte broek, korte T-shirt en sandalen. 'Het wordt koud zodra de zon eenmaal onder is. Ik hoop dat je warme kleren en stevige schoenen bij je hebt.'

Ze kon de kilte in de lucht al voelen terwijl de zon achter de horizon verdween en haalde een trui en een spijkerbroek uit haar tas. Ze kleedde zich om, trok dikke sokken aan en maakte haar wandelschoenen dicht terwijl Djati hout sprokkelde voor een vuur. Dat brandde al snel hoog en ze gingen ernaast zitten terwijl het water en de hachee in de twee kampeerpannetjes warm werden en het ongezuurde brood bruin werd in de sintels.

Fleur merkte dat ze uitgehongerd was en viel vol overgave aan op de overheerlijke hachee van schapenvlees en het brood. Toen ze de laatste jus met een stuk brood van haar bord depte, zag ze dat Djati geamuseerd zat te glimlachen. 'Dat komt door de buitenlucht,' verklaarde ze met haar mond vol. 'Daar krijg ik altijd honger van.'

'Ik ook.' Hij pakte de borden en waste ze in de rivier af terwijl Fleur thee zette. Ze had bij de padvinderij geleerd hoe ze echte bushthee moest zetten en ze was er vreselijk trots op dat ze Djati kon laten zien dat ze niet een volslagen stomme stadsmeid was.

Ze keken vervolgens naar de wegstervende vlammen en naar de sterren die boven hen verschenen. Het was een adembenemend schouwspel. De weidse boog van de Melkweg omspande de hemel, Orion schitterde in de verte en de maan wierp een gouden gloed over de omringende bomen en struiken.

'Benuk nam me 's nachts vaak samen met zijn kleinzoons mee en dan kampeerden we. We maakten na de jacht een vuur en hij vertelde ons de verhalen die bij de sterren hoorden,' zei Djati met zijn zware en melodieuze stem. 'Ik had daarvoor nooit echt naar boven gekeken, had nooit eerder nagedacht over zaken als sterren en wat ze voor mijn volk konden hebben betekend. Ik had het veel te druk met overleven.'

'Ik heb jouw verhaal in Annies dagboeken gelezen,' zei Fleur zacht. 'Ze zei dat Benuk je onder zijn hoede had genomen toen je op Savannah Winds kwam.'

Zijn bruine ogen glansden terwijl hij in de vlammen staarde, zijn haar schitterde zilverachtig en de lijnen in zijn gezicht waren scherp afgetekend. 'Hij was dan van een andere stam – ik had geen idee hoe die van mij heette of waar hun jachtgebied was – maar hij was de vader die ik nooit heb gehad,' bevestigde hij. 'Zonder hem had ik nooit de gewoontes van ons volk gekend of dat we het land moeten teruggeven wat we ervan genomen hebben.'

Hij keek naar de sterren en wees. 'De Grote Witte Weg is de weg waarlangs degenen reizen die de aarde hebben verlaten. Benuk is daarboven, samen met Annie. Ze waken over ons. En elke ster die je ziet is een ziel die in de Grote Kano is meegenomen door de Grote Vader.'

Hij zweeg terwijl hij toekeek hoe een vallende ster langs de hemel schoot. 'Ik vind troost in de gedachte dat ik ooit op een dag mijn vader en moeder weer zal zien, dat ik weer met Benuk op jacht ga en over Savannah Winds waak tot het Grote Ontwaken, wanneer alle zielen terugkeren op aarde.'

Fleur voelde een brok in haar keel terwijl ze naar de sterren keek en naar zijn zware, melodieuze stem luisterde. Het was een heerlijke gedachte en een die troost bracht, want als Annie en haar moeder inderdaad over haar waakten, dan had ze weinig te vrezen.

Ze had uitstekend geslapen, ondanks de beperkte ruimte in de pick-up en de vreemde geluiden die gedurende de nacht uit de savanne klonken. Ze lag in de slaapzak en keek door het smerige raam naar een hemel die zacht lila van kleur was met slierten grijsroze mist die van het grasland opstegen als hemelse sluiers. De opkomende zon was een rode bol die langzaam boven de horizon uitsteeg.

Ze ritste de slaapzak open en worstelde om eruit te komen voor ze uit de pick-up klauterde. Terwijl ze dat deed, draaide ze zich abrupt om toen ze het klapperen van vleugels hoorde. Ze keek vol bewondering hoe een vlucht sierlijke, grijze Brolga-kraanvogels opsteeg van de savanne en voor de prachtig roze zon langs vloog. Het was net een schitterende Japanse schildering.

'Nogal een schouwspel, hè?' Djati was al bezig ontbijt te maken op een primus.

'Ik kan niet geloven dat ik mijn camera in mijn koffer heb gelaten,' mopperde ze. 'Wat vreselijk om zoiets te missen.'

'Maak je niet druk,' antwoordde hij. 'Je zult er nog volop tegenkomen. De rivieren zitten rond deze tijd van het jaar vol vis.'

Ze gingen zitten om de eieren met spek te eten, waar ze sterke, donkere thee met een eucalyptusblaadje bij dronken. 'We zouden over een uur of twee op Savannah Winds moeten zijn,' zei Djati toen ze in de pick-up stapten. 'Het is nogal een hobbelige weg, dus hou je vast.'

En hobbelig was het. De zandweg was door de elementen geribbeld en zat vol kuilen. De doorgang werd af en toe belemmerd door reptielen die in de zon lagen te bakken en soms de hele breedte van de weg in beslag namen. Er dook een stelletje emoes uit het struikgewas op dat ongeveer anderhalve kilometer voor hen uit bleef hollen voor de vogels de bosjes weer in schoten.

'Stomme beesten,' zei Djati binnensmonds, 'maar wel lekker op de barbecue.'

Hij ging harder rijden toen de emoes uit de weg waren en het stof achter hen rees in een grote rode wolk omhoog. 'Nou,' zei hij een paar minuten later, 'wat had Annie nog meer te vertellen in haar dagboek?'

Fleur glimlachte. 'Dan zou ik uit de school klappen,' plaagde ze, 'maar ze zei dat ze dacht dat Sal en jij er voor zouden gaan. En blijkbaar had ze gelijk.'

Djati grinnikte. 'Ik had niet zo heel veel keus,' mopperde hij vrolijk. 'Sal had me in het vizier en voor ik het wist was ik de klos.' Hij grijnsde en schudde zijn hoofd. 'Ze vertelde me dat ze ons al lang voor we bij Savannah Winds waren had gezien, al weet ik nog steeds niet hoe ze dat voor elkaar heeft gekregen.'

Zijn bruine ogen gingen van de weg naar Fleur. 'Je vindt haar misschien eerst een beetje vreemd,' waarschuwde hij, 'want mijn Sal heeft de gave dingen te weten die zich niet laten verklaren. Ze kijkt recht in je hart, maar daar moet je je niet druk om maken – ze heeft geen kwaad in de zin.' Hij zuchtte even van genoegen. 'Die meid van me is het beste wat me ooit is overkomen. En als ze me inderdaad heeft zien aankomen, nou, ik vond het geen probleem om me naar haar plannen te voegen.'

'Ik ben zo blij dat het allemaal goed is afgelopen. Uit Annies dagboek begreep ik dat je een heel slechte start in het leven hebt gemaakt.'

Hij haalde zijn schouders op. 'Ik was niet de enige en de regering begint nu eindelijk de juiste geluiden te maken over herstelbetaling aan wat zij de "Stolen Generation" noemen, ook al is dat veel te laat.' Hij slaakte een diepe zucht. 'Maar voor mij heeft het allemaal goed uitgepakt. Sal en ik hebben net gevierd dat we zestig jaar bij elkaar zijn en we zijn nog net zo gelukkig samen als toen we jong waren. Dat hebben we aan Annie te danken en we zullen dat geen van tweeën ooit vergeten.'

Fleur zweeg. Het verdriet om haar eigen mislukte huwelijk en de pijn van de wetenschap dat Greg en zij nooit een dergelijke trouwdag zouden vieren, maakten het voor haar moeilijk om haar gevoelens te uiten.

Het spoor werd plotseling breder en vertoonde iets minder gelijkenis met een hindernisbaan zodat ze wat harder konden rijden. 'We zitten al zo'n anderhalf uur op het grondgebied van Savannah Winds,' zei Djati terwijl hij de flauwe bocht in de asfaltweg volgde. 'Dit is de weg achterom. De vrachtwagens komen vanaf de Gulf Development Road in het oosten die naar Croydon, Normanton en uiteindelijk naar Karumba aan de kust van de Golf leidt.'

Hij stootte een rauwe lach uit. 'Ik ben daar een keer geweest, in Karumba. Niet veel te beleven, op een stel vissers met één been en een berg hongerige krokodillen na.'

Fleur huiverde en ze besloot dat het niet op haar lijst met te bezoeken plaatsen zou komen. Toen voelde ze haar hartslag versnellen terwijl ze over de asfaltweg door hectares weelderig gras en wuivend graan reden. Het vee zag er glanzend uit, bijna alsof ze ter ere van haar komst geborsteld en opgepoetst waren. 'Het lijkt erop dat de sprinkhanen hier niet geweest zijn,' mompelde ze.

'We moeten maar hopen dat de wind ze naar het zuiden blijft blazen terwijl wij de oogst binnenhalen. Als het droog en warm blijft, gaan ze dood en dan hebben we er een tijdje geen last van.'

Fleur boog zich gretig naar voren toen er gebouwen aan de horizon verschenen. 'Welke is de boerderij?'

'Die kun je nog niet zien, die staat achter die heuvel.' Djati wees naar de schuren, de slaapzaal en de keuken voor de loonwerkers. 'En dat daar is waar ik met Sal woon.'

Fleur zag een keurige bungalow van baksteen met een gezonde moestuin, schaduw gevende bomen en een volle waslijn. 'Het lijkt wel of Sal een Chinese wasserij heeft,' grapte ze.

Djati grinnikte. 'Ze heeft een nieuwe wasmachine,' antwoordde hij, 'en met zo veel kinderen in de buurt staat dat verrekte ding nooit uit.' Hij maakte een gebaar met zijn hoofd in de richting van andere gebouwen in de verte. 'Een paar van Benuks achterkleinkinderen wonen nog steeds daar en toen onze kinderen de een na de ander trouwden, hebben we ze geholpen een plek voor zichzelf te bouwen. Hetzelfde geldt voor de kleinkinderen. Er is daar een flinke gemeenschap ontstaan en hoewel we elkaar niet op de lip zitten, zijn we graag bij elkaar in de buurt.'

Fleur keek naar het erf en de gebouwen en bedacht hoe eenzaam Annie moest zijn geweest in de jaren na de dood van haar echtgenoot. 'Je zult je in elk geval nooit alleen voelen met zo veel familie om je heen,' mompelde ze.

'Het heeft ook z'n nadelen,' zei hij zacht, 'met al dat gekibbel en zo, maar meestal kunnen we uitstekend met elkaar opschieten.'

Ze staken de open plek over en reden in de richting van een imposant bakstenen huis van één verdieping met een golfplaten dak. Om het hele huis liep een met horren dichtgemaakte veranda en er was een robuuste stenen schoorsteen. 'Dat is de boerderij,' zei hij. Hij grijnsde breed. 'Wees erop voorbereid dat je overvallen wordt,' waarschuwde hij grinnikend.

Bij het geluid van de claxon verscheen uit het niets een hele troep kinderen die achter hen aanrenden.

Fleur zag dat ze in leeftijd uiteenliepen van tiener tot peuter en hun huidskleur varieerde van roomblank tot goudbruin en hun haar was blond, bruin of het roestige rood van de aarde. Mannen doken op uit schuren, schuurtjes en omheinde weides om hun nadering te volgen en vrouwen gingen op de trap van de boerderij staan en keken naar de pick-up die hun kant op kwam. Honden blaften, kippen kakelden en een verwarde haan kraaide lang en luid van zijn plekje boven op het kippenhok. Het was totale chaos.

Fleur draaide haar raampje open en lachte en zwaaide naar de kinderen die hen inhaalden, op de treeplank sprongen en zich vastklampten. Toen Djati stilhield bij de trap naar de veranda, klauterden ze als sprinkhanen op de pick-up, gilden begroetingen, trokken de aandacht, hingen aan Fleurs uitgestrekte hand terwijl ze vochten om de eerste te zijn die het portier opendeed.

Ze zag kans uit te stappen zonder op blote voeten te gaan staan of vingers te pletten terwijl de allerkleinsten zich aan haar benen vastklemden en aan haar spijkerbroek trokken. Twee oudere meisjes keken verlegen in haar richting en hielden zich een beetje afzijdig van de bende. De oudere jongens stonden met hun handen in hun zakken, vastbesloten niet te laten merken dat ze opgewonden waren door het hele gedoe.

'Hallo allemaal,' lachte Fleur. 'Vertel maar eens hoe jullie heten, maar ik kan niet beloven dat ik jullie namen allemaal meteen kan onthouden, dus heb alsjeblieft een beetje geduld met me.'

Ze luisterde naar het gekwebbel en kwam tot de conclusie dat ze de ene naam niet van de andere kon onderscheiden. Ze stak haar handen omhoog en smeekte om een beetje orde. Uiteindelijk kwam Djati tussenbeide en joeg ze weg. 'Kom mee, dan stel ik je voor aan Sal en de anderen, nu we een ogenblik rust hebben,' zei hij zacht. 'Voor je het weet zijn de kinderen weer terug.'

'Je kunt maar beter de koffers naar binnen brengen,' antwoordde ze. 'Als ze lucht krijgen van wat daar in zit...'

'Komt voor elkaar.' Hij zeulde de koffers uit de laadbak en droeg ze naar de veranda waar acht vrouwen hen met een brede glimlach stonden op te wachten. 'Dit is mijn Sal,' zei hij en hij trok een dikke, kleine vrouw met wit haar naar voren wier brede glimlach de lijnen en rimpels in haar bruine gezicht nog dieper maakte.

'Hallo,' zei ze terwijl ze Fleurs hand omklemde met haar warme, ruwe vingers. Haar bruine ogen keek doordringend in die van Fleur en ze knikte. 'Je bent precies zoals ik had gezien,' mompelde ze. 'Welkom thuis.'

'Dank je.' Fleur voelde zich niet helemaal op haar gemak. Ze moest niet veel hebben van mystiek en waarzeggerij, maar ze was bereid haar scepsis, voorlopig, opzij te zetten en het spelletje mee te spelen.

Sal wuifde elegant met haar hand in de richting van de overige vrouwen. 'Mary is getrouwd met onze oudste zoon, Ben, en dit is mijn kleindochter Amy die op het punt staat van haar tweede te bevallen. Dit is mijn dochter Jane,' ging ze verder. 'Haar echtgenoot is de voorman en dit is haar dochter Sarah die ook in verwachting is. Annie is mijn jongste en getrouwd met een van de veedrijvers en dit is haar dochter Jewel. Pearl hier is een nichtje van ons.'

Ze wierp Djati een zachte, liefhebbende blik toe. 'We hebben nog twee zoons, maar die zijn op dit moment bij de kudde. We zijn er nog niet in geslaagd een vrouw voor ze te vinden en ik betwijfel of dat ons gaat lukken.' Ze trok een gezicht. 'Te veel gehecht aan hun eigen manier van doen; geen vrouw bij haar volle verstand wil ze hebben.'

Fleur was al in de war, maar ze bleef glimlachen terwijl de vrouwen beurtelings naar voren stapten om haar de hand te schudden. Ze nam aan dat de leeftijden uiteenliepen van dertig tot zestig en ze zou het uiteindelijk allemaal wel doorkrijgen. Niettemin was het een heleboel om te verwerken.

'Jewel heeft dezelfde gave als ik,' vertrouwde Sal haar hees fluisterend toe, 'alleen is ze lang niet zo goed. Ze zal je in huis helpen, als je dat wilt, maar ik kook.' Ze rechtte haar rug en hield haar handen gevouwen onder haar boezem. 'En ik doe ook de was,' voegde ze er trots aan toe, 'in mijn nieuwe wasmachine.'

'Oké, Sal,' zei Djati die worstelde om de koffers door de hordeur en het huis in te krijgen. 'Zet eens water op. Ik ben uitgedroogd.'

De vrouwen liepen druk de boerderij binnen en toen Fleur op het punt stond om achter hen aan te gaan, voelde ze een rukje aan haar hand. Ze draaide zich om en keek in de heldere, bruine ogen van Sal.

'Ik zie een groot verdriet dat je met je meedraagt,' zei ze zacht. 'Je hebt bittere tranen vergoten om iets wat je bent kwijtgeraakt.'

Fleur voelde de haren in haar nek overeind komen. Hoe kon ze dat in vredesnaam weten? Haar gevoel van ongemak werd groter door de doordringende ogen van de vrouw en ze merkte dat ze haar blik niet kon afwenden.

'Geen zorgen,' mompelde Sal en ze klopte Fleur op de arm. 'Je zult binnenkort veel vreugde vinden en dan drogen die tranen vanzelf.' Na deze raadselachtige uitspraak knikte ze en ging het huis binnen.

Fleur liep verward achter haar aan. Djati had haar al gewaarschuwd dat Sal soms vreemd kon doen, maar ze vroeg zich nu eerlijk gezegd af of die oude schat ze misschien zag vliegen.

De veranda was breed en goed met horren afgeschermd tegen de insecten. Er stonden verweerde rieten stoelen en tafels tussen vrolijk gekleurde planten in potten. Een zwarte kat met een witte staart lag languit op een van de tafels en toen Fleur het dier aaide, rekte het zich gracieus uit en begon te spinnen.

De voordeur stond open. Fleur stapte naar binnen en kwam tot de ontdekking dat er geen hal was. Het hoofdvertrek leek het belangrijkste woongedeelte en had aan één kant de keuken. Het verschilde hemelsbreed van het moderne, stijlvolle appartement dat ze in Brisbane had, maar het had een heel eigen charme die haar wel aanstond. Het was huiselijk en warm en het zou niet uitmaken als het hier krioelde van de kinderen die met hun vieze vingertjes overal aanzaten.

De houten vloer was geschuurd en gelakt tot een diepe glans, de gordijnen zagen er schoon en mooi uit, ondanks het feit dat ze lusteloos voor het raam hingen te wachten op een beetje wind en de kleden op de vloer waren gemaakt van repen felgekleurde lappen die door jute waren geregen.

Met zo veel mensen in het vertrek was het lastig om de werkelijke grootte in te schatten, maar Fleur vermoedde dat het tamelijk ruim was. Het belangrijkste meubelstuk was een grote, geschrobde keukentafel met zes stoelen. Twee ingezakte sofa's stonden aan weerszijden van de stenen open haard met daarin een houtkachel. De schoorsteenpijp verdween in de enorme stenen schouw.

Terwijl de vrouwen in de keuken bezig waren de maaltijd klaar te maken en Djati zich met een krant op een van de banken had laten ploffen, ving Fleur een glimp op van een enorm zwart fornuis en een rij tamelijk moderne kasten. Er stond zo te zien een koelkast in een hoek, er was een voorraadkamer en op het aanrecht stond een enorm televisietoestel.

'Zal ik je het huis laten zien?' Jewel had een lichte huid, heel zachte, bruine ogen en een aantrekkelijke blos op haar wangen. Ze had een lage stem en ze leek heel verlegen.

'Dat lijkt me een fijn plan,' antwoordde Fleur met een bemoedigende glimlach.

Jewel liet haar de drie slaapkamers en de badkamer zien die er keurig gemeubileerd uitzagen en brandschoon waren. 'Oma zei dat het er in Annies tijd heel anders uitzag hier,' zei ze zacht terwijl haar bruine ogen van onder dikke, zwarte wimpers naar Fleur gluurden. 'Er waren toen maar twee kamers en een plee buiten en geen bad. Maar we hebben nu een generator die voor elektriciteit zorgt en een satellietschotel voor de tv, al is het beeld niet geweldig. Het warme water komt van een heetwaterbron, dus je moet uitkijken dat je je niet brandt. In de hoek in de woonkamer staat een radiozender. Ik denk dat je heel vaak opgeroepen zult worden, nu iedereen weet dat je hier bent.' Ze wierp haar een onzekere glimlach toe. 'We krijgen niet vaak bezoek van buiten,' legde ze uit.

Fleur werd gefascineerd door deze rustige, aantrekkelijke jonge vrouw. 'Woon je hier je hele leven al, Jewel?'

'Zo'n beetje wel,' antwoordde ze schouderophalend. 'Ik heb in Brisbane de lagere en de middelbare school gevolgd en toen ben ik naar Sydney gegaan om mijn onderwijsbevoegdheid te halen. Ik vond het best leuk in de stad, maar ik ben liever hier. Het is een goede plek om kinderen groot te brengen.'

'Is er hier dan een school in de buurt?'

Ze glimlachte en schudde haar hoofd, waarbij haar donkere haar over haar schouders zwaaide. 'Tijdens de schoolperiodes geef ik Engels voor het afstandsonderwijs van School of the Air en in de vakanties help ik kinderen die moeite hebben met hun examens om in de bovenbouw van het voortgezet onderwijs aan de kust terecht te kunnen. Als het vee bijeen wordt gedreven werk ik samen met mijn man, want dan moet iedereen helpen.' Ze bloosde. 'Hij komt uit Sydney. We hebben elkaar ontmoet toen ik daar mijn opleiding deed.'

'Het eten is klaar,' riep Sal. 'Kom eten voor de kinderen het ruiken.'

Te laat. De hordeur sloeg met een klap open en de kinderen kwamen, allemaal door elkaar pratend, naar binnen gestormd.

'Luister jullie,' schreeuwde Sal. 'Ga zitten en hou je mond, anders krijgt niemand te zien wat Fleur uit de stad heeft meegebracht.'

Jewel en Amy grepen hun peuters en zetten ze op schoot terwijl de overige kleintjes op de grond gingen zitten en de oudere kinderen zich tussen de volwassenen op de banken persten of een stoel pakten. Er heerste een diepe stilte terwijl ze dikke boterhammen met koud vlees verorberden die gevolgd werden door een rijk gevulde vruchtencake. De kinderen spoelden alles weg met giftig gekleurde aanmaaklimonade die hun lippen en tong kleurde.

Fleur zag kans een boterham weg te werken, knabbelde aan de heerlijke cake en dronk haar thee terwijl ze zich bezorgd afvroeg of de kinderen niet teleurgesteld zouden zijn over haar cadeautjes. Ze begon bijna op te zien tegen de feestelijke opening van de koffers.

Ze had zich geen zorgen hoeven maken. De stoffen ontlokten bewonderende kreten en de ideeën voor jurken werden al besproken terwijl de vrouwen nog kibbelden over wie wat zou krijgen. De kleuters keken verrukt naar hun tollen en teddyberen en de kleine meisjes zaten vertederd te kirren tegen hun barbiepoppen met hun mooie kleertjes en schoentjes. Er waren namaakjuwelen, parfum, badschuim en gel om over te ruziën. Voor de jongens waren er shirts, spijkerbroeken, voetballen, frisbees en paintball. Voor de baby's die nog geboren moesten worden waren er lakentjes met kant, mutsjes en sjaaltjes en prachtige jurkjes waar Sarah en Amy bij stonden te zwijmelen.

Sal en Djati zaten naast elkaar op de bank en bewonderden de cadeautjes die de kinderen hun kwamen laten zien en ze slaakten uitroepen van bewondering bij elke kleine schat. Sals ogen lichtten op toen Fleur de grote koeltas opendeed die ze onder in de koffer had gestopt, want daar zaten potten jam, vegemite en koffie in en voor de kinderen genoeg lolly's voor een week.

Sal pakte onder luid gekreun van de kinderen de zakken snoep en legde die opzij. 'Dit gaat op rantsoen,' zei ze en ze deed haar best om niet te lachen, 'anders vallen jullie tanden uit.'

'Die van mij niet,' zei een klein jongetje bij haar knie. 'Die zijn er al uit.' Hij grijnsde trots om de plekken te laten zien waar zijn melktandjes hadden gezeten.

Sal tilde hem op, knuffelde hem en stak hem stiekem een lolly toe. 'Omdat je zo bijdehand bent,' zei ze en ze overstelpte hem met kussen.

'Er is nog één ding om uit te pakken,' zei Fleur toen het gelach was weggestorven. Ze groef in de andere koffer en haalde een kleinere koeltas tevoorschijn. 'Ik hoop alleen dat er niets is gesmolten.'

Ze kiepte de inhoud op tafel en de vrouwen en meisjes doken er als een zwerm sprinkhanen op. Er was make-up, nagellak en glitteroogschaduw in allerlei kleuren en lippenstift, huidcrème, shampoo en conditioners.

Fleurs hart zwol bij het zien van de verbazing en het plezier op de gezichten terwijl ze de make-up uitprobeerden en opgewonden bespraken hoe ze de rest van de buit zouden verdelen zodat ze het allemaal tot het laatste beetje konden gebruiken.

Sals zachte, warme hand raakte even haar arm aan. 'Dank je, Fleur,' zei ze en er glinsterden tranen in haar ogen. 'Net Kerstmis, maar dan veel beter.'

'Graag gedaan.'

'Oké allemaal,' riep Sal boven het geroezemoes uit. 'Tijd om netjes dank je wel te zeggen en Fleur de kans te geven zich te settelen.'

Fleur werd omhelsd en gekust door iedereen behalve de twee oudere jongens die haar blozend een hand gaven en met hun voetbal onder de arm het huis uit renden. Ze voelde een rukje aan haar spijkerbroek en keek omlaag. Het kleine meisje had kaneelkleurig haar, sproeten rond haar dopneus en een brede glimlach. Ze stak haar armpjes om-

hoog en Fleur tilde haar op en zette haar op haar heup. 'Hoe heet ze?'
'Rosie,' zei Jewel trots.
'Nou, Rosie, heel leuk om kennis met je te maken.'
Het kleine meisje sloeg haar mollige armpjes om Fleurs nek en gaf haar een plakkerige, maar klinkende kus op haar wang. Fleur voelde haar hart zwellen van liefde en verlangen toen ze het kind teruggaf aan haar moeder en ze vanaf de verandatrap uitzwaaide.
'Ik breng je avondeten wel, dan kun je in alle rust eten,' zei Sal toen Djati en zij afscheid namen. 'Je ziet er moe uit en het is een lange dag geweest.'
Fleur besefte plotseling hoe moe ze was en knikte dankbaar. Ze keek toe terwijl ze de trap af liepen en in de pick-up klommen. Ze zwaaide hen na terwijl ze in de richting van het grote erf naar hun eigen bungalow reden.
Ze draaide zich met een zucht van vermoeidheid vermengd met tevredenheid om en keek naar de kat die zich nu op een van de stoelen lag te wassen. Het dier leek te zijn vergeten, maar aangezien ze van katten hield, was dat geen probleem.
Ze liet de deur openstaan om te kunnen profiteren van elk zuchtje wind dat elk moment kon opsteken en slaakte een zucht van genoegen. Nu kon ze in alle rust het huis bekijken, er de tijd voor nemen en misschien Annies aanwezigheid in de vertrekken voelen.
Terwijl ze van kamer naar kamer liep, realiseerde ze zich dat Annie haar kostbaarste bezittingen had meegenomen naar Birdsong, maar in een la vond ze nog een verzameling oude sepiafoto's. Ze ging op het bed zitten en nam ze snel door. Ze zag hoe ze onder de vlekken zaten van vocht en ouderdom. De beelden leken vaag en onscherp en het was frustrerend dat er helemaal niets op geschreven stond.
De kat sprong naast haar op het bed en begon langs haar arm te strijken en aandacht te vragen door over de foto's te lopen. Ze tilde haar op en droeg haar naar de keuken. Ze deed de koelkast open waar ze koude kip en melk aantrof en zette dat in schaaltjes op de vloer.
De kat spinde terwijl ze zat te eten en Fleur glimlachte. Het was prettig om gezelschap te hebben dat geen behoefte had om te praten en hoewel het een warm en enthousiast welkom was geweest, voelde ze zich uitgewrongen. Ze wilde naar bed, ook al was het pas halverwege de middag.

Greg was de hele nacht in het ziekenhuis geweest. Hij had zijn operatierooster afgewerkt en over enkele uren zou hij op het vliegtuig naar Townsville stappen. Hij had kans gezien een paar uur slaap te pakken voor hij midden op de dag aan zijn ontbijt begon. Nu had hij zijn spullen ingepakt en kon niet wachten tot hij zou vertrekken.

Hij keek voor de zoveelste keer op zijn horloge en dwaalde rusteloos door zijn kleine flat terwijl hij probeerde de tijd sneller te laten gaan. Elk verspild uur was er één dat hij verder achterlag op Fleur. Hij had erover gedacht om te proberen het telefoonnummer van Savannah Winds op te duikelen, maar hij was tot de conclusie gekomen dat hij niet te snel zijn kaarten op tafel moest leggen. Als Fleur dacht dat hij een verhouding had, dan bestond de kans dat ze van Savannah Winds weg zou gaan en dan zou hij haar nooit meer kunnen vinden.

Zijn vlucht ging om zes uur en hij had een taxi besteld voor halfvijf, wat belachelijk vroeg was. Eenmaal op het vliegveld, zou hij het gevoel hebben dat de reis was begonnen. Hij keek op zijn horloge. Het was pas drie uur.

Met een diepe zucht van ergernis ging hij zitten en probeerde de jongste uitgave van *The Lancet* te lezen. Maar het was onmogelijk om zich te concentreren en hij kwam tot de ontdekking dat hij geen letter had gelezen en alleen maar voor zich uit had zitten staren terwijl zijn gedachten niet meer waren dan een verzameling losse beelden en flarden van gesprekken.

De telefoon ging en hij schrok. 'Greg Mackenzie,' zei hij op zijn hoede.

'Meneer Mackenzie,' zei de ziekenhuiscoördinator. 'Het spijt me u dit te moeten aandoen, maar uw aanwezigheid in het ziekenhuis is dringend gewenst.'

Hij omklemde de hoorn toen zijn vrees bewaarheid werd. 'Ik heb drie weken vakantie.'

'Dat weet ik, maar er is een verkeersongeluk gebeurd waarbij twee schoolbussen betrokken zijn en sommige van de verwondingen zijn levensbedreigend.'

'Mijn team is uitstekend in staat om dat soort trauma te behandelen zonder dat ik erbij ben. Hebt u contact opgenomen met de spoedeisende hulp in Redcliffe?'

'Daar nemen ze geen nieuwe patiënten op,' zei ze ferm, 'en hun spoedeisende hulp is gesloten in verband met een virusinfectie. Aangezien de meeste slachtoffers kinderen zijn, is de keuze tussen ons of niemand. Hoe snel kunt u hier zijn? De eerste patiënten worden binnen een halfuur verwacht.'

Greg wierp een blik op zijn koffer in de wetenschap dat het vliegtuig naar Townsville zonder hem zou vertrekken. 'Ik ben er over tien minuten,' zei hij met een diepe zucht vol spijt.

Fleur deed haar ogen open en vroeg zich af waar ze was. De kamer, de geuren en de geluiden die door de luiken naar binnen dreven waren onbekend en het duurde even voor ze besefte dat ze op Savannah Winds was. Ze was van plan geweest voor het eten even een halfuurtje te gaan liggen, maar ze moest in slaap zijn gevallen. Het was nu donker buiten en ze zag op de klok op het nachtkastje dat het bijna middernacht was.

Ze hoorde het gesnor van de kat die naast haar lag te spinnen en deed het licht aan. Toen ze haar benen uit het bed zwaaide, sprong de kat op de grond en liep naar de keuken in de hoop nog wat te eten te krijgen.

Fleur merkte dat ze zelf ook trek had en liep achter haar aan. Sal had woord gehouden en er stond een groot dienblad op het aanrecht met twee borden die zorgvuldig waren afgedekt en die een pastei met groenten en aardappelpuree bleken te bevatten. Daarnaast was er nog een schaal met appeltaart die schuilging onder een dikke laag vanillesaus. Er was ook een keurig geschreven briefje.

Lieve Fleur,

De meesten van ons zullen morgen bij de veestapel zijn en de kinderen moeten hun lessen maken. Als je zin hebt in gezelschap, dan weet je me te vinden, zo niet, dan laat ik je met rust zodat je op je gemak kunt wennen.

Sal

Toen ze erachter was hoe ze de oven moest gebruiken, warmde ze alles op, gaf de kat nog wat kip en ging aan tafel zitten eten.

De paar uur slaap hadden haar verfrist en nu het hongergevoel tot zwijgen was gebracht, was het tijd om uit te pakken en zich te installeren. Het was een merkwaardig gevoel om midden in de nacht rond te scharrelen terwijl iedereen lag te slapen. Toen ze uit het raam keek, zag ze dat het enige licht van de maan kwam en het enige geluid dat ze kon horen was af en toe wat zacht geloei van een koe of de kreet van een of ander arm wezen dat te grazen werd genomen door een roofdier.

Toen ze klaar was met uitpakken, zette ze de koffers in een van de andere slaapkamers en ging op de bank zitten met het volgende dagboek. Dat was niet zo heel dik en het besloeg bijna drie jaar. Toen ze begon te lezen, besefte ze waarom.

December 1941
Ik schrijf dit aan het einde van een afschuwelijk jaar. Mijn eigen kleine strijd is niets vergeleken met de strijd die aan de andere kant van de wereld gaande is. Naarmate er meer nieuws binnenkomt van zoons, broers en echtgenoten, leven we in vrees voor nog meer doden.

Op 7 december hebben de Japanners Pearl Harbor gebombardeerd. De Amerikanen hebben zich eindelijk bij de geallieerden aangesloten in de strijd om de vrijheid. Maar het zijn de Japanners die we vrezen, want ze hebben twee Britse schepen tot zinken gebracht die onze verdedigingslinie vormden voor de oostkust van Maleisië. Ze hebben Guam en Wake Island ingenomen en het Britse en Canadese garnizoen in Hongkong zag zich de dag voor Kerstmis gedwongen zich over te geven.

De Japanners hebben nu Johor op het Maleisische schiereiland bereikt en bereiden zich voor op de aanval op Singapore. De oorlog komt steeds dichterbij. Er heerst veel onrust dat onze noordkust te kwetsbaar is en nu alle gezonde mannen in Europa vechten, kunnen we ons niet verdedigen.

Januari, 1942
Singapore is in handen van de Jappen gevallen en gevreesd wordt dat vijftienduizend Australische manschappen krijgsgevangen zijn gemaakt. Sue Daley heeft van het ministerie van Defensie te horen gekregen dat Ted tot de gevangenen behoort. Ik sta voortdurend via de radio met haar in contact aangezien ze in verwachting is van hun eerste kind.

Ik heb vandaag een brief van Sam gekregen. Een hele opluchting. Hij vecht in Afrika en was op het moment dat hij de brief schreef gezond en wel. Ik bid dat deze oorlog snel is afgelopen, maar ik vrees dat dit nog maar het begin is, nu de Japanners zich in de strijd hebben gemengd.

Nu er een Japanse invasie wordt verwacht, is er vanuit het noorden een enorme stroom van runderen en schapen op gang gekomen. De trek is begonnen in Whyndam in West-Australië en zal hier over ongeveer een maand langskomen. Ik ben van plan mijn vee ook naar Brisbane te brengen. Dat betekent wel dat er hier maar een paar mannen achterblijven om de boel in de gaten te houden.

Februari
Darwin en Broome zijn gebombardeerd. Minister-president Curtin staat erop dat de Zevende Divisie van het Australische leger niet wordt ingezet voor het behoud van Birma, maar verder trekt naar Australië om onze noordkust te verdedigen tegen de Japanners die op het punt staan Nieuw-Guinea binnen te vallen.

Maart
Ik heb me aangesloten bij de grote trek naar het oosten, maar het nieuws sijpelt toch nog bij ons door. De Japanners rukken over land op naar Port Moresby.

Mei
We zijn eindelijk in Brisbane aangekomen en het vee kan nu worden verkocht, hoewel ze niet in zo'n goede conditie zijn na zo'n lange tocht. Onderweg zijn er veel gestorven. Australische en Amerikaanse vliegtuigen hebben een Japanse vloot onderschept in de Koraalzee en de Jappen na een langdurige strijd op de vlucht gejaagd.

Juli
Ik ben eindelijk thuis en alles is in orde, behalve dat alle kleinzoons van Ben dienst hebben genomen. De boerderij is vrijwel verlaten en het komt nu aan op de oude mannen,

kinderen en vrouwen om de boel voor zover mogelijk gaande te houden.

Er zijn brieven van Sam gekomen die ik koester. Hij heeft een verwonding opgelopen, die godzijdank niet levensbedreigend is. Het betekende wel een reis naar Engeland. Hij ligt nu in het ziekenhuis en maakt plannen om naar Londen te gaan en zijn familie op te sporen. Ik wens hem veel succes, want ik heb gehoord dat Londen zo'n beetje platgebombardeerd is.

Augustus

De Australische strijdkrachten hebben de Japanners vernietigend verslagen bij de Baai van Milne op Nieuw-Guinea. Ze moeten de Jappen nu uit de Stille Oceaan zien te verdrijven. Misschien dat wij hier in Never-Neverland nu opgelucht adem kunnen halen.

Ik heb niets van Sam gehoord. Ook al weet ik dat de post er weken over doet om hier te komen, begin ik me toch ongerust te maken.

Fleur sloeg het dagboek dicht en realiseerde zich met een schok dat het al bijna licht werd. Ze kwam overeind van de bank en rekte zich uit, want ze was stijf en koud. Nadat ze thee had gezet en de kat de room van de melk had gegeven, trok ze een extra trui aan en stapte naar buiten, de veranda op – en schrok zich een ongeluk toen een zware, lijzige stem de stilte doorbrak.

'Môgge, Fleur,' zei Blue terwijl hij zijn lange lijf uit de rieten stoel hees en zijn hoed naar achteren schoof. 'Welkom op Savannah Winds.'

14

Greg had die nacht niet meer dan een uurtje kunnen slapen, maar hij voelde zich verrassend alert en energiek. Hij begreep nu waarom er zo veel behoefte was geweest aan zijn expertise, want er waren meer dan veertig kinderen geweest die behandeld moesten worden. Sommigen hadden gevaarlijk hoofd- en borstletsel en dat vereiste twee ervaren chirurgen om te opereren. Zijn team had de beproeving met vlag en wimpel doorstaan. Hoewel sommigen van de kinderen nog steeds op de intensive care lagen, hadden ze er niet één op de operatietafel verloren.

Hij haastte zich de gang door terwijl hij met zijn gedachten bij beschikbare vluchten naar Cloncurry was en de tijd die het zou kosten om Savannah Winds te bereiken. Hij nam de kortste route naar zijn auto door de afdeling spoedeisende hulp, toen hij zijn naam hoorde roepen. Hij draaide zich om en herkende de slanke, lijkbleke vrouw die naar hem toe kwam gerend in eerste instantie niet. 'Beth? Wat is er in hemelsnaam gebeurd?'

'Het is Mel,' zei ze terwijl ze haar ogen depte. 'Ze heeft een ongeluk gehad met die verrekte scooter van haar. Ik zit te wachten tot ze haar naar de operatiekamer brengen.'

'Wie is de chirurg?'

'Dokter Watkins.'

'Maar dat is een gynaeco...'

'Mel is zwanger,' onderbrak ze hem, 'en ze is zo zwaargewond dat dokter Watkins niet kan beloven dat hij de baby kan redden.' Ze liet zich op een stoel vallen en barstte in tranen uit. 'Ik heb haar nog zo gewaarschuwd om niet met dat ding weg te gaan,' snikte ze. 'Ik heb tegen haar gezegd dat hij helemaal nagekeken moest worden en dat het gezien haar toestand gevaarlijk was.'

Greg deed zijn ogen dicht, haalde diep adem en ging naast haar zitten. Er zou vandaag voor hem geen vlucht naar Cloncurry zijn. 'Wat is er precies gebeurd?' vroeg hij op rustige toon en hij nam haar hand in de zijne.

Beth deed haar uiterste best om haar emoties onder controle te houden. 'Ze was op weg naar mij toe in de koffiebar waar ik werk. Frank heeft haar het kleinste appartement boven de zaak, naast dat van zijn moeder, aangeboden tegen een heel redelijke huur en ze wilde het dolgraag bekijken. Haar scooter is geslipt op een beetje grind aan de kant van de weg en ze werd voor een aankomende auto geslingerd.'

Greg voelde een rilling over zijn rug lopen. 'Heeft ze veel gebroken?'

'Hij kon stoppen voor hij helemaal over haar heen reed,' zei ze en haar stem beefde door de inspanning die het kostte om haar tranen in te houden, 'maar zijn voorwiel raakte haar heup toen hij slipte en dat heeft haar bekken en dijbeen verbrijzeld. Ik dank God op mijn blote knieën dat ze haar helm droeg, anders was ze dood geweest.'

Ze pakte Greg bij zijn arm. 'Wil je alsjeblieft met de dokter praten? Hij wil niet veel kwijt en ik ben doodsbenauwd dat Mel straks niet alleen kinderloos is, maar ook kreupel.'

Hij klopte haar op haar hand en wierp haar een vermoeide glimlach toe. 'Ik zal mijn best doen,' stelde hij haar gerust, 'maar als John niet veel kwijt wil, dan is dat omdat hij geen overhaaste diagnose wil stellen en eerst duidelijker in beeld wil hebben wat de aard van haar verwondingen is.'

'Alsjeblieft, Greg.'

Hij keek in haar bloeddoorlopen ogen en wist dat ze op hem rekende om een beetje te kunnen bevatten wat Mel overkwam. 'Ik kom terug zo gauw ik hem heb weten te vinden,' verzekerde hij haar. Hij sprak kort met de dienstdoende hoofdzuster en vroeg haar een oogje op Beth te houden en liep vervolgens met grote passen door de eindeloze gangen naar operatiekamer vijf.

John kwam net uit de wasruimte. 'Hallo, Greg. Ik dacht dat je vakantie had?'

'Dat was ook zo, maar het verkeersongeluk van gisteravond heeft me aardig beziggehouden.' Hij liep met de oudere man mee terwijl die naar zijn spreekkamer ging en vroeg naar Melanie.

John liet zich met een diepe zucht in zijn stoel vallen. 'Ze zal de baby kwijtraken, daar is geen twijfel over mogelijk,' zei hij ernstig.

'Over verdere schade die is aangericht kan ik pas iets zeggen als ik haar op de operatietafel heb. Ik zit te wachten tot de orthopedisch chirurg klaar is met opereren zodat hij me advies kan geven over haar andere verwondingen voor ik verderga.'

'Prognose?'

'Kom op, Greg, je weet wel beter.'

'Bethany wil antwoorden,' antwoordde hij, 'en je kunt erop rekenen dat ik niet te veel zal zeggen.'

John zuchtte. 'Haar bekken is verbrijzeld en haar dijbeen is op meerdere plaatsen gebroken. Ze is jong en sterk, maar ze heeft veel bloed verloren en als ze de baby verliest en een bloeding krijgt, dan zijn we nog niet klaar.' Hij stond op. 'Het spijt me, Greg, meer kan ik echt niet zeggen. Ik zal je oppiepen zodra we klaar zijn.'

Greg keek hoe hij zich naar de operatiekamer haastte en vroeg zich af wat hij in hemelsnaam tegen Beth moest zeggen. Mel was er duidelijk heel slecht aan toe. Hij drukte zich tegen de muur toen Mel snel naar de deuren van de operatiekamer werd gereden met de orthopedisch chirurg er hollend achteraan.

Beth stond bevend en bleek aan het einde van de gang. 'Wat zei hij?'

'Niet veel meer dan wat hij tegen jou heeft gezegd,' antwoordde hij. 'Dat was de orthopedisch chirurg die met Mel naar binnen ging. John en hij zullen haar samen opereren.'

'En de baby?'

'Het spijt me, Beth. Mel is op dit moment het belangrijkste en het is onwaarschijnlijk dat ze de baby zal kunnen houden.'

'Ik begrijp het.' Ze depte haar ogen en snoot haar neus. 'Dat is misschien ook maar het beste,' mompelde ze in tranen. 'Ik wil dat Mel dit overleeft, Greg. Ik zou me geen raad weten als ik haar zou verliezen.'

Hij zag dat ze op het punt stond hysterisch te worden en leidde haar zachtjes door de gang. 'Kom mee, Beth. Laten we op zoek gaan naar een bak sterke koffie.'

Ze verzette zich even en gaf toen toe. Ze liep stilletjes naast hem terwijl ze op weg gingen naar de koffiebar op de begane grond.

Nadat hij haar aan een tafeltje had geïnstalleerd, haalde hij koffie en donuts voor hen beiden. 'Eet op,' zei hij streng. 'Je hebt suiker nodig om je op de been te houden.' Hij keek toe terwijl ze met tegenzin kleine hapjes van de donut nam en van haar koffie nipte. 'Weet Clive al wat er is gebeurd?'

'Hij is weg en zijn mobieltje staat uit.' Ze liet de donut voor wat die was en sloeg haar armen stevig over elkaar. 'Hij is zogenaamd op een golfreisje, maar toen ik het hotel daar belde, wisten ze niets over een eventueel verblijf van hem daar. De mannen met wie hij op pad zou zijn, zitten thuis en toen ik hun echtgenotes sprak, kwam ik erachter dat er de afgelopen vijftien jaar maar een paar zogenaamde "golfvakanties" zijn geweest.' Haar uitdrukking verhardde. 'Hij heeft me voorgelogen, Greg, en ik ben het zat.'

'O, Beth. Wat spijt me dat.'

Ze probeerde uit alle macht haar tranen te bedwingen. 'Dat is nergens voor nodig,' antwoordde ze. 'Ons huwelijk is al heel lang voorbij en na vandaag...' Ze haalde diep adem en rechtte haar rug. 'Als ik weet dat Mel het haalt, dan vraag ik echtscheiding aan.'

Margot had crèmekleurige zijde gekozen voor de plechtigheid die in het restaurant van een vriend zou worden gehouden. Het nauwsluitende jasje had brede revers waarop een corsage van gele rozen en groene varen was gespeld en de glitterknoopjes aan de voorkant kwamen terug op de manchetten van de driekwartmouwen. De rok was recht met een rij plooien aan de achterkant en kwam net tot onder haar knie. De schoenen met hoge hakken en het handtasje hadden dezelfde kleur.

Met een kritische blik in de spiegel deed ze een stap achteruit. Haar kapsel en haar make-up waren perfect en de diamanten oorhangers die Helena haar de avond ervoor had gegeven glinsterden in het zonlicht dat door het slaapkamerraam naar binnen viel. Ze was opgewonden en zenuwachtig, maar ze twijfelde er geen moment aan dat Helena en zij voor elkaar geschapen waren.

Het had stalen zenuwen vereist om tegenover haar vader te bekennen dat ze lesbisch was, maar Helena had er uiteindelijk op gestaan dat ze de wereld als een stel tegemoet zouden treden. Anders zou ieder haar eigen weg gaan. Nu vroeg ze zich af waarom ze ooit zo bang was geweest om dit te doen. Er was niets om zich voor te schamen – en Helena had gelijk. Ze waren al jaren een stel, dus waarom daar niet trots op zijn en openlijk hun plaats in de gemeenschap innemen?

'Je ziet er fantastisch uit,' zei Helena zachtjes vanuit de deuropening. Ze droeg een bijpassend crèmekleurig broekpak, maar had daar felroze schoenen en corsage bij gekozen. Margots huwelijkscadeau, een diamanten armband, glinsterde om haar pols toen ze haar hand om Margots gezicht legde en haar zachtjes een kus op haar lippen gaf. 'Ben je er klaar voor?'

Margot knikte en stond op het punt om haar handtas te pakken toen de telefoon ging.

'Laat toch, schat,' zei Helena. 'We willen niet te laat komen voor de plechtigheid.'

Margot aarzelde. Ze had een vreselijke hekel aan rinkelende telefoons. Met een verontschuldigende blik in Helena's richting, nam ze de hoorn van de haak en luisterde naar het gesnik van haar vaders huishoudster, April, aan de andere kant van de lijn. 'Ik versta geen woord van wat je zegt,' zei ze stijf. 'Kalmeer eens een beetje.'

April nam een ogenblik de tijd om zich te vermannen. 'Het gaat om je vader,' zei ze onzeker. 'Ik ging hem vanmorgen thee brengen en toen vond ik hem... vond ik hem... O, god, Margot. Hij is dood.'

Margot voelde helemaal niets. 'Juist.'

'De dokter is net vertrokken. Hij zei dat het een zware hartaanval is geweest. We zitten nu op de begrafenisondernemer te wachten. Er komt een lijkschouwing.' Toen hier geen reactie op kwam, werd haar stem nog onzekerder. 'Wil je dat ik het regel?'

'Ja, doe dat. Bedankt voor je telefoontje.' Margot legde de hoorn op de haak en pakte haar handtas. 'Oké,' zei ze vastberaden. 'Nu kunnen we gaan.'

'Waar ging dat allemaal over?'

'Niets waar jij je druk over hoeft te maken, schat. En zeker niet iets wat ernstig genoeg is om onze speciale dag te bederven.' Ze kuste Helena's zachte wang en deed de deur achter hen dicht. 'Kom, we gaan trouwen.'

Greg bleef de hele, lange ochtend bij Bethany en pleegde een serie telefoontjes met zijn mobieltje. Hij was er uiteindelijk in geslaagd voor later die avond een directe vlucht te boeken vanuit Brisbane. Deze keer zou hij die koste wat het kost halen.

'Ik ben blij dat je gaat proberen het goed te maken met Fleur,' zei Bethany terwijl ze in de tuin in het herfstzonnetje zaten. 'Jullie twee zijn voor elkaar bestemd en iedereen heeft recht op een tweede kans.'

'En Clive en jij dan? Jullie zijn al zo lang getrouwd.'

'Onze kansen om de zaken recht te zetten zijn op,' antwoordde ze. 'Het is voorbij, Greg, en na vandaag is er geen weg meer terug.'

Gregs pieper ging. 'Het is John. Mel komt uit de operatiekamer.'

'Ik ben bang,' fluisterde ze.

'Ik weet het. Als je wilt ga ik wel eerst naar hem toe.'

Ze knikte en volgde hem zwijgend door de doolhof van gangen naar Johns spreekkamer. 'Ik blijf hier wel wachten,' zei ze en ze ging in een van de stoelen zitten die langs de gangmuren stonden.

Greg wierp één blik op Johns gezicht en wist dat het niet alleen maar slecht nieuws was. 'Hoe is de situatie?'

'De orthopedisch chirurg heeft een pin aangebracht in het dijbeen en de rechterkant van haar heup vervangen. Die was te verbrijzeld om nog te kunnen repareren. De nieuwe heup zal zeker vijftien jaar meegaan voor hij aan vervanging toe is.'

Hij dronk sterke zwarte koffie en keek Greg over de rand van zijn mok aan. 'Ze heeft de baby verloren en ik heb een curettage uitgevoerd. Er lijkt geen schade te zijn aan de baarmoeder of de eierstokken, dus ze kan nog kinderen krijgen. Wat de onmiddellijke toekomst betreft,' hij glimlachte vermoeid, 'ze zal minstens acht weken in het ziekenhuis moeten blijven. En dan wacht haar nog een lange periode van fysiotherapie. Ik schrijf haar aspirine voor om het bloed dun te houden en morfine tegen de pijn. De rest is aan haar, maar ze komt bij mij over als een meisje met pit.'

'Ik zal het haar moeder vertellen.' Greg kwam overeind en schudde hem de hand. 'Bedankt, ik sta bij je in het krijt.'

'Als je me terug wilt betalen,' zei John droog, 'duvel dan op met die dikke reet van je en ga het goedmaken met Fleur. Ik wil je lelijke kop niet meer zien voordat dat is gebeurd.'

'Ik dacht wel dat het een verrassing voor je zou zijn,' zei Blue lijzig terwijl hij een sigaret rolde en die vervolgens aanstak.

Fleur klemde haar koude handen om haar beker thee en keek hem nadenkend aan. 'Weten de anderen dat je hier bent?'

'Denk het niet,' antwoordde hij, 'maar dat maakt niet uit. Ik kom en ik ga en ze letten er niet op.' Hij rookte zijn sigaret terwijl hij onderuitgezakt in de stoel hing, zijn lange benen bij de enkels over elkaar geslagen, de rand van zijn hoed omlaag getrokken – het toonbeeld van een tevreden man. 'En,' begon hij, 'heb je nog iets interessants gevonden in Annies hutkoffer?'

'Zeker weten.' Fleur vertelde hem over de brieven en hoe die het verraad van haar vader hadden onthuld.

Zijn ogen keken haar van onder de hoed aan terwijl ze aan het woord was en ze kreeg het gevoel dat hij al had geweten wat ze zou aantreffen.

Hij knikte, maar hield zijn gedachten voor zich. 'Was dat Annies dagboek dat je aan het lezen was?'

Ze knipperde met haar ogen om de herinneringen aan dat verraad kwijt te raken en glimlachte. 'Het is het tweede. Dat gaat voornamelijk over de oorlog en hoe het er toen hier aan toe ging. Ik had geen idee dat ze bij die legendarische trek naar Brisbane betrokken was. Ze moet nogal een vrouw zijn geweest.'

'Ja, dat was ze zeker.' Hij zweeg en de hoed wierp een schaduw over zijn gezicht terwijl hij in de verte staarde. 'Dus,' zei hij na een lange stilte, 'wat ben je verder nog te weten gekomen uit haar dagboeken?'

'Ze schrijft regelmatig over Sam en het is duidelijk dat ze tijdens de oorlog dolgraag iets van hem wilde horen. Hij heeft haar verschillende keren geschreven en ik ben nu bij het stuk waar hij gewond is geraakt tijdens de strijd in Afrika en naar Engeland is verscheept.'

De blik in zijn blauwe ogen was vast. 'Engeland was de plek waar hij wilde zijn, denk ik. Hij probeerde zijn familie te vinden.'

Fleur fronste haar voorhoofd. 'Dat klopt, maar hoe weet jij dat? Heeft Annie je dat verteld?'

'Ik neem aan van wel.'

'Weet je wat er van hem is geworden? Heeft hij zijn familie gevonden? Is hij ooit teruggekomen naar Savannah Winds?'

Zijn gezicht lichtte op door zijn lome glimlach die een fonkeling in zijn ogen bracht. 'Zo veel vragen,' zei hij. 'Je bent een ongeduldig meisje, hè? Waarom denk je dat ik het verhaal beter kan vertellen dan Annie zelf? Zou je niet liever wachten en het met eigen ogen lezen?'

'Ik neem aan dat Annie het vroeg of laat wel zal vertellen, maar, ja, ik sta te trappelen om erachter te komen wat er is gebeurd,' zei ze ademloos. 'Als je het verhaal echt kent, dan zou ik het dolgraag uit jouw mond willen horen.'

Blue legde een gelaarsde voet op zijn knie terwijl hij het laatste stuk van zijn shagje inspecteerde. Toen hij begon te praten, nam die zachte, lijzige tongval van Queensland haar mee terug in de tijd toen de wereld er nog heel anders uitzag.

'Sam was gewond geraakt bij El Alamein. Een kogel had hem in de rug geraakt en een andere had zich in zijn bovenarm geboord. De artsen waren erin geslaagd ze er allebei uit te krijgen, maar in de hitte, het vuil en het stof van Noord-Afrika was de kans op infectie levensgroot. Hij werd op het eerste het beste hospitaalschip naar Engeland gezet.

'Hij leed vreselijk veel pijn toen hij van het schip naar een ambulance werd overgebracht. De morfine aan boord was op. Maar toen de medicijnen begonnen aan te slaan, kreeg hij wat meer oog voor zijn omgeving. Het ziekenhuis stond midden op het Engelse platteland. Het was er buitengewoon vredig na alle herrie en chaos van het slagveld.'

November, 1942

Het was fijn om weer tussen schone lakens te liggen en een zacht kussen te hebben en om de verpleegsters zachtjes te horen praten met hun vriendelijke, volle stemmen. Het was geen Savannah Winds en er was geen Annie om voor hem te zorgen, maar hij kreeg tenminste even respijt van de voortdurende beschietingen en van de hel die het vechten in de woestijn was.

Die eerste weken sliep hij voornamelijk en werd alleen wakker wanneer dragers hem wekten omdat hij tijdens bombardementen naar de schuilkelders van het ziekenhuis moest of wanneer zijn verband ververst moest worden. Uit de berichten op de radio en de gesprekken op de afdeling werd duidelijk dat Londen bij de bombardementen de volle laag kreeg en hij was bang dat hij zijn familie al zou kwijtraken nog voor hij de kans had gekregen ze te vinden.

Zes lange weken later werd hij uit het ziekenhuis ontslagen en hij kreeg vijf dagen verlof voor hij zich in Colchester moest melden. Hij nam de eerste de beste trein uit Basingstoke en begon de lange, moeizame reis naar Londen.

Onderweg werd vaak gestopt omdat de spoorlijn de avond ervoor gebombardeerd was en dan moest hij overstappen op een bus om naar het volgende station te komen. Hij begon bewondering te krijgen voor de stoïcijnse manier waarop de Engelsen zich bij de feiten neerlegden. Ze zetten hun dagelijkse leven voort in de rustige en vastberaden overtuiging dat de oorlog gewonnen kon worden.

Londen was een openbaring en toen hij buiten het station stond, keek hij ongelovig om zich heen. De wegen en trottoirs gingen schuil onder bergen puin van ingestorte gebouwen. Het water gutste uit de hoofdleidingen en elektriciteitskabels slingerden zich als zwarte slangen door de rommel. De restanten van nog steeds rokende huizen en kantoorgebouwen stonden als skeletten afgetekend tegen de hemel, hun zwartgeblakerde interieurs blootgesteld aan de elementen. Zandzakken lagen opgestapeld in deuropeningen, mannen schreeuwden en zweetten terwijl ze probeerden de weg vrij te maken om het verkeer doorgang te geven, kinderen zwermden rond de bomkraters op zoek naar schatten en speelden dat ze jachtpiloten waren.

Er hing een dikke rook en de stank van brand, maar mannen met bolhoed en opgerolde paraplu's liepen langs hem alsof het een doodgewone maandagochtend was. Ze gingen zoals altijd naar hun werk en er was niets wat hun tegen kon houden.

Sam zag hoe vrouwen met hun boodschappentassen over de bergen puin klauterden en lachten wanneer een van hen een grapje maakte. Daarbovenuit stak de majestueuze koepel van de kathedraal van St.- Paul's, sereen en ongeschonden – een baken van hoop in een belegerde stad.

Hij schudde vol bewondering zijn hoofd. Hij had wel gehoord van de Britse onverzettelijkheid en hier, pal voor zijn ogen, werd die werkelijkheid.

De straten zagen er zo heel anders uit dan toen hij klein was en hij besloot de ondergrondse te nemen. Terwijl hij afdaalde in de duisternis zag hij tot zijn verbazing dat het er vol was met mensen die daar leken te bivakkeren, ook al was er op dat moment geen bombardement aan de gang. Hij kreeg te horen dat er maar weinig plaatsen beschikbaar waren en dat er te allen tijde iemand moest blijven om ervoor te zorgen dat iemand anders ze niet in beslag nam.

De reis naar Hackney duurde niet lang, maar toen hij daar aankwam, werd hij nog meer overdonderd door de verwoesting die had plaatsgevonden. Het was duidelijk dat het East End de volle laag had gekregen, want er stond nauwelijks nog een huis overeind. De straten waren verdwenen onder een dikke laag puin of waren veranderd in enorme bomkraters. Opnieuw hing er dikke rook in de lucht en de bijtende geur van verbrand rubber en gloeiend heet metaal.

Hij probeerde een herkenningspunt te vinden, maar het was hopeloos. 'Neem me niet kwalijk,' zei hij tegen een vrouw die zich over de puinhopen haastte. 'Kunt u me zeggen welke kant ik op moet naar Petticoat Lane?'

Ze keek achterdochtig naar zijn uniform. 'Jij bent een van die Aussies, hè? Wat mot je op Petticoat Lane?'

'Ik ben daar geboren, mevrouw, en ik probeer mijn familie te vinden.'

De naam zei haar niets, maar ze wees hem met een waarschuwing de weg naar de markt. 'Ze zijn waarschijnlijk weggebombardeerd,' zei ze. 'Dat is de meesten overkomen. Als je ze nie ken vinden, dan mot je maar naar het opvangcentrum in 'ackney Road gaan.'

Sam tikte tegen zijn slappe vilthoed. Het was vreemd om dat Cockneyaccent weer te horen, maar het klonk hem als muziek in de oren.

Hij sloeg de hoek om en alle herinneringen kwamen weer boven. De rij huizen was zwaar beschadigd, de ramen waren dichtgetimmerd met spaanplaat, schoorstenen waren in brokstukken gevallen en op de daken lagen grote stukken zeildoek om de regen buiten te houden. Aan het einde van de straat was een enorme krater die minstens acht huizen en het badhuis had verzwolgen. Nummer zesenveertig stond nog overeind en hij zag dat iemand de stoep had geboend en gebleekt. Hij herinnerde zich dat zijn moeder dat elke ochtend had gedaan – dat was een kwestie van trots, had ze uitgelegd – maar te midden van al die verwoesting leek het tamelijk zinloos.

Met bonzend hart liep hij de straat door. Zijn soldatenkistjes klonken luid op het gebarsten trottoir en hij was zich ervan bewust dat hij van achter elke vitrage en vanuit elke duistere portiek werd gadegeslagen. De kinderen van Londen waren nog steeds duidelijk aanwezig. Hij had gehoord dat de meesten nadat ze waren geëvacueerd weer waren teruggekeerd omdat hun ouders ze liever bij zich hadden dan dat ze ze bij vreemden op het onbekende platteland lieten verblijven.

Ze liepen op straat te voetballen, net als hij had gedaan, en de meisjes waren aan het touwtjespringen of aan het hinkelen terwijl hun moeders in de deuropeningen stonden te roddelen en hem met argwaan bekeken.

Op nummer zesenveertig waren twee ramen dichtgetimmerd, de dakgoot was kapot, de beschadigde voordeur werd met een paar planken bij elkaar gehouden. Hij haalde diep adem en bonsde op de deur voor hij de moed zou verliezen.

De deur werd opengerukt en een harde stem brulde: 'Ik heb toch gezegd dat het gedonder klaar moet zijn. Als ik jullie nog een keer...' Ze kreeg een kleur en sloeg haar armen over elkaar op de gebloemde schortjurk die haar van de hals tot aan haar knieën bedekte. 'Ik heb geen ruimte voor nog meer kostgangers,' zei ze op iets gematigder toon. 'Sorry, schat. Je hebt een vergeefse reis gemaakt.'

Sam stond als aan de grond genageld op de stoep. 'Ze zeiden dat je dood was,' wist hij uit te brengen.

'Ik weet niet waar je het over hebt,' zei ze argwanend. 'Wie is er dood? Wat mot je hier? Je bent zo'n Aussie, hè?'

'Mam,' zei hij dringend. 'Ik ben het, Sam. Ik weet dat ik ben gegroeid, maar zo erg ben ik toch niet veranderd?'

Ze staarde hem aan, bekeek nauwkeurig zijn gezicht en alle kleur verdween uit haar gezicht. 'Sam? O, mijn god. Sam.'

Hij kon haar nog net opvangen toen ze flauwviel. Hij droeg haar naar binnen en legde haar op de bank in de voorkamer die vroeger alleen op zondag werd gebruikt. Het vertrek was nu provisorisch ingericht als slaapkamer. De dekens en lakens lagen op de rugleuning van de bank en op de eetkamertafel lag een stapel kleding. Het raam was dichtgetimmerd waardoor het vertrek donker en somber was.

Hij stak de gaslamp aan de muur aan en ging op zoek naar water. De keuken was nog precies hetzelfde, met een fornuis, een gootsteen van gebarsten email en een provisiekamer. Het linoleum was verbleekt en versleten, het pleisterwerk bladderde af en was gebarsten. De achterdeur werd met een stuk spaanplaat bij elkaar gehouden.

Toen hij terugkwam met een kop water, begon ze bij haar positieven te komen en ze probeerde te gaan zitten. 'Ben jij het echt, Sam?' zei ze ademloos. 'Is dat mogelijk?'

Hij nam haar trillende hand in de zijne. 'Ik ben het echt, mam. Helemaal groot geworden en twee keer zo lelijk.'

Haar ogen waren groot van verbijstering terwijl ze zijn gezicht onderzoekend bekeek. 'Maar ik ben teruggegaan om je te halen toen je vader weer werk had en toen zeiden ze dat je gestorven was aan longontsteking.'

Hij ging naast haar op het randje van de bank zitten en sloeg zijn arm om haar schouder. 'Ze zeiden ook dat jij dood was,' zei hij zacht. 'Ik kan niet geloven dat ik je heb teruggevonden.'

'O, Sam,' zuchtte ze en ze ging met haar vingers door zijn haar. 'Het is een wonder.' Ze snikte terwijl ze haar armen om hem heen sloeg en hem vasthield alsof ze hem nooit meer los zou laten.

Sam herinnerde zich de geur die hij nu inademde, voelde die bekende armen en wist dat zijn moeder om hem had gehuild. Wist dat ze nooit was opgehouden van dat kleine jongetje te houden van wie ze dacht dat ze hem kwijt was.

Hij bleef een deel van zijn verlof en ze hernieuwden voorzichtig de banden die zo veel jaren eerder verbroken waren. Ze huilde toen hij haar vertelde over het weeshuis en over de manier waarop hij als slaaf was behandeld en ze glimlachte toen hij het had over Annie en over Savannah Winds en zijn plannen voor de toekomst.

Sam ontdekte dat zijn vader al lang geleden was weggegaan en dat zijn moeder kostgangers in huis had genomen en schoonmaakwerk had gedaan om de huur te kunnen betalen. Er waren niet meer kinderen gekomen en hoewel ze nog steeds mensen in huis nam, verdiende ze nu een goed salaris bij een munitiefabriek in de buurt. Ze praatten elke dag tot diep in de nacht en stopten alleen maar om naar de schuilkelder in de straat verderop te rennen wanneer de sirenes hun waarschuwing loeiden dat er weer een bombardement ophanden was.

Hij kwam er heel snel achter hoe angstaanjagend het was om in Londen te leven en in de tunnels van de ondergrondse te schuilen terwijl het gedonder en geraas van de bommen de aarde boven zijn hoofd deden schudden. Zijn bewondering voor de mensen in het East End groeide met de dag.

Op de laatste dag van zijn verlof hield hij haar stevig in zijn armen en zei tegen haar dat hij van haar hield, dat hij terug zou komen zodra dat kon en haar mee zou nemen naar Australië. Ze snikte toen hij haar eindelijk losliet en de straat uit liep.

Sam vocht tegen zijn tranen en hield zijn rug recht en het hoofd geheven terwijl de vrouwen uit hun huizen kwamen en hem het beste wensten. Maar toen hij bij de hoek was, kon hij zich er niet van weerhouden nog een keer om te kijken naar de straat die hij als kind zo goed had gekend en naar de vrouw van wie hij had gedacht dat hij haar nooit meer zou zien.

Ze stond op straat, een hoofddoek om haar donkere haar, de zoom van haar gebloemde schort tegen haar lippen gedrukt terwijl ze hem in tranen uitzwaaide.

Fleur glimlachte beverig naar Blue toen hij aan het einde van zijn verhaal was gekomen. 'Ik ben zo blij dat hij haar heeft gevonden,' mompelde ze. 'Wat wreed om ze gescheiden te houden, om tegen hen allebei te liegen – en ook nog eens zo'n vreselijke leugen.'

'Het is gemakkelijk om tegen vrouwen en kinderen te liegen,' zei hij zacht, 'want ze hebben te veel vertrouwen in de mensen van wie ze denken dat ze weten wat goed voor hen is.'

Fleur fronste haar voorhoofd. Ze wist niet goed wat hij daarmee bedoelde. 'Heeft hij de oorlog overleefd, Blue? Heeft hij haar meegenomen naar Savannah Winds en is hij bij Annie komen wonen?'

Blue was enkele ogenblikken geconcentreerd bezig een shagje te rollen. Hij nam er de tijd voor om hem aan te steken en blies vervolgens een dikke wolk blauwe rook uit. 'Sam Somerville kwam terug naar Annie,' zei hij met hese stem, 'maar zijn moeder heeft hij nooit meer gezien. Ze werd gedood toen de munitiefabriek werd getroffen door een vliegende bom.'

15

Greg was de hele dag bij Bethany gebleven, tot het moment waarop Mel uit de narcose was ontwaakt en Beth ervan overtuigd was dat ze het zou redden. Hij had geen tijd gehad om zich te verkleden. Hij had zich naar zijn flat gehaast, zijn weekendtas gepakt en was net op tijd geweest voor de vlucht naar Cloncurry. Terwijl hij achteroverleunde in zijn krappe stoel en het vertrek afwachtte, viel hij binnen een paar minuten in slaap.

Hij werd wakker toen de stewardess met een kop thee aankwam en tegen hem zei dat ze binnen een halfuur zouden landen. Terwijl hij van de thee dronk, voelde hij hoe het vliegtuig begon te dalen en toen ze onder de wolken vandaan kwamen, zag hij in de verte de lichtjes van Cloncurry. Het was geen grote stad, realiseerde hij zich, en het omringende landschap zag er verlaten uit. Hij was op weg naar een uithoek van Australië.

Het vliegtuig landde en de douane was een formaliteit. Greg kwam het gebouw van de luchthaven uit en stapte de verrassende koelte van de outback in.

Hij ving de blik op van een te dikke taxichauffeur die tegen zijn voertuig geleund stond en een worstenbroodje at. 'Goeiedag,' zei hij opgewekt. 'Weet u een goede plek om te overnachten?'

Het laatste stukje van de versnapering verdween in zijn mond en hij veegde de kruimels van zijn borst en buik. 'Goeiedag. Len is de naam, en ja, de Coolabah is het beste hotel in de stad. Doreen heeft wel een plekje voor je.'

Greg legde zijn weekendtas op de achterbank en stapte in de taxi. Len liet zich naast hem neerploffen en draaide het contactsleuteltje om. 'Het is hier kouder dan ik had gedacht,' zei Greg.

Lens talrijke onderkinnen trilden toen hij knikte. 'Dat zeggen de meeste stadsmensen, maar het is een hele opluchting na de hitte van overdag.' Hij wierp een blik op Greg terwijl ze langzaam bij het vliegveld wegreden en de richting van de stad insloegen. 'Je ziet er niet uit alsof je hier bent voor de veeveiling.'

Greg lachte inwendig om deze nauwelijks verholen nieuwsgierigheid. 'Nee, ik ben op doorreis.'

Len reed de hoofdstraat door waar op zo'n beetje elke hoek een hotel leek te staan. 'Het volgende vliegtuig vertrekt morgenochtend,' zei hij ten slotte. 'Wil je dat ik je oppik?'

'Nee,' zei Greg behoedzaam, 'maar ik zou wel een auto willen huren.'

'Handdruk Henry is de man die je hebben moet,' zei Len beslist. 'Hij zit een eindje verderop in deze straat.' Hij wees in de duisternis achter de lichten van een nabijgelegen café. 'Laat je niet iets anders aansmeren dan een fourwheeldrive en zorg ervoor dat je overal reserveonderdelen voor hebt.' Hij wierp een afkeurende blik op Gregs pak en handgemaakte schoenen. 'Ik denk dat je ook voor extra water en brandstof moet zorgen. Dit is Sydney niet, weet je.'

Daar was Greg zich maar al te zeer van bewust, maar als Fleur het kon, dan kon hij het ook. Hij pakte zijn tas toen de taxi voor een aardig ogend motel stopte en stapte uit.

Len nam het geld van hem aan en propte het in zijn broekzak. 'Misschien dat je een paar keer moet bellen. Doreen verkeert nogal eens in haar eigen wereld,' mompelde hij alvorens een snelle bocht te maken en het parkeerterrein af te scheuren.

'Hallo, schat. Ik hoorde Lens taxi. Je wilt een kamer voor vannacht?'

Greg probeerde niet naar het feloranje haar te staren dat vreselijk vloekte bij de rode trui. 'Dank u, en wilt u me morgenochtend om zes uur wekken?'

'Natuurlijk, schat. Ik zal zorgen dat het ontbijt voor je klaarstaat in de eetzaal.' Doreen graaide een sleutel van het rek. 'De keuken is nu dicht, maar ik heb wel een pastei voor je.'

'Bedankt, maar ik denk dat ik in de pub ga eten.' Hij zag haar mond verstrakken en haar ogen spleetjes worden. 'Ik wil u geen last bezorgen, aangezien het al zo laat is,' voegde hij er haastig aan toe.

'De pub serveert op dit tijdstip geen eten meer, dus het wordt de pastei of niets,' zei ze ronduit.

Hij wierp haar een innemende glimlach toe. 'In dat geval zou ik dolgraag de pastei willen,' zei hij. 'Ik ben de hele dag al onderweg en ik ben uitgehongerd.'

Ze beantwoordde zijn glimlach waarbij ze een rij schitterende porseleinen tandjes liet zien. 'Oké. Ik zal er friet bij doen.' Ze schoof een klembord over de balie. 'Je zit in nummer vier,' zei ze terwijl ze hem de sleutels gaf. 'Als je dit nu even invult, ga ik vast aan je eten beginnen.'

Greg vulde het formulier in en liep de receptie uit. Nummer vier bleek een brandschone tweepersoonskamer te zijn met een eigen badkamer. In Brisbane zou die minstens het dubbele hebben gekost van wat hij hier kwijt was. Hij nam een korte douche, trok een spijkerbroek en trui aan en liep terug naar het hoofdgebouw.

'Alsjeblieft, schat.' Doreen zette een bord voor hem neer met daarop een enorme vleespastei, een berg friet en vier dikke sneden brood met boter. Er werd een pot thee midden op tafel gezet.

'Bedankt, Doreen. Dat ziet er geweldig uit.'

Doreen was weer in haar element en ze liep druk doende het vertrek uit terwijl Greg aanviel op zijn eten. Hij kon niet alles op, maar hij had zijn best gedaan en leunde ten slotte achterover en dronk het laatste van zijn thee op. Hij zou liever een biertje hebben gehad, maar Doreen was verdwenen en hij had niet de energie om er in Cloncurry naar op zoek te gaan.

Hij liep de eetzaal uit en ging naar zijn kamer. Een paar minuten nadat hij in bed was gestapt, was hij vertrokken – en droomde van zijn hereniging met Fleur.

De dag was voor Fleur merkwaardig verlopen, maar hij was zo snel voorbijgegaan dat ze moeite had om bij te houden wat er allemaal was gebeurd. Terwijl ze een trui aantrok en in haar laarzen stapte voor de lange wandeling naar Sal en Djati voor het avondeten, nam ze even de tijd om de dag te overdenken – en wat de volgende dag zou kunnen brengen.

Blue was kort nadat hij het verhaal van Sam had verteld weggegaan. Fleur was nog lange tijd op de veranda blijven zitten, aangedaan door de tragedie die zich had ontvouwd. Het lot was Sam Somerville in die vroege jaren niet gunstig gezind geweest, maar hij leek voldoening en vreugde in zijn leven gevonden te hebben nadat hij bij Annie was teruggekeerd.

Het liep al tegen het middaguur toen ze na een haastig ontbijt en de afwas besloot op onderzoek uit te gaan op Savannah Winds. Ze had er de dag ervoor maar weinig van gezien en met al die mensen die haar aandacht opeisten, had ze geen tijd gehad om het tot zich door te laten dringen. Ze had zich verkleed in een korte broek, laarzen en een dun katoenen hemd en had de Akubra op haar hoofd gezet die ze in Brisbane had gekocht. De zon stond hoog aan de hemel en de temperatuur was aan het stijgen toen ze de bungalow verliet en op ontdekkingstocht ging.

Het enorme erf in het midden werd omzoomd door schuren, kippenhokken, hondenkennels en kralen voor de paarden. Daarachter lagen uitgestrekte omheinde weiden waar witte reigers meeliftten op de rug van langzaam voortstappend, grazend vee en geiten liepen te mekkeren terwijl hun jongen ronddansten. De hemel was een bleekblauw plafond en de enige geluiden waren het loeien van het vee, het blaten van de geiten en zo af en toe het gekras van een kraai. Het leek wel of de plek verlaten was en ze vroeg zich af waar iedereen uithing.

Terwijl ze langzaam de ronde maakte langs de schuren, kwam ze tot de ontdekking dat de boerderij uitstekend uitgerust was om in de dagelijkse behoeften te voorzien. Er was een smidse, een kleine schuur met alles wat nodig was om de vrachtwagens en landbouwmachines te repareren; een andere was ingericht als timmermanswerkplaats en er was er nog een voor het onderhoud van gereedschap, paardentuig en zadels. Ze snoof de heerlijke geuren op van pas geschaafd hout en geolied leer en vervolgde haar weg naar een schuur die bestemd bleek voor de opslag van hooi en zakken veevoer.

Toen ze de hoek om sloeg, zag ze een grote, vervallen schuur die apart stond van de andere. Dichterbij gekomen, zag ze dat de deuren in lange tijd niet waren geopend. Er groeide onkruid voor, klimplanten hadden een weg gezocht door de scharnieren en wrongen zich door de gaten in het dak. De roest viel in plakken van het metaal toen ze duwde en trok en uiteindelijk de deur ver genoeg open kreeg om naar binnen te glippen.

Zich bewust van het feit dat er zich slangen, spinnen, schorpioenen en andere akelige, giftige, stekende en bijtende dingen konden verstoppen, bleef ze in het licht staan dat naar binnen stroomde en probeerde te onderscheiden wat hier zo lang verborgen was gebleven.

Terwijl haar ogen aan de duisternis wenden, besefte ze dat er in het midden van de schuur iets groots stond en dat het bedekt was met een stel zeildoeken. Nieuwsgierigheid won het van haar angst voor ongedierte en ze liep bij de deur vandaan.

De zeilen waren oud en uitgedroogd en ze kraakten alarmerend toen ze worstelde om ze weg te trekken van wat het ook was dat eronder zat. Ze stond te zweten en ze zat onder het stof toen het eerste zeildoek eindelijk op de grond viel.

Ze staarde naar wat ze had onthuld; omdat de toenemende opwinding haar extra kracht gaf, zag ze kans om de rest van de zeilen weg te trekken.

Het eenpersoonsvliegtuig had afgeronde vleugels met een spanwijdte van meer dan elf meter en één enorme propeller. Het toestel was meer dan negen meter lang en op de zijkant kon ze het verbleekte blauw en gele embleem van de RAF onderscheiden met de letter R aan de ene kant en het getal 62 aan de andere. De banden hadden geen profiel en waren leeggelopen en er had ook iets aan zitten knagen. De verf was dooraderd met kleine barsten en de propeller zou waarschijnlijk nooit meer ronddraaien.

Ondanks het verval was het een schoonheid en Fleur liep er langzaam vol ontzag omheen. Haar vingers gingen licht over het metaal, bleven even hangen bij het embleem terwijl ze zich probeerde voor te stellen hoe het vliegtuig ooit met grote snelheid hoog door de lucht had gezwierd, draaiend en kerend in gevecht met de vijand.

Ze was naar oude speelfilms geweest, had op school de zwart-witbeelden van de journaals gezien en wist dat dit een Spitfire moest zijn, het beroemdste gevechtsvliegtuig uit de Tweede Wereldoorlog. Maar wat moest het hier in vredesnaam midden in de Gulf Country?

'Fleur? Fleur? Telefoon voor je.'

Ze was verdiept geweest in haar gedachten en Sals stem maakte haar aan het schrikken. 'Ik kom eraan,' riep ze terug. Met een laatste, koesterende blik op het vliegtuig haastte ze zich naar buiten waar ze Sal vanaf de veranda zag zwaaien.

Toen Fleur de trap op kwam, keek Sal over haar schouder en fronste haar voorhoofd. 'Wat was je daar aan het doen?'

'Ik was dat oude vliegtuig aan het bekijken. Het is een schoonheid. Ik had nooit gedacht dat ik nog eens een echte Spitfire te zien zou krijgen. Van wie was hij en wat doet hij hier?'

Sals blik was donker geworden en de frons op haar voorhoofd dieper. 'Hij was van Sam. Hij heeft hem na de oorlog hiernaartoe laten verschepen.' Ze leek haar gedachten te ordenen. 'Kom op, Martha Daley wil je spreken.'

Fleur vergat de Spitfire en liep snel achter Sal aan de bungalow binnen. Ze zag dat het huis erg op de boerderij leek, maar het was kleiner en nogal somber omdat alle luiken dicht waren om de zon buiten te houden. Sal overhandigde haar de hoorn, ging de kamer uit en deed de deur achter zich dicht.

'Hallo? Met Fleur.'

'Hallo, Fleur, Doreen heeft me verteld dat je er bent. O, hemel, je hebt geen idee hoe opgewonden we allemaal zijn, nu we weten dat je eindelijk thuis bent gekomen.'

Fleur merkte dat ze zo op haar benen stond te trillen dat ze moest gaan zitten. 'Ik ben blij dat ik hier ben,' zei ze, naar woorden zoekend.

'Doreen zegt dat je als twee druppels water op je moeder lijkt en we kunnen niet wachten om je te zien. Je oom John is al oude foto's aan het opsnorren om aan je te laten zien. Denk je dat je morgen langs kunt komen?'

Fleur moest glimlachen om haar enthousiasme en haar eigen opwinding groeide. 'Ik zal iemand moeten zien te vinden die me kan brengen, want ik heb geen idee waar je zit.'

'Geen probleem. John komt je morgenochtend met het vliegtuig halen. Blijf een tijdje logeren. We vinden het heerlijk om je op bezoek te hebben.'

'Dat lijkt me geweldig,' antwoordde ze, 'en, Martha...' Ze aarzelde. 'Vind je het goed als ik naar het graf van mijn moeder ga?'

'Natuurlijk. Lieve help, daar hoef je geen toestemming voor te vragen, Fleur.' Ze schraapte haar keel. 'Dit moet allemaal nogal een schok voor je zijn. Doreen vertelde dat je helemaal niets van Selina wist toen je hier kwam.'

Het leek erop dat Doreen een bron van nieuws was – en een enthousiast verspreider van roddels.

'Hoe dan ook, John is morgenochtend om een uur of acht bij je. Ik verheug me er heel erg op om je te ontmoeten, Fleur.'

Ze namen afscheid en Fleur legde de hoorn op de haak. 'Bedankt, Sal,' riep ze naar buiten. 'Ik kom straks de borden wel brengen.'

'We eten om zes uur,' riep ze vanuit de achterkamer.

Fleur was het huis uit gelopen. Ze stak haar handen in de zakken van haar korte broek en liep langzaam over het zandpad naar de boerderij. Toen ze bij de flauwe bocht kwam, bleef ze staan om naar de open plek te kijken en wat ze daar zag stemde haar tot nadenken.

Sal stond voor de geopende deur van de oude schuur. Haar aandacht leek gericht op de Spitfire en ze bleef lange tijd roerloos staan voor ze zich uiteindelijk omdraaide. Terwijl Fleur stond te kijken, was de oude vrouw diep in gedachten teruggelopen tot ze boven aan de trap naar de veranda stond. Maar in plaats van naar binnen te gaan, had ze zich omgedraaid en nog eens langdurig naar de schuur gekeken. Toen had ze haar hoofd geschud en was ze het huis binnen gegaan.

Fleur was doorgelopen naar de boerderij. Sal leek gefascineerd door de Spitfire, maar aan de andere kant, ze had hem waarschijnlijk niet meer gezien sinds ze een klein meisje was. Er vielen hoogstwaarschijnlijk nog andere dingen te ontdekken op dit uitgestrekte terrein, maar een verdere speurtocht zou moeten wachten. Ze moest zich voorbereiden op haar bezoek aan Emerald Downs en ze wist dat ze zichzelf moest vermannen voor wat zeker een emotioneel bezoek aan haar moeders graf zou worden.

De hitte was haar uiteindelijk te machtig geworden en ze had een paar uur op de veranda doorgebracht met Annies dagboeken. Haar oogleden waren zwaar geworden en de slaap had haar meegevoerd in prettige dromen.

Fleur keerde terug in het heden, voltooide het dichtrijgen van haar laarzen en pakte een deken. Het was vanavond kouder dan ooit en ze kwam in de verleiding om de houtkachel aan te steken, maar dat was vermoedelijk niet veilig als ze voor langere tijd het huis uit ging.

Het geluid van de pick-up riep haar naar de deur van de veranda en ze voelde een steek van teleurstelling toen het niet Blue was die eruit klom, maar Djati.

Hij lachte haar toe bij wijze van groet en hield voorzichtig een dienblad in evenwicht terwijl hij de trap op liep. 'Sal voelt zich vanavond niet zo lekker,' verklaarde hij. 'We hopen dat je het niet erg vindt om hier te eten?'

Fleur schrok. 'Toch niets ernstigs, hoop ik? Ze leek eerder vandaag wel een beetje afwezig, moet ik zeggen.'

Djati zette het dienblad op tafel en stak zijn handen in zijn broekzakken. 'Ze heeft af en toe van die vreemde aanvallen, maar het stelt allemaal niet veel voor. Het wil meestal alleen maar zeggen dat ze zich te druk heeft gemaakt.'

'Doe haar de groeten van me, wil je, en zeg dat ik hoop dat ze snel weer beter is.'

'Het komt wel goed,' zei hij bijna achteloos. 'Ik begrijp dat John Daley je morgen komt halen? Hoelang blijf je weg, denk je?'

Fleur haalde haar schouders op. 'Hooguit een paar nachten, maar ik hou je wel op de hoogte.'

Hij vertrok in een wolk van stof en Fleur ging zitten om de maaltijd van karbonaadjes, aardappelpuree en verse groenten te verorberen. Ondanks dat ze die middag een dutje had gedaan, had ze nog steeds slaap. Ze voelde zich verzadigd en binnen een uur lag ze in bed. Voor ze het licht uitdeed, keek ze naar de foto van haar moeder en toen ze sliep droomde ze van haar terwijl de kat naast haar lag te spinnen.

Greg had al ver voor zessen gedoucht en een katoenen overhemd en een spijkerbroek aangetrokken. Naarmate de tijd verstreek en het duidelijk werd dat Doreen vergeten had hem te wekken, besloot hij naar de eetzaal te gaan om te ontbijten. Hij kon de heerlijke geur van bacon dat lag te bakken al ruiken en het water liep hem in de mond.

Er was nog een man in de eetzaal die de strijd had aangebonden met een enorm bord eten. Greg mompelde 'Môgge', pakte een exemplaar van de ochtendkrant en ging zitten.

Doreen kwam door de klapdeuren uit de keuken, haar gezicht een en al glimlach terwijl ze een pot koffie voor de andere man neerzette. Ze draaide zich om en wierp een boze blik in Gregs richting voor ze weer verdween. Hij vroeg zich af wat hij in vredesnaam kon hebben gedaan dat ze zo boos op hem was.

Een paar minuten later kwam ze met een hoop lawaai opnieuw door de klapdeuren en kwakte een bord eten voor hem neer. Geen glimlach te bekennen – eerlijk gezegd stond haar gezicht op onweer. Greg liet zich meestal niet bang maken door kleine oude dametjes, maar hier lag dat anders. Wat had hij verdorie gedaan dat zo'n woede rechtvaardigde? Hij keek in de richting van de andere man die zijn schouders ophaalde. 'Ik weet van niks,' mompelde hij. 'Ik heb haar nog nooit zo gezien, maar er zit haar vanochtend iets behoorlijk dwars.'

Doreen kwam terug met een pot thee en zette die met een klap op tafel. Ze had haar bovenlip opgetrokken alsof ze wilde grommen.

'Kan ik misschien koffie krijgen? Ik hou niet van thee 's morgens.'

'Er is geen koffie,' snauwde ze en ze beende weer naar de keuken. Greg wierp een blik op de koffiepot op de tafel van de andere man en gaf het op. Doreen was duidelijk des duivels vanwege iets wat hij gedaan had, maar hij zou zijn ontbijt daardoor niet laten bederven.

'Sterkte, *mate*,' mompelde de andere man terwijl hij de eetzaal uit liep.

De toast arriveerde op een bord met een paar klontjes boter. Greg probeerde de innemende glimlach die hij de avond ervoor had toegepast. 'Mag ik alsjeblieft een beetje jam, Doreen?'

'Jam is extra en bovendien heb ik het niet,' snauwde ze.

Greg had er genoeg van. Hij smeet het papieren servetje op tafel en stond op. 'Wat heb jij vanmorgen? Je hebt nog geen vriendelijk woord tegen me gezegd en je houding staat me helemaal niet aan.'

'Staat je niet aan, hè?' Ze sloeg haar armen onder haar schommelende boezem en keek naar hem alsof hij iets was wat ze net van haar schoenzolen had geschraapt. 'Nou, meneertje Arrogant, de knappe chirurg, ik weet nu wie je bent en je zult er nog wel achter komen dat de mensen hier er niet van houden als je iemand van ons op de manier behandelt zoals jij hebt gedaan.'

'Ik heb geen flauw idee waar je het over hebt. Ik ben hier pas een paar uur, hoe kan ik iemand van jullie in vredesnaam hebben beledigd?'

'Fleur is er een van ons,' siste ze, 'en wee degene die haar zo ongelukkig maakt als jij hebt gedaan.'

'Ho, wacht eens even,' snauwde hij. 'Ik weet niet wat ze je allemaal heeft verteld, maar...'

'Ik weet meer dan genoeg,' onderbrak ze hem terwijl ze intussen met veel lawaai de borden opstapelde. 'Als je denkt dat je hierheen kunt komen en dat meisje door heel Australië kunt achtervolgen, dan heb je het bij het verkeerde eind. We komen hier voor elkaar op.'

'Dat is heel lovenswaardig,' snauwde hij terug, 'maar Fleur is niet van hier, ze komt uit Brisbane en je begrijpt helemaal niets van wat er tussen ons is voorgevallen. Ik zou het op prijs stellen als je je met je eigen zaken bemoeide.'

'Je komt er nog wel achter,' zei ze binnensmonds, maar haar ogen fonkelden en ze had een zelfingenomen glimlach op haar gezicht. Ze draaide zich plotseling om en verdween opnieuw naar de keuken.

Greg bleef achter en woelde gefrustreerd met zijn vingers door zijn haar. Wat had Fleur die vrouw verdomme verteld? Hoe zwart had ze de hele situatie afgeschilderd? En was de hele stad op de hoogte?

Er was maar één manier om daarachter te komen. Hij gooide genoeg geld op tafel om de rekening mee te voldoen, verliet de eetzaal en ging zijn tas halen.

Het was nog geen acht uur, maar er reden al volop vrachtwagens en personenauto's en er liepen mensen op de trottoirs. Greg slingerde de tas over zijn schouder en liep met stevige pas door de hoofdstraat op zoek naar het autobedrijf.

'Henry doet Zaken met een Handdruk,' stond er op een hoek van een kruispunt. Het bedrijf was versierd met vlaggen en de verzameling auto's nam een flink stuk geasfalteerd terrein voor een containerkantoor in beslag. Greg hees zijn tas wat hoger en klopte op de deur.

'Binnen.' De stem die vanbinnen kwam, klonk jong en opgewekt.

Greg deed de deur open. 'Môgge. Len zei dat u de aangewezen persoon was. Ik wil voor de komende twee weken een auto huren.'

De jongeman nam niet de moeite om uit zijn stoel te komen en bleef zitten, draaide met zijn stoel heen en weer terwijl hij zijn blik snel van Gregs hoofd naar zijn laarzen liet gaan. 'Het spijt me,' zei hij zonder verontschuldigend te klinken, 'maar alle huurauto's zijn op het moment weg.'

Greg vroeg zich af of hij alle klanten zo onbeleefd en weinig behulpzaam behandelde. 'Ik dacht dat ik een jeep zag staan met een bordje TE HUUR?'

Hij schudde zijn hoofd. 'Nee, die wordt later vandaag opgehaald.' Hij haalde zijn schouders op en deed geen poging geïnteresseerd te lijken in Gregs problemen. 'Ik neem aan dat je het nog bij Jake aan de andere kant van de stad kunt proberen. Hij heeft een garage en er staan vaak een paar auto's voor de verhuur of verkoop.'

'Dan doe ik dat maar.' Greg nam niet de moeite om de deur achter zich dicht te doen en ging op zoek naar Jake.

Hij vond eindelijk iets wat kon doorgaan voor een garage, ergens verborgen in een zijstraat aan de andere kant van de stad. Het was een gebouwtje van golfplaat dat betere tijden had gekend, met twee benzinepompen ervoor en een berg roestige auto's die langzaam stonden weg te rotten op het braakliggende stuk grond ernaast. Er blèrde een radio vanuit het duistere interieur waar een auto op de brug stond. Er stond een pick-up op het voorterrein met een geldig registratiebewijs achter de voorruit, maar er was geen spoor van Jake.

Greg had het heet, hij zweette en hij was kwaad. Hij smeet zijn tas neer en ging op een omgekeerd bierkrat zitten wachten tot er iemand kwam opdagen. De pick-up stond daar met het zonlicht schitterend op de voorruit tegenover hem en leek hem uit te dagen, want de sleutels zaten in het contactslot. Maar Greg was van nature een eerlijk mens en als hij afging op zijn confrontatie daarnet met Doreen, dan was zijn reputatie hier al slecht genoeg zonder dat hij diefstal toevoegde aan zijn ongetwijfeld al lange lijst met zonden.

Hij zat er al een halfuur toen een man van middelbare leeftijd naar hem toe kwam gekuierd. Hij liep iets te eten uit een bruine, papieren zak en toen zijn blik op Greg viel, keek hij hem uitdagend aan. 'Kan ik je ergens mee helpen?'

'Ik hoop het. Ik zou graag een jeep willen huren. Het is nogal dringend en het kan me niet schelen als ik iets extra's moet betalen.'

'Sorry, *mate*. Ik verhuur niet.'

'En die pick-up? Is die van jou? Kan ik die huren?'

'Dat zal niet gaan. Die heb ik nodig voor pechgevallen.'

Greg haalde diep adem en wist zich te beheersen. 'Ik ben al bij Henry geweest. Is er hier nog iemand anders die auto's verhuurt?'

De man nam de tijd om over die vraag na te denken en kauwde ondertussen op zijn vleespastei. Ten slotte schudde hij zijn hoofd. 'Je zit vast, vrees ik.' Hij drong zich langs Greg met iets wat verdacht veel op een glimlach leek terwijl hij in de duisternis verdween en de radio harder zette.

Greg vloekte binnensmonds terwijl hij, in de teisterende zon, weer terugliep. Hij vervloekte Doreen, vervloekte de stad en vervloekte zelfs Fleur omdat ze te veel had gezegd.

Henry zat nog steeds in zijn bureaustoel en zijn ogen werden groot toen hij Greg zag binnenstappen. 'Geen geluk bij Jake?'

Verwaande klootzak, dacht Greg. 'Ik wil een jeep kopen,' zei hij.

'We hebben er maar twee, en die zijn het beste van het beste,' antwoordde hij terwijl hij zich eindelijk uit zijn stoel hees.

Greg had zoiets al verwacht. 'Oké. Ik neem de goedkoopste, maar ik wil er wel extra banden, een paar jerrycans en gereedschap bij hebben.' Hij zocht in zijn zak naar zijn portefeuille en haalde zijn platina creditcard tevoorschijn.

Henry keek met een peinzende blik naar de creditcard. 'Het kost een paar dagen om de auto klaar te maken en de betaling te regelen,' zei hij. 'En dan moet ik natuurlijk ook nog bij de politie nagaan of alles in orde is.' Zijn glimlach reikte niet tot zijn ogen. 'Het is vandaag vrijdag en in het weekend gebeurt er niet veel, maar eind volgende week is de auto wel klaar.'

'Maar ik heb hem vandaag nodig.' Hij begon wanhopig te worden en wist dat hij dat liet merken, maar het kon hem niets schelen. 'Ik moet naar Savannah Winds. Mijn vrouw is daar en...'

'Ja, dat heb ik gehoord,' zei hij lijzig en hij ging weer zitten. Hij sloeg zijn benen over elkaar op het bureau en stak een sigaar op. 'Maak je niet druk. Martha Daley zal goed voor haar zorgen. Fleur komt hier wel terug als ze daaraan toe is. Dan kun je haar spreken.'

'Wie is verdomme Martha Daley?'

'Mijn tante,' antwoordde hij. 'Haar man is de oom van Fleur. Maar dat weet je natuurlijk allemaal al, je bent tenslotte haar echtgenoot, hè?'

Greg beende het kantoor uit en sloeg de deur zo hard achter zich dicht dat de container stond te schudden toen hij het trapje af stormde en het terrein over liep. Het was een samenzwering – en dat allemaal omdat één nieuwsgierige oude vrouw zich niet alleen met haar eigen zaken kon bemoeien.

Hij bleef bij een hek staan dat toegang gaf tot een openbaar park en wandelde over het keurig geplaveide pad naar een bank die in de schaduw stond van een houten pergola die bijna helemaal schuilging onder kamperfoelie en rozen. Hij ging zitten en begroef zijn gezicht in zijn handen. Alle strijdlust was uit hem verdwenen en hij voelde zich wanhopig. Hij kon niet bij Fleur komen en het was zo belangrijk dat hij haar te spreken kreeg. Hij moest haar vertellen hoe ze het bij het verkeerde eind had wanneer ze dacht dat hij haar ontrouw kon zijn. Hij moest haar bewijzen dat hij van haar hield.

Fleur was voor het licht werd opgestaan en had de kat naar buiten gelaten. Na een licht ontbijt had ze zich aangekleed en haar spullen ingepakt en was naar de bungalow van Sal en Djati gelopen. Sal zat op de veranda met een slapende peuter op haar schoot.

'Hallo,' zei Fleur. 'Voel je je vandaag wat beter?'

'Ja, alles in orde. Het was gewoon een van mijn rare aanvallen.' Sal gebaarde dat ze naast haar moest gaan zitten.

Fleur zat een tijdje naar het slapende kind te kijken en ze verlangde ernaar om er een van zichzelf in haar armen te houden. 'Is Blue in de buurt?' vroeg ze ten slotte. 'Ik heb hem gisteren gezien en ik dacht dat hij wel bij jou zou logeren.'

Sal keek met een vaste, maar verontrustende blik naar Fleur. 'Blue is nooit ver weg,' zei ze zacht, 'maar niemand weet wanneer hij opduikt.' Haar blik liet haar geen ogenblik los. 'Ik zie dat je het nu begrijpt.'

Fleur voelde een prikkeling in haar nek. 'Wat begrijp, Sal?' zei ze terwijl ze haar toon opzettelijk luchtig hield.

'Je weet het wel,' zei ze ernstig en ze knikte.

'Het spijt me, Sal. Je spreekt in raadsels.'

Sal haalde diep adem en staarde door de horren in de verte. 'Het is geen raadsel, Fleur. Je weet dat ik gelijk heb,' mompelde ze.

'Gelijk hebt over wat?'

Sals ogen blonken in de schemering van de veranda en ze glimlachte geheimzinnig terwijl ze zat te schommelen, maar ze gaf geen antwoord.

Ondanks de hitte van de vroege ochtend rilde Fleur. 'Je jaagt me de stuipen op het lijf,' zei ze met een zenuwachtig lachje. 'Kom op, Sal. Wees eens duidelijk.'

Sal stond op en gaf het slapende kind voorzichtig aan Fleur. 'John zal zo wel komen,' zei ze. 'Ik ga thee zetten.'

Fleur keek omlaag naar het blozende gezichtje, de lange wimpers en het perfecte mondje. Ze voelde het gewicht van het slapende kind in haar armen en drukte het zachtjes tegen zich aan terwijl ze de geur van haar huid opsnoof. Het verlangen naar een kind werd bijna ondraaglijk en ze ijsbeerde over de veranda terwijl ze zich inspande om het geluid van het vliegtuig te horen boven het lawaai van de smidse en het loeien van de jonge stieren die in de kraal rondliepen. Sal had haar absoluut een ongemakkelijk gevoel gegeven met haar vreemde praatjes en starende ogen. Wat haar nog veel meer verontrustte, was de kracht van haar verlangen om dit kind in haar armen te houden en nooit meer los te laten.

'Was Greg hier maar,' fluisterde ze in de vochtige krullen. 'O, god, ik mis hem zo.'

Sal kwam het huis uit met een stel theekopjes. 'Hij heeft je diepste wens gehoord,' zei ze. 'Er is niets om je ongerust over te maken.'

Fleur staarde haar verbijsterd aan en stond op het punt te reageren toen ze het welkome gebrom van een vliegtuig hoorde.

‘Djati gaat hem zo halen,’ zei Sal. ‘Hij zal wel zin hebben in een kop thee voor hij terugvliegt.’

‘Dat komt wel goed,’ zei Fleur snel. ‘Ik rij wel met Djati mee. Kun je misschien een thermosfles thee maken die ik mee kan nemen?’

Sal keek haar een ogenblik nadenkend aan voor ze naar binnen ging en even later terugkeerde met een grote thermosfles. ‘Ik heb het gemaakt zoals hij het lekker vindt, met een heleboel melk en suiker,’ zei ze terwijl ze het kind overnam van Fleur.

Fleurs armen voelden ineens leeg, nu ze geen kind meer hoefden vast te houden. ‘Zeg tegen Blue dat hij op me moet wachten,’ zei ze. ‘Ik moet hem spreken.’ Zonder antwoord af te wachten, duwde ze de hordeur open net op het moment dat Djati in de pick-up voorreed. ‘Tot over een paar dagen,’ zei ze over haar schouder terwijl ze instapte.

‘Je hebt haast,’ zei Djati toen hij bij de bungalow wegreed en in oostelijke richting ging. ‘Mijn Sal heeft je toch niet van streek gemaakt, hè?’

‘Een beetje wel,’ gaf Fleur toe. ‘Ik vind het niet leuk als ze in raadselen praat.’

‘Dat is gewoon haar manier van doen,’ suste hij. ‘Haar moeder was net zo. Ik deed het in mijn broek toen ik haar voor het eerst ontmoette. Maar je went eraan.’

Fleur had het grootste respect voor het geloof van andere mensen, maar ze betwijfelde of ze ooit aan Sals vreemde gedrag zou wennen.

De felgele Cessna zette net de landing in op de zandstrook die dienstdeed als landingsbaan. Ze draaiden de portierraampjes dicht toen alles in de omtrek in een dikke stofwolk verdween en wachtten tot het stof was neergedaald. Djati reed naar het vliegtuig waar een man bezig was uit de cockpit te klauteren.

John Daley was van gemiddelde lengte, had grijs haar, een gelooide huid en een handdruk die een stier kon wurgen. Hij nam zijn hoed af en bestudeerde Fleur aandachtig met zijn bruine ogen. ‘Ja,’ zei hij. ‘Je lijkt op haar. Ik zweer het, je lijkt op haar.’

Fleur zag een man van begin vijftig die van jongs af aan op het land had gewerkt. Hij was stevig gebouwd, maar ze vermoedde dat het allemaal spieren waren. Zijn trekken waren aangenaam en regelmatig. ‘Doreen heeft me een foto gegeven,’ antwoordde ze met een glimlach, ‘en ik zie de gelijkenis ook in jouw gezicht.’

'Kom op, dan brengen we je naar Emerald Downs. Heb je daar thee in die thermos? Ik ben zo uitgedroogd als het achtereind van een leguaan.'

Ze gaf de thermosfles aan hem en hij hielp haar de treden naar de cockpit op. Hij deed haar gordel om, legde haar tas achterin, ging aan de stuurknuppel zitten en dronk van zijn thee. 'Het is maar een halfuurtje vliegen,' vertelde hij. 'Ik zal laag genoeg vliegen om je de kans te geven goed te zien wat we hier in deze contreien allemaal te bieden hebben.' Zijn gebruinde gezicht spleet open in een aanstekelijke glimlach en hij drukte zijn hoed steviger op zijn hoofd alvorens de motor te starten.

Fleur stond ervan te kijken hoe stil het was. Ze had minstens verwacht dat ze gehoorbescherming zou moeten dragen. Ze klemde haar handen stijf om de armleuningen toen ze over de startbaan raasden en het luchtruim kozen. Ze keek omlaag en zag Djati's pick-up opduiken uit de stofwolk die ze hadden veroorzaakt. Ze kon de huizen zien die over enkele hectares van Savannah Winds verspreid lagen en het kleine, donkere figuurtje dat vanaf de trap naar hen stond te zwaaien.

John leverde de hele weg commentaar. Hij wees de waterputten aan die lagen te glinsteren in de zon, omheiningen die in de verte leken te verdwijnen, bijna onzichtbare zandweggetjes die het grasland van de savanne doorkruisten op weg naar andere afgelegen boerderijen en de kronkelende rivieren en stroompjes die overal in het gebied te zien waren.

'Het ziet ernaar uit dat jullie geen waterprobleem hebben,' zei ze.

'Het lijkt alsof er genoeg is,' antwoordde hij, 'maar we moeten toch nog putten slaan om ervoor te zorgen dat ons vee tijdens de droge periode te drinken heeft. We hebben hier voornamelijk veeteelt, maar er zijn er die ook schapen houden. Soms planten we tabak en graan, maar dat blijft een gok vanwege het klimaat en de sprinkhanen. Laatst kwam er bij ons een zwerm langs en die heeft de hele aanplant van dit jaar opgevreten.'

Fleur knikte. 'Djati en ik hebben die zwerm gezien toen we hierheen kwamen.'

'Savannah Winds heeft geluk gehad dat het niet is getroffen,' zei hij. 'Als het weer blijft zoals het nu is, zouden we tijd genoeg moeten hebben om de graanoogst binnen te halen voor de volgende zwerm komt met de start van de regenperiode.'

Fleur keek omlaag naar kilometer na kilometer leeg land dat zich naar alle kanten tot aan de horizon uitstrekte. Het was een enorm uitgestrekt gebied en ze wist dat ze nooit zo moedig als Annie zou kunnen zijn, want het land zou zich niet laten temmen. De mensen van de outback waren een taai volk, gevormd door het land dat ze bewerkten, ogenschijnlijk niet vatbaar voor de ontberingen van overstromingen, droogtes en sprinkhanen en vastbesloten om een succes te maken van het leven waarvoor zij hadden gekozen.

'Daar ligt de boerderij,' zei John vijf minuten later.

Fleur zag een lang, laag pannendak en de stevige stenen muren van een huis dat zich uitstrekte in de luwte van een groepje bomen. Ze zag omheinde weiden en kralen, schuren, waterputten en duizenden stuks vee dat liep te grazen in de laaggelegen weiden op de plek waar verschillende rivieren en stroompjes bij elkaar kwamen. Schapen graasden op hoger gelegen land aan de andere kant van de boerderij en het graan op de hectares kaalgevreten akkers werd op dat moment weer ondergeploegd.

'Zie je die pick-up? Dat zal Martha zijn.'

Fleur keek omlaag en zag iemand in lange broek en overhemd en met een breedgerande hoed op enthousiast naar hen wuiven.

Het vliegtuig maakte een scherpe bocht en vloog op de landingsbaan af. Fleur zette zich schrap. Ze kwamen met een zachte bons neer en John zette de motor uit. 'Laat eerst het stof neerdalen,' waarschuwde hij, 'anders hoest je je de komende week een ongeluk.'

Toen John haar eindelijk uit het vliegtuig hielp, werd Fleur bijna ondersteboven gelopen door Martha die haar armen in een stevige omhelzing om haar heen sloeg.

'Ik ben zo blij je te zien,' zei ze toen ze haar losliet. 'Ik kan niet geloven dat je er eindelijk bent.' Martha's bruine ogen schitterden in haar gebruinde gezicht toen ze naar John keek. 'Ze lijkt precies op haar moeder, hè?"

'Dat onderwerp hebben we al gehad,' zei hij droog. 'Laten we Fleur naar huis brengen voor we hier allemaal geroosterd worden.'

Martha was voortdurend aan het woord terwijl ze over het zandpad scheurde dat hen bij de boerderij bracht. Ze leek, net als John, buitengewoon trots op Emerald Downs en wees naar de windmolen, de kreek, het nieuwe hek en zo'n beetje alles waar ze onderweg langskwamen.

Fleur knikte en glimlachte en probeerde zich voor te stellen hoe het er moest hebben uitgezien toen haar moeder hier opgroeide.

Het was alsof John haar gedachten had gelezen. 'Het zag er niet veel anders uit toen Selina en ik kinderen waren,' zei hij lijzig. 'Het land verandert niet, maar het huis is in de jaren zeventig verwoest tijdens een tornado, dus moesten we een nieuw bouwen. We hebben elektriciteit, telefoons, satelliettelevisie, computers en de meeste van die moderne dingen waar we niet zonder schijnen te kunnen.'

'We hebben geen schotel op Savannah Winds.'

De boerderij was een sierlijk gebouw met de onvermijdelijke horren die de veranda die om het hele huis liep afschermden. Hij stond boven aan een flauwe helling aan het einde van een grote open plek en lag op het zuiden, van de zon af. Aan de oostkant stond een groepje bomen dat voor beschutting zorgde gedurende de lange, hete zomerperiode. Aan de westkant was een kraal met een paar bomen in het midden die voor schaduw voor enkele fraai ogende paarden zorgden.

'Die zijn van mij,' zei Martha vol trots. 'Toen ik jong was deed ik mee aan rodeo's en later heb ik een tijdje aan springconcoursen meegedaan.'

'Ze is te bescheiden,' zei John toen ze tot stilstand kwamen. 'Martha heeft voor Australië meegedaan aan de Olympische Spelen – en heeft brons gehaald. Ze is nog steeds trainster van de jonge ruiters.'

Fleur lachte verrukt. 'Een ster. Ik logeer bij een beroemdheid.'

'Kom op, John,' zei Martha en ze bloosde. 'Hou daar nou over op. Breng Fleurs tas naar binnen, dan zal ik haar voor ik aan het eten begin laten zien waar ze slaapt.'

Fleur werd naar een grote vierkante kamer gebracht die uitzicht bood op een gazon met een zwembad, een bloemenperk en een gezond uitziende moestuin. Het bed domineerde de kamer die in zachtgele en groene tinten geschilderd was. Aan de muur hingen prachtige foto's van de outback – watervallen, kloven, de ochtendmist in het stille groen van een open plek in het bos, een blauwborstelfje dat precies op het moment gefotografeerd was dat zijn kraaloogje in de lens keek. Degene die de foto's had genomen, had heel veel talent.

Ze trof Martha in de keuken en hielp haar bij het bereiden van de koolsla. 'Wie heeft die foto's gemaakt die in mijn kamer hangen?'

'John. Hij zwerft uren rond, nu hij het een beetje kalmer aan kan doen. Mooi, hè?'

'Ze zijn meer dan mooi,' antwoordde Fleur. 'Ik ken verschillende binnenhuisarchitecten die een fortuin over zouden hebben om ze in portefeuille te hebben.'

'Het is maar een hobby, Fleur,' zei Martha. 'John houdt er niet van als mensen hem ophemelen. Dan kruipt hij in zijn schulp en krijg ik dagenlang geen woord uit hem.' Ze waste haar handen, droogde ze af en zette de salade in de koelkast. 'Kom mee,' zei ze zacht. 'Ik weet waar je het eerst naartoe wilt.'

Fleur zette haar hoed weer op; ze gingen de achterdeur door en liepen de diepe, koele schaduw van de bomen in. Toen ze weer in het zonlicht kwamen, zag ze het witte houten hek, de houten kruisen en de verweerde grafstenen.

'Ik laat je nu alleen, dan kun je met haar praten,' zei Martha zacht. 'Je weet hoe je terug moet komen, hè?'

Fleur knikte, haar blik vastgenageld aan de grafstenen. Ze was zich er nauwelijks van bewust dat Martha wegging terwijl ze naar de witte omheining liep en het hek opendeed. Er groeiden wilde bloemen in het gras en erdoorheen liep een pad dat naar drie eenvoudige witte kruisen voerde. Fleur volgde het pad met haar blik gevestigd op een gedenkteken waarvan ze nooit had gedacht dat ze dat zou zien.

SELINA KATE DALEY
GELIEFDE DOCHTER EN TOEGEWIJDE MOEDER
RUST IN VREDE EN WEET DAT ER VAN JE WERD GEHOUDEN
1942-1967

'Dag mam,' fluisterde ze terwijl ze naast het kruis knielde. 'Het spijt me dat het zo lang heeft geduurd, maar ik kon niet eerder komen.'

Ze ging met haar vinger over de woorden op het kruis en merkte op dat Selina onder haar meisjesnaam was begraven – en dat was goed. Don Franklin had geen medelijden met haar gehad; hij had haar vele jaren voor het haar tijd was naar deze plek gedreven en had haar beroofd van het geluk dat ze ooit haar dochter leerde kennen.

Fleur legde haar gezicht op het warme, geurige gras dat het graf van haar moeder bedekte. Haar tranen sijpelden langzaam in de aarde en hernieuwden hun band. 'O, mama,' fluisterde ze. 'Ik heb je zo veel te vertellen.'

Greg zat in de bar van het Cloncurry Hotel somber in zijn eentje voor zich uit te staren met zijn tweede biertje van die dag binnen handbereik. Er stonden drie televisies aan die qua volume de strijd aanbonden met een jukebox en hij keek ongeïnteresseerd van de ene naar de andere waar honden, paarden en auto's op de finish afstormden. Hij was op onbekend terrein en hij zat zonder ideeën.

Hij had zijn hoop gevestigd op vrachtwagenchauffeurs of boerenknechten die binnenwandelden voor een pul bier en vervolgens weer naar buiten wandelden. Maar ze gingen allemaal de andere kant op, of ze namen een route die inhield dat het hem nog eens vier dagen zou kosten om enigszins in de buurt van Savannah Winds te komen. Zelfs Len, de dikke taxichauffeur, had zijn geld niet willen aannemen. Het had er alle schijn van dat de samenzwering zich uitbreidde en dat het lot enthousiast een steentje bijdroeg.

De uitbater was een enorme Samoaan die tien jaar daarvoor als schaapscheerder naar de stad was gekomen en nooit meer was weggegaan. Hij zette een biertje voor Greg neer en leunde op de bar. 'Je ziet er een beetje terneergeslagen uit, *mate*,' zei hij. 'Problemen met de vrouwtjes?'

'Dat kun je wel stellen,' antwoordde hij met een wrange glimlach. 'Ik heb een vrouw die denkt dat ik haar belieg en bedrieg en ik ben tegen een oranjeharige opgelopen die vastbesloten lijkt om mijn leven tot een hel te maken.'

'Dan heb je dat biertje wel nodig. Eén vrouw is al erg genoeg, maar twee?' Hij schudde zijn hoofd en liet een zacht gefluit horen. 'Dan zit je echt in de problemen, man.'

'Vertel mij wat.'

'De oranjeharige is toch niet toevallig Doreen, hè?' vroeg hij terloops.

'In één keer goed.'

'O, *mate*. Dan heb je het met de verkeerde aan de stok.' Toen Greg niet reageerde op deze constatering, boog de Samoaan verder voorover. 'Ben jij die knaap die naar Savannah Winds probeert te komen?'

Greg voelde een sprankje hoop. 'Ja,' antwoordde hij. 'Ik moet mijn vrouw spreken om haar uit te leggen dat ze het bij het verkeerde eind heeft.'

Het gezicht van de Samoaan spleet in een brede grijns open. 'Door het stof, hè? Dat heb ik zelf ook vaak genoeg moeten doen, dus mijn sympathie heb je.'

'Heb je misschien een pick-up die ik van je kan huren? Ik ben bereid hem te kopen als je dat liever hebt.'

'Nee. Kan je niet helpen. Ik heb alleen maar een ouwe Holden en die haalt het misschien tot tien kilometer buiten de stad.' Hij boog zich weer voorover. 'Luister, *mate*, ik heb het niet zo op wat die ouwe heks heeft gedaan en het spijt me dat ik je niet kan helpen. Maar ik heb genoeg lege kamers boven voor als je een bed zoekt voor vannacht en de vrouw kan geweldig koken.'

Greg schudde hem de hand. 'Bedankt, *mate*. Ik was al bang dat ik op een bankje in het park moest slapen.' Hij dronk zijn glas leeg. Hij had nog nooit zo veel gedronken en hij voelde zich al licht in het hoofd en een beetje misselijk, maar hij gaf er de voorkeur aan dat te negeren. 'Geef me er nog maar een,' zei hij, 'en neem er zelf ook een.'

Fleur liet de kleine, privébegraafplaats achter zich en ging terug naar het huis. De zon stond laag en de kilte kroop vanuit het noorden dichterbij. Ze keek op haar horloge en was niet verbaasd toen ze zag dat ze het grootste deel van de dag daar had gezeten, pratend, huilend, haar diepste geheimen en angsten fluisterend.

'Je bent de lunch misgelopen, maar ik heb wat boterhammen voor je gemaakt om je op de been te houden tot het avondeten,' zei Martha. 'Heb je een goed gesprek gehad met Selina?'

Fleur stond op het punt antwoord te geven toen ze plotseling vreselijk draaierig werd. Ze struikelde, kreeg een stoel te pakken en liet zich er als een lappenpop in vallen. 'Ik voel me ineens heel raar,' mompelde ze.

'Waarschijnlijk te veel zon en te weinig eten.' Martha duwde haar hoofd tussen haar knieën. 'Diep ademhalen en je hoofd omlaag houden tot het overgaat.'

Fleur gehoorzaamde en voelde binnen een paar minuten hoe de duizelingen ophielden. 'Sorry. Dit overkomt me anders nooit.' Ze nam een glas water aan van Martha, dronk met diepe teugen en voelde zich iets beter. 'Laat ik nu die boterhammen maar eten, voor ik mezelf helemaal voor gek zet,' zei ze in een poging luchtig te doen over de gênante situatie.

'Blijf zitten, ik breng ze wel.' Martha zette het bord naast haar neer en ging met een bezorgde uitdrukking op haar gezicht zitten. 'Dit zal allemaal niet gemakkelijk voor je zijn. Je was per slot van rekening nog maar een baby toen Selina je mee naar huis nam. Dit is een emotionele thuiskomst. Geen wonder dat je je een beetje slap voelt.'

'Ik heb waarschijnlijk te veel hooi op mijn vork genomen,' gaf ze toe. 'De afgelopen maanden zijn al lastig genoeg geweest, maar sinds ik erachter ben hoe het met mijn moeder zit en wat er met haar is gebeurd, ben ik een beetje over mijn toeren.' Ze nam een grote hap uit haar boterham met tomaat en kaas.

'Luister, Fleur, er is iets wat ik je moet vertellen. Er is een boodschap van Sal gekomen toen jij daarbuiten bij Selina was...'

Fleur slikte en schoof het bord aan de kant. Haar hart ging tekeer en de rillingen liepen over haar rug toen ze de ernstige uitdrukking op Martha's gezicht zag. 'Wat is er? Wat is er gebeurd? Het gaat toch niet om Greg, hè?'

Martha legde haar hand op Fleurs arm. 'Het gaat om je vader,' zei ze zacht.

Fleur schaamde zich voor de opluchting die haar overspoelde. 'Wat was het? Een hartaanval?'

Martha knikte. 'Hij heeft waarschijnlijk niet erg geleden. Zo te horen was het een hartstilstand.' Ze keek Fleur onderzoekend aan. 'Je lijkt niet... Ik bedoel...' Ze deed er gegeneerd het zwijgen toe.

'Het geeft niet, Martha,' haastte ze zich te verzekeren. 'Pap en ik hebben nooit zo'n nauwe band gehad en sinds ik weet hoe vreselijk hij me over mijn moeder heeft voorgelogen... Nou, toen was er geen weg meer terug en ik kan niet net doen of ik verdrietig ben, nu hij dood is.' Ze glimlachte zuur. 'Dat klinkt vreselijk, hè? Maar het is niet anders en ik vermoed dat Beth de enige is die echt om zijn overlijden zal rouwen.'

Martha knikte begrijpend en de uitdrukking op haar gezicht was nadrukkelijk neutraal. 'De begrafenis is begin volgende week.'

Fleur dacht aan haar moeder die onder het gras en de wilde bloemen lag, dacht aan de jaren die hen beiden waren ontnomen waarin ze elkaar hadden kunnen leren kennen en liefhebben en ze schudde haar hoofd. 'Ik zal er niet bij zijn,' zei ze zacht.

16

Het avondeten bestond uit heerlijke kip, groentesoep en een quiche van ham met deeg zo luchtig als Fleur nooit eerder had gegeten. Haar eetlust was teruggekeerd en toen ze opstonden van de keukentafel en naar de zitkamer gingen, liet ze zich voldaan in de zachte kussens van een bank zakken.

Het middelpunt van het huis werd gevormd door een grote, vierkante kamer met een imposante stenen open haard waarin een hoog oplaaiend vuur de kilte van de avond verjoeg. Het vertrek stond vol met grote banken, een oude piano en verschillende boekenkasten en elk oppervlak leek in beslag genomen door terzijde gelegde boeken, tijdschriften en landbouwcatalogi. Het was warm, huiselijk en uitnodigend.

'Je ziet er een stuk beter uit,' zei Martha, haar gebruinde gezicht een en al rimpelende glimlach terwijl ze de kussens opschudde. 'Misschien is het verstandiger om morgen niet zo lang in de zon te blijven.'

'Ik ben niet gewend aan deze meedogenloze hitte,' gaf Fleur toe, 'en het is een dag vol emoties geweest.'

'Wil je Greg bellen, of je zussen? De telefoon staat in Johns kantoor. Daar heb je privacy.'

'Morgen misschien,' zei ze. Vastbesloten om niet na te denken over de gevolgen van de dood van haar vader en omdat ze geen zin had in de pijnlijke herinneringen die bovenkwamen bij het horen van Gregs naam, wendde ze zich tot John. 'Ik heb begrepen dat je oude foto's hebt opgesnord,' zei ze opgewekt. 'Die wil ik dolgraag zien.'

John liep de kamer door en pakte een stapel fotoalbums die boven op de piano lag. Hij maakte ruimte op de koffietafel en sloeg het eerste album open. 'Dit was Selina toen ze nog een baby was.'

Bijna een uur later pakte hij het laatste album. 'Ik heb een paar van de beste voor je uitgezocht. Die mag je houden,' zei hij terwijl hij het aan haar gaf. 'Het begint met toen ze nog een baby was tot aan de tijd dat ze met jou terugkwam.' Hij keek verdrietig. 'Nadat Don jou had meegenomen werd ze te ziek, dus er zijn geen foto's van de periode erna.'

Fleur sloeg langzaam de pagina's om waarop haar moeders korte, tragische levensverhaal in beeld werd gebracht. 'Annie komt veel voor op de foto's,' mompelde ze toen ze bij de laatste kwam waarop Annie en Selina lachend in de camera keken en zij zelf klein in Annies armen lag.

'Annie was heel speciaal voor Selina. Ze was niet alleen haar peetmoeder, maar ook haar vriendin. Hun leeftijdsverschil deed er niet toe en ik vroeg me weleens af of mam niet jaloers was op hun band.' Hij slaakte een diepe zucht. 'Toen jij geboren werd en Selina je mee hiernaartoe nam, werd hun relatie sterker. Ik neem aan dat dat kwam omdat Annie tegen die tijd alles kwijt was wat haar dierbaar was en ze Selina en jou dolgraag wilde beschermen.'

Ondanks het laaiende vuur in de open haard kreeg Fleur het koud. 'Annie heeft zelf een kind verloren, hè? Ik heb foto's van Lily gezien toen ik op Birdsong was.'

'Het was een van die afschuwelijke ongelukken die hier weleens gebeuren,' zei John zacht. 'Lily was zeventien. Een mooi meisje, vol levenslust – een geweldig ruiter, maar ook leergierig. Annie stopte al haar liefde en hoop in Lily, want zij was de enige zwangerschap die ze tot een goed einde had weten te brengen.'

Hij zweeg even en staarde in de vlammen. 'Ik kan me die dag nog zo goed herinneren. Ik was zestien. Het was vakantie en ik had pa geholpen bij het brandmerken. Mam kwam ons zoeken en zodra we haar zagen, wisten we dat er iets vreselijks was gebeurd. Lily was gebeten door een King Brown. Annie vond haar bij toeval in de schuur, maar het was te laat. Het slangengif werkt razendsnel en ze moet al binnen een paar minuten na de beet zijn gestorven.'

'Arme Annie,' fluisterde Fleur. 'Wat vreselijk wanneer zoiets gebeurt met je geliefde kind. Ze moet er kapot van zijn geweest.'

'Dat was ze ook. Dat waren we allemaal. Lily hoorde bij de familie en ze liet een enorme leegte na in ons leven.'

John deed er lange tijd het zwijgen toe terwijl hij in het vuur staarde. Fleur vroeg zich af wat hij zag en welke herinneringen er bovenkwamen. Het kostte niet veel verbeeldingskracht om te weten wat Annie gevoeld moest hebben.

'Zo veel verdriet,' mompelde Martha. 'Het lijkt wel of sommige mensen gedoemd zijn.'

John haalde diep adem en porde hard in de brandende blokken op het rooster. 'Toen jij hier in de Savannah kwam,' zei hij, 'was het net of Annie een nieuw leven had gekregen. Ze wierp één blik op jou en zag meteen Lily voor zich. Vanaf dat moment werd jij het middelpunt van de wereld, een tweede bloempje om lief te hebben, te koesteren en te beschermen.'

'Maar waarom? Ik was haar kind niet, ik was Lily niet.'

'Maar je lijkt wel heel erg op haar en het feit dat jij Fleur werd genoemd en dat je een paar uur na Lily's dood werd geboren, was voor Annie een teken dat haar kind in jou voortleefde. Een leven voor een leven, denk ik.'

'Dat is zo triest,' mompelde ze.

'Daar ben ik het niet mee eens,' zei John. 'Je hebt Annie een doel gegeven; er was zelfs sprake van bloedverwantschap, via je vader. Voor Annie was je de band met de familie die ze was kwijtgeraakt vanwege je vader, en met onze familie – Selina's familie.'

Fleur boog diep in gedachten haar hoofd. Ze zou het nooit helemaal kunnen begrijpen, maar Annie had troost gevonden, dus het deed er niet toe. 'Er is me verteld dat ze tot de dag dat ze stierf een oogje op me heeft gehouden,' zei ze uiteindelijk, 'maar hoe heeft ze dat gedaan? Pap weigerde zelfs haar naam te noemen, laat staan dat ze op bezoek mocht komen.'

'Annie verhuisde naar Birdsong en reisde regelmatig naar Brisbane, ging naar je school, zat achter in de zaal bij je diploma-uitreiking, stond op de hoek van de straat toen Greg en jij de kerk uit kwamen op jullie trouwdag. Ze was zo trots op je en dan ging ze blij en gelukkig terug naar Birdsong in de wetenschap dat ze vredig kon sterven omdat jij je plek had gevonden en succesvol was.'

Fleur probeerde zich de details van die bijzondere dagen voor de geest te halen, maar het bleef vaag. 'Het is maar goed dat ze niet lang genoeg heeft geleefd om te zien wat een zooitje ik ervan heb gemaakt,' zei ze zacht. 'Bij het kantoor waarvoor ik werkte is een curator aangesteld en mijn huwelijk is op de klippen gelopen.'

Martha en John keken elkaar even aan en wisten niet hoe ze hierop moesten reageren.

Fleur haalde haar schouders op en glimlachte onzeker.

'We hadden geen idee,' zei Martha.

'Geeft niks,' antwoordde ze luchtig voor ze haar aandacht weer op het album richtte. Ze sloeg de pagina's opnieuw langzaam om en bekeek de zwart-witbeelden van de mensen die van haar hadden gehouden. Maar er ontbrak iets of, liever gezegd, iemand.

'Waarom is er geen foto van Sam? Ik weet dat hij is teruggekeerd uit de oorlog en dat ze zijn getrouwd.'

'Dat is hij zeker en ze zijn in 1947 getrouwd. Ik meen me te herinneren dat mam zei dat Annie er stralend uitzag toen ze aan Sams arm door het gangpad liep en dat ze een prachtig paar vormden.' John keek even naar Martha die bijna onmerkbaar knikte. 'Ze hadden een gelukkig huwelijk, ondanks de vele miskramen, dus toen Lily werd geboren, leek hun leven compleet. Maar die arme Annie zou nooit het volledige geluk kennen.'

Fleur huiverde. Ze had het akelige gevoel dat ze wist welke kant het verhaal opging. 'Sam stierf, hè?'

John knikte. 'Het was een stomme manier om aan je eind te komen, een ogenblik van waanzin, maar Sam genoot van de kick van het vliegen en die ochtend gebeurde er iets waar hij al jaren op wachtte.' Hij haalde diep adem. 'Hij had kans gezien een oude Spitfire te pakken te krijgen en hij stak er honderden uren in om hem te restaureren zodat hij weer kon vliegen. Hij gebruikte hem voornamelijk om de velden te besproeien, maar waar hij werkelijk op zat te wachten, was de kans om op de Morning Glory te surfen.'

Fleur keek vragend. 'De wat?'

'Het is een natuurverschijnsel. Het komt voornamelijk hier in het gebied rond de golf voor en een enkele keer in Zuid-Afrika,' legde Martha uit. 'Het is tamelijk zeldzaam, want de weersomstandigheden moeten precies goed zijn.' Ze moest lachen om Fleurs niet-begrijpende blik. 'De Morning Glory is een rolwolk die 's ochtends als een enorme, glinsterende golf over het water komt aanstormen. Het is het meest spectaculaire schouwspel dat ik ooit heb gezien. Maar voor jonge en onbezonnen mannen is het niet genoeg om dat vanaf de grond te bekijken. Ze kunnen niet wachten om op die golf te surfen in hun ultralichte vliegtuigjes en hun kleine toestellen.'

'Sam ging met de Spitfire de lucht in,' vervolgde John. 'Annie stond met de twee jaar oude Lily op haar arm te kijken hoe hij de top van die golf bereed. Hij vloog daar bijna een uur. Toen verdween hij in de wolk en kwam nooit meer terug.'

Martha nam het verhaal weer van hem over. 'Ze vonden zijn vliegtuig uiteindelijk ergens op de savanne. Hij was in een zwerm sprinkhanen terechtgekomen en heeft geen schijn van kans gehad om de crash te overleven.'

Fleur dacht aan de Spitfire die op Savannah Winds was verborgen. 'Annie moet het vliegtuig hebben laten terugbrengen naar Savannah Winds om het te laten repareren,' zei ze zacht.

John fronste zijn voorhoofd. 'Er was niet veel over om te repareren. En ik betwijfel of Annie voortdurend herinnerd wilde worden aan de manier waarop Sam was gestorven.'

'Maar hij staat in een van de schuren en ziet er niet ernstig beschadigd uit.'

'Dat moet dan een andere Spitfire zijn,' zei John vastbesloten. Hij stond op. 'Wacht eens, Fleur. Ik wil je iets laten zien, als ik het kan vinden, tenminste.'

Hij zocht op de boekenplanken en rommelde in verschillende laden voor hij een tamelijk gehavend plakboek tevoorschijn haalde. 'Mam en pa bewaarden al die dingen en ik kan het niet over mijn hart verkrijgen om het weg te gooien. Maar kijk, hier. Hier heb je het krantenartikel.'

MAN STERFT BIJ SURFEN OP MORNING GLORY schreeuwde de kop.

In het artikel werd beschreven wat er was gebeurd en het besloot met een korte biografie van Sam en Annie. Het was de foto waar Fleur haar aandacht op richtte, want de Spitfire was een verwrongen, uitgebrand wrak en viel duidelijk niet meer te repareren.

En toch, toen ze er wat beter naar keek, meende ze iets te zien in het onscherpe zwart-witbeeld wat er bekend uitzag. 'Heb je een vergrootglas?'

John keek haar vragend aan, maar begon toen in een la te zoeken en haalde er een tevoorschijn.

Fleur haalde diep adem en richtte het vergrootglas op de zijkant van de geblakerde en verwrongen vliegtuigromp. De haren op haar armen en in haar nek gingen overeind staan toen ze zich realiseerde dat ze zich niet had vergist – en toch, ze keek naar iets wat volkomen onverklaarbaar was.

Er liep een rilling over haar rug toen ze besefte wat het zou kunnen betekenen en ze wist dat ze het nooit tegen John en Martha kon zeggen omdat ze het niet zouden begrijpen.

Haar blik ging terug naar het krantenknipsel en daar, vergroot door de dikke lens van het vergrootglas, was het RAF-embleem, en de letter R, het getal 62.

Fleurs dromen die nacht waren verontrustend, met beelden van Sals ogen en zangerige stem, van Spitfires die draaiden en keerden door grote wolken en ter aarde stortten en van Annie die huilde bij de graven van haar man en van haar dochter.

Ze werd vroeg wakker, net toen het daglicht de hemel begon te verlichten en ze dacht na over alles wat er was gebeurd sinds ze haar baan bij Oz Architecten was kwijtgeraakt. Haar leven was een warboel geworden, haar familie verscheurd, haar huwelijk in duigen. Maar ze had haar moeder gevonden en wist dat ze altijd van haar had gehouden. En dat was het gouden randje aan de donkere wolk die boven haar had gehangen.

Ze was geïntrigeerd geraakt door het mysterie van de Spitfire en ze wist dat ze niet kon rusten voor ze het had opgelost. Sal was waarschijnlijk de enige die haar kon helpen, en hoewel ze niet echt betrokken wilde raken bij de vreemde overtuiging van de oude vrouw, had ze het gevoel dat Sal meer wist dan ze losliet.

Fleur pakte haar tas in, waarbij ze ervoor zorgde dat het fotoalbum en het plakboek onderin zaten. Toen haalde ze het bed af en nam het linnengoed mee naar de keuken. 'Waar laat ik de was?'

Martha was gekleed in een rijbroek, rijlaarzen en een geruit overhemd en zat aan de keukentafel met een kop koffie. Het was duidelijk dat ze al uren op was, maar haar glimlach vervaagde toen ze de lakens zag. 'Laat je ons nu al in de steek? Ik had gehoopt dat je een tijdje zou blijven.'

'Ik kom binnenkort terug, dat beloof ik.' Ze gooide de lakens op een stoel en omhelsde Martha. 'Probeer jij me maar eens weg te houden, nu ik mijn familie heb gevonden.'

Martha schonk koffie voor hen in. 'En, wat zijn je plannen?'

'Ik wil nog een bezoekje aan mam brengen om nog eens goed met haar te praten. Dan, als John het tenminste niet te druk heeft, wil ik een bezoek brengen aan de kerk en afscheid nemen van Annie en Sam voor ik weer naar Savannah Winds ga.'

'Hij verwacht vanmorgen de veearts die de jonge stieren komt inenten, maar ik weet zeker dat hij je na de lunch wel terug kan brengen.' Ze glimlachte triest. 'Ik hoop dat al die verdrietige verhalen je niet van streek hebben gemaakt,' zei ze terwijl ze Fleurs hand pakte. 'We zouden het heerlijk vinden als je nog eens komt.'

'En dat doe ik ook, dat beloof ik,' verzekerde ze haar nogmaals. 'Jullie zijn zo lief geweest, jullie allebei, en ik zal het fotoalbum dat John voor me heeft gemaakt koesteren.' Ze glimlachten naar elkaar en dronken in een gemoedelijk zwijgen hun koffie.

Na de toast, eieren en spek hielp Fleur met de afwas, stopte de lakens in de wasmachine en ruimde de zitkamer op. Toen ze het gevoel had dat ze aan haar verplichtingen als gast had voldaan, ging ze het huis uit en liep naar het stille kerkhof onder de bomen.

Het gras was nog nat van de dauw, want de zon kwam nog niet boven het bladerdak van de bomen uit. Fleur ging op haar deken zitten en voerde een gesprek met haar moeder tot Martha haar voor de lunch kwam roepen.

Greg kreunde toen hij zijn hoofd bewoog. De kamer draaide rond, het bed deinde op en neer en het licht dat door de kieren in de luiken naar binnen viel was oogverblindend. Het brandde in zijn hersenen en het geraas van zijn bloed klonk in zijn oren.

Hij trok het laken en de deken over zijn gezicht en vroeg zich af hoe hij ooit de kracht zou kunnen vinden om dit bed uit te komen. Hij kon zich niet herinneren hoeveel hij de avond ervoor had gedronken. Na de eerste vijf biertjes was hij de tel kwijtgeraakt en toen hij eenmaal was gaan proberen om het vermogen van zijn nieuwe vriend te evenaren om de ene na de andere wodka achterover te slaan...

Greg kreunde nog eens en draaide zich voorzichtig op zijn zij. Zijn gezicht vertrok van de pijn die door zijn schouder en heup schoot. 'Wat is er verdomme met me gebeurd?' mompelde hij. Hij schoof voorzichtig het laken omhoog en kwam tot de ontdekking dat zijn linkerkant bont en blauw was. Hij liet het laken weer vallen, deed zijn ogen dicht en probeerde het gehamer in zijn hoofd te laten ophouden zodat hij kon nadenken.

Hij had een vage herinnering aan de Samoaan die hem over zijn brede schouder had gegooid en hem de trap op had gedragen. Maru was stomdronken geweest – dat wist hij nog – en was op de bovenste tree gestruikeld. Greg kreunde nogmaals toen de herinnering terugkwam. Maru had gevaarlijk staan zwaaien en Greg, die hulpeloos over zijn schouder bungelde, had gedacht dat hij voorover omlaag zou storten op de betegelde vloer onder aan de trap. Maar Maru was voorover gevallen en had Greg met zich meegesleurd. Ze waren met een klap die de ruiten had doen trillen op het tapijt op de overloop gevallen waarbij Gregs heup en schouder het volle gewicht van Maru te verwerken hadden gekregen.

'Wel verdomme,' zei hij binnensmonds. 'Het is een wonder dat ik niks gebroken heb.' Greg had enorm veel medelijden met zichzelf. Hij zwoer nooit meer een druppel te drinken, kroop onder de dekens en viel in slaap.

Fleur pakte na de lunch haar laatste spullen in en nam haar tas mee naar de keuken. Martha was nergens te bekennen, dus ging ze haar zoeken. Toen ze vlak bij het kantoor was, hoorde ze haar boos tegen iemand praten en ze stond op het punt zich snel en discreet terug te trekken, toen ze haar eigen naam hoorde noemen. Ze luisterde geïntrigeerd naar de eenzijdige conversatie die duidelijk via de telefoon werd gevoerd.

'Dat is aan Fleur om te beslissen, niet aan jou,' zei Martha kortaf. Er volgde een korte stilte. 'Ik weet dat je het beste met haar voor had, Doreen, maar je had absoluut niet het recht om dat te doen. Waar is hij nu?'

'Dan zou ik daar maar vlug naartoe gaan en het met hem regelen. Ik hoop voor jou dat je op tijd komt en dat hij nog niet weg is... Ja, ja, dat weet ik, en ik ben het met je eens dat het niet bepaald de gezondste plek in Cloncurry is, maar jij hebt dit zooitje veroorzaakt, Doreen, en jij bent degene die het moet oplossen.'

Fleur liep langzaam naar de deur van het kantoor. Martha was duidelijk opgewonden. Ze zat met stijve schouders heen en weer te draaien in haar bureaustoel en trommelde ongeduldig met haar vingers op het bureau. Fleur hoorde Doreens hoge stem uit de telefoon komen, maar van waar ze stond waren de woorden onverstaanbaar.

'Dat kan me niet schelen, Doreen. Nee, John kan niet komen, hij heeft het veel te druk vandaag.'

'Doreen,' blafte ze en ze onderbrak de woordenstroom aan de andere kant van de lijn. 'Doreen, je bent tijd aan het verspillen. Ga erheen en doe wat je kunt en zeg dan tegen die waardeloze neef van me dat hij voor vervoer moet zorgen. En je kunt hem namens mij zeggen dat als hij ook maar iets in rekening brengt, ik ervoor zal zorgen dat hij nooit meer een auto verkoopt.'

Ze gooide de hoorn met een klap op de haak, draaide zich om en kwam oog in oog te staan met Fleur. Ze bloosde tot aan de wortels van haar grijzende haar. 'Hoeveel heb je opgevangen?'

'Genoeg om te begrijpen dat Doreen iets heeft gedaan en dat het met mij te maken heeft en zeer waarschijnlijk met Greg. Heb ik gelijk?'

Martha haalde diep adem, liet die weer ontsnappen en haar schouders ontspanden. 'Greg is twee dagen geleden in Cloncurry aangekomen. Helaas heeft Len Doreens motel aanbevolen en hij heeft daar de eerste nacht gelogeerd.'

Fleur liet zich in de andere stoel vallen. Haar gedachten tolden in het rond terwijl ze dacht aan de lange avond die ze met Doreen kletsend had doorgebracht – en hoe ze zich het verhaal van Gregs verhouding had laten ontglippen.

'Doreen besefte pas wie hij was toen hij al had gegeten en naar bed was gegaan. Ze las het formulier dat hij had ingevuld en kwam tot de conclusie dat je beschermd moest worden. De volgende ochtend vroeg belde ze meteen rond en zorgde ervoor dat Greg met geen mogelijkheid een auto kon huren of kopen. Haar neef Jake en mijn neef Henry zijn de enige twee mensen bij wie dat had gekund. Ze bazuinde het verhaal rond en algauw wist iedereen wie hij was, waar hij naartoe wilde en waarom het zo belangrijk was dat hij zijn doel niet zou bereiken.'

Fleur beet op haar lip. 'Ik wilde Doreen niets vertellen, maar je praat zo makkelijk met haar en ik nam aan dat het niet zou worden doorverteld.'

Martha zuchtte. 'Doreen is een roddelaarster. Is ze altijd geweest en dat zal ze altijd blijven. Ze komt over als een excentriek en vrolijk type, maar om eerlijk te zijn is ze gewoon een oud wijf met een scherpe tong die het leuk vindt om rotzooi te schoppen.' Ze hield haar hoofd schuin. 'Wat heb je precies tegen haar gezegd?'

'Dat Greg bij me weg was en dat ik hoopte dat we het konden goedmaken, maar dat ik hem toen met een andere vrouw betrapte,' zei ze met een zucht. 'God, wat een ellende.'

'Eerlijk gezegd,' zei Martha die een glimlach probeerde te onderdrukken, 'heb ik nogal medelijden met die arme Greg. Henry en Jake hebben hem van het ene eind van de stad naar het andere gestuurd en in een paar pubs weigerden ze hem zelfs een biertje te tappen. Hij was duidelijk woedend en men heeft gezien hoe hij in de hitte met zijn weekendtas liep te zeulen, druipend van het zweet en klaar om iemand te vermoorden.'

Fleur giechelde. 'Dat is zijn verdiende loon,' proestte ze. 'Dat zal hem leren om andere vrouwen mee uit eten te nemen als ik even niet kijk.' Het gegiechel stopte net zo abrupt als het was begonnen. 'Waar is hij nu?'

'Hij zit in het Cloncurry Hotel. Dat is de ruigste tent van de stad, maar het schijnt dat de eigenaar, een enorme Samoaan die Maru heet, medelijden met hem heeft gekregen en ze zijn samen stomdronken geworden.'

'Greg drinkt niet.'

'Gisteravond wel,' antwoordde ze ernstig. Ze keek Fleur onderzoekend aan. 'Ik heb er toch wel goed aan gedaan tegen Doreen te zeggen dat ze hem nuchter moest zien te krijgen en hem op weg naar Savannah Winds moest helpen, hè? Je wilt hem toch zien?'

Fleur besefte dat dat inderdaad het geval was, dat het niet uitmaakte wat hij had gedaan, dat ze nog steeds van hem hield en dat als hij er ook zo over dacht ze hun huwelijk wilde redden. Ze knikte. 'We moeten praten, de dingen oplossen voor het te laat is.'

'Mooi.' Martha stond op en liep het kantoor uit. 'Ik zet nog een kop thee en dan kun je op pad gaan. Je hebt voor hij komt nog even tijd voor jezelf nodig.'

Greg kromp ineen toen er hard op de deur werd gebonsd. 'Ga weg,' kreunde hij.

'Ik ben het, *mate*. Je hebt bezoek, dus kom je nest uit.'

Greg keek over de lakens naar Maru die de hele deuropening in beslag nam. Hij zag er frisgewassen uit, zijn blik was helder en hij vertoonde geen spoor van het drinkgelag van de vorige avond. 'Hoe krijg je dat voor elkaar?' vroeg hij met schorre stem. 'Heb je geen kater?'

De Samoaan glimlachte. 'Nee, jongen. Ik heb veel geoefend.' Hij deed de deur stevig dicht en leunde er tegenaan. Buiten bewoog iemand de deurknop heftig op en neer. 'Luister, jongen,' zei hij op samenzweerderige toon, 'Doreen staat op de gang.'

Greg ging overeind zitten, trok een gezicht vanwege het bijennest dat in zijn hoofd tekeerging en probeerde Maru scherp te krijgen. 'Wat moet ze nou weer? Heeft ze nog niet genoeg ellende veroorzaakt?'

Maru haalde zijn schouders op. 'Ze heeft niet veel gezegd, alleen dat je rap moet ontnuchteren en naar Savannah Winds moet gaan.'

'Die tapt wel uit een ander vaatje,' kreunde hij. Hij zwaaide zijn benen over de rand van het bed en hield zijn hoofd in zijn handen. 'Hoe moet ik daar verdomme zonder vervoer komen? Geeft ze me soms een lift op haar bezemsteel?'

'Dat heb ik gehoord, Greg Mackenzie. Kom met die luie kont van je uit bed en kom naar beneden. Er staat koffie voor je klaar en ik wil je binnen een kwartier helemaal nuchter zien.'

Greg en Maru wisselden een geamuseerde blik toen ze haar de trap af hoorden bonken. 'Wel potdomme,' zei Maru hardop fluisterend. 'Geen wonder dat die vent van haar ervandoor is gegaan. Stel je voor dat je 's morgens wakker wordt met die stem in je oren.'

'Dat is me net overkomen,' bracht Greg in herinnering. 'Nou eruit, Maru, en geef me de kans om me aan te kleden.'

Hij stond niet al te vast op zijn benen toen hij zijn tas naar beneden droeg en naar de eetzaal liep. Er marcheerde een complete drumband door zijn hoofd, zijn tong voelde te groot voor zijn mond en hij verging van de dorst. Hij stond ervan te kijken dat hij geen alcoholvergiftiging had.

'Dat werd tijd.' Doreen stond hem met haar armen over elkaar geslagen en een grimmige uitdrukking op haar gezicht op te wachten. 'Ga zitten, neem die en drink dat,' zei ze en ze wees naar de aspirine en de kan water. 'Daarna kun je aan de koffie. Ik heb ontbijt voor je besteld, al durf ik me niet voor te stellen wat dat in een tent als deze inhoudt.'

Greg negeerde haar, stopte twee aspirines in zijn mond en spoelde die met grote slokken water weg. Hij had de kan leeg en was aan de koffie begonnen tegen de tijd dat Maru's tengere vrouw met een meelevende glimlach het ontbijt voor hem neerzette.

Eén blik op de gebakken eieren en hij rende naar het toilet waar hij vreselijk overgaf.

Toen hij enige tijd later naar zijn spiegelbeeld keek, ontdekte hij dat hij groen zag, dat zijn ogen bloeddoorlopen waren en dat het koude zweet op zijn voorhoofd stond. Hoe iemand verslaafd kon raken aan alcohol was hem een raadsel. Hij voelde zich net een opgewarmd lijk.

'Je kunt je daar niet de hele dag verstoppen.' Doreen stond met de handen in de zij in de deuropening.

'Donder op, Doreen,' riep hij voor hij weer begon over te geven.

Hij waste zijn gezicht en handen en kamde zijn haar. Hij voelde zich stukken beter, maar hij was niet in de stemming voor ontbijt of een oranjeharige feeks. Hij ging naar de bar, betaalde Maru, bedankte hem, beloofde nog even aan te wippen voor hij terugging naar Brisbane en ging toen terug naar Doreen.

'Ik ben er klaar voor,' zei hij op een toon die geen tegenspraak duldde. 'Kom op.'

De kerk stond midden in de nederzetting in de rimboe. Er waren maar een stuk of tien huizen, al zag Fleur toen ze landdden dat er her en der in de omringende honderden hectares losse huizen stonden.

'De priester is het grootste deel van de tijd op pad,' zei John. 'Zijn parochie is enorm uitgebreid en het is voor zijn parochianen te moeilijk om hier vaker dan één of twee keer per jaar te komen. Vroeger zou hij te paard zijn rondgetrokken, maar we hebben allemaal geld bij elkaar gelegd en een vliegtuigje voor hem gekocht. Het duurde even voor hij het vliegen onder de knie had, maar nu is hij nog maar zelden thuis.'

John zette het vliegtuig in een nabijgelegen veld aan de grond. 'Er is hier al een kerk sinds de tijd van de pioniers,' vertelde hij terwijl ze ernaartoe liepen. 'Dit is uiteraard niet het oorspronkelijke gebouw. Ze worden constant weggeblazen door tornado's, opgevreten door termieten of ze branden af.'

Fleur bekeek het eenvoudige houten gebouw met het dak van golfplaat. Er hing een kruis boven de ingang en het stof zat zo dik op de vier ramen van gewoon glas dat het interieur een mengeling was van schaduwen en half waargenomen indrukken. Er groeide onkruid op het grindpad, het gras was al een tijdje niet meer gemaaid en de paar bomen stonden lusteloos in de hitte van de namiddag. 'Annie heeft een flink bedrag nagelaten om het kerkhof op orde te houden,' mompelde ze.

'En dat is ook gebeurd,' antwoordde hij en hij leidde haar naar de achterkant van het gebouw.

Fleur knikte goedkeurend toen ze de keurige paden en het pas gemaaide gras zag. 'Jammer dat ze het karwei niet hebben afgemaakt en ook de voorkant hebben meegenomen,' zei ze binnensmonds.

John haalde zijn schouders op. 'Ik laat je nu alleen. Kom maar naar het vliegtuig als je zover bent.'

Ze schikte de bos bloemen die ze die ochtend in Martha's tuin had geplukt en liep over het pad tot ze bij een eenvoudige grafsteen kwam die de plek markeerde waar John Harvey zijn laatste rustplaats had gevonden. Naast hem lag Sam Somerville, zijn dochter Lily, onder de beschermende vleugels van een engel, en daarnaast lag Annie.

Fleur verdeelde de bloemen over de vier graven en ging, diep in gedachten, op haar hurken zitten. Annie was teruggekeerd naar de plek en de mensen bij wie ze thuishoorde. En dat gold ook voor haar. Nu was het moment aangebroken om de schade te herstellen die Greg en zij in hun huwelijk hadden aangericht en de toekomst onder ogen te zien.

'Dank je, Annie. Je zult nooit weten hoeveel jouw geschenk voor mij heeft betekend – of misschien weet je dat ook wel – misschien was dat de reden van je gift. Want je wist dat ik zou komen, wist dat alles onthuld zou worden en dat ik eindelijk met mijn moeder herenigd zou worden.' Ze haalde diep adem en slaakte een zucht vol emotie. 'Dat geschenk alleen al was van onschatbare waarde en woorden schieten tekort om mijn dankbaarheid uit te drukken.'

Ze bleef een tijdje zitten, las de grafschriften en luisterde naar het gekwetter van de vogels. Toen, met de belofte dat ze ooit zou terugkeren, ging ze weg en liep naar het vliegtuig. Savannah Winds riep haar naar huis.

Fleur nam met een kus afscheid van John en klom naast Djati in de pick-up om door de smerige ruiten het vertrek van het vliegtuigje gade te slaan. Ze was absoluut van plan om haar belofte gestand te doen en terug te gaan naar Emerald Downs, want Martha en John hoorden onlosmakelijk bij haar familie en ze zou niet toestaan dat iets tussen hen zou komen.

'Is Sal thuis?' vroeg ze terwijl Djati terugreed in de richting van de open plek.

'Ze is bij jou thuis,' zei hij en zijn zware stem rommelde boven het geluid van de motor. 'Ze zei dat ze dingen met je te bespreken had.' Hij wierp een blik in haar richting. 'Dat vind je toch niet erg, hè? Ze stond erop.'

'Nee,' glimlachte Fleur. 'Dat vind ik helemaal niet erg.'

'Dan laat ik jullie nu met rust,' zei hij toen hij stilhield bij de trap naar de veranda. 'Ik moet bij het trimmen van de schapen zijn.'

Fleur bedankte hem toen hij haar tas door de hordeur de veranda op droeg en zich terug haastte naar de pick-up. Hij maakte een scherpe bocht en verdween in een wolk van stof.

'Welkom terug.'

Fleur draaide zich om en zag Sal in de deuropening staan. 'Je wist het, hè?'

Sal toonde een stralende lach die de lijnen en vouwen die als een spinnenweb over haar gezicht lagen dieper maakte. Ze deed een stap naar voren en legde een hand op Fleurs arm. 'Hij komt uit liefde,' zei ze zacht. Ze knikte, alsof ze tevreden was over haar eigen slimheid en ging zitten. 'Je wordt omringd door mensen die van je houden, Fleur. Maar dat wist je al.'

Fleur ging naast haar zitten en lachte luid. 'Oké, Sal. Jij wint. Ik geloof nu dat je dingen kunt zien die de rest van ons niet ziet.'

De bruine ogen werden groot. 'Maar jij kunt dingen zien die zelfs ik niet zie. Jouw gave is veel sterker dan de mijne.'

Fleurs glimlach vervaagde. 'Maar het vliegtuig is toch echt? Jij hebt het toch ook gezien?'

Sal glimlachte raadselachtig. 'Dat is echt genoeg,' gaf ze toe.

Fleur zocht in haar tas naar het plakboek en sloeg het open. 'Hoe heeft iemand het voor elkaar gekregen het te herstellen? Kijk, Sal. Er was nauwelijks iets van over.'

Sal wiegde heen en weer in haar stoel terwijl ze in de verte staarde. 'Er zijn manieren,' mompelde ze. 'Maar die kunnen wij niet begrijpen.' Ze ging plotseling staan en pakte Fleur bij haar armen. 'Je man is bijna hier. Verwelkom hem met wat er echt in je hart leeft.'

'Maar er zijn een heleboel dingen die we moeten uitpraten voor we...'

Sal legde een zachte vinger op Fleurs lippen. 'Zwijgen is soms het beste medicijn voor wat er schort aan een huwelijk. Hoe denk je dat het Djati en mij gelukt is om al die jaren tevreden te blijven?' Ze schonk Fleur een lieve glimlach, klopte haar op de wang en duwde de hordeur open. 'Ik heb genoeg eten in de koelkast gestopt voor jullie allebei. Ik zie je wel als jullie eraan toe zijn om langs te komen.'

Fleur keek hoe ze langzaam over het pad liep terwijl haar woorden na-echoden in de stilte die ze achterliet.

Henry was best aangenaam gezelschap, nu hij zich normaal gedroeg. Terwijl ze onderweg waren naar het Burke and Wills Wegrestaurant, kwam Greg tot de ontdekking dat ze verschillende dingen gemeen hadden. Henry speelde sologitaar in een plaatselijke countryband; hij had op de middelbare school in de hoogste regionen van het Australisch voetbal gespeeld en hij had een heleboel boeken gelezen waar Greg ook van had genoten.

Ze zaten gezellig te kletsen terwijl ondertussen hun favoriete countrymuziek uit de luidsprekers kwam. Greg, inmiddels volledig hersteld van zijn kater, vond het landschap waar ze doorheen reden fascinerend. Toch kon hij niet begrijpen waarom iemand op zo'n afgelegen plek zou willen wonen. 'Wat doe je in hemelsnaam de hele dag?'

'We gaan net als iedereen naar ons werk,' antwoordde Henry met een grijns terwijl hij een onaangestoken sigaar tussen zijn tanden geklemd hield. 'Er is 's avonds niet veel te doen, tenzij je van sport houdt. Ik ga vaak naar de tennisclub voor een potje squash op de nieuwe baan en na een paar goedkope biertjes eet ik een uitstekende, goedkope maaltijd en dan ga ik naar huis. En dan heb je nog de veteranenclub. Daar is altijd wel wat te doen. In het weekend zijn er vaak races, gezamenlijke picknicks of een landbouwbeurs of zo.'

'Ben je niet getrouwd?'

Henry haalde zijn schouders op. 'Wel geweest, maar we waren eerlijk gezegd veel te jong. Het kon geen standhouden. Ik vind het prettig om alleen te zijn. En jij?'

'Ik vind het vreselijk,' gaf hij toe. 'De afgelopen maanden hebben me duidelijk gemaakt hoeveel ik van mijn vrouw hou en ik wil nooit meer alleen zijn.'

Henry draaide het parkeerterrein op en zette de motor uit. 'Luister, het spijt me van gisteren, maar ik...'

'Maak je niet druk. Laten we het vergeten en gaan eten. Ik rammel.'

'Afgesproken.'

Fleur pakte haar tas uit en maakte het huis klaar voor Gregs komst. Ze veegde de vloer, boende het meubilair, schudde de kussens op en klopte de kleden uit. Ze haalde de lakens van het bed en verving die door schoon, fris ruikend beddengoed en ze rommelde in de koelkast om te zien wat ze zou klaarmaken voor zijn eerste maaltijd op Savannah Winds.

Terwijl ze midden in de woonkamer stond, voelde ze vlinders in haar buik en ze werd overvallen door een enorme uitgelatenheid. 'O, Greg,' zuchtte ze. 'Ik heb je zo gemist. Kom gauw bij me terug, mijn liefste.'

'Hardop tegen jezelf praten is het eerste teken dat je gek aan het worden bent, wist je dat?'

Ze draaide zich met een ruk om, haar gezicht een en al glimlach bij het horen van zijn stem. Blue grijnsde terug. Hij stond tegen de deurpost geleund, met zijn hoed diep in zijn ogen, zijn enkels over elkaar geslagen en zijn handen in de zakken van zijn oude spijkerbroek. 'Ik hoor dat Greg onderweg is,' zei hij op lijzige toon.

'Ja,' zei ze ademloos, 'en ik ben zo blij.'

'Dat zie ik. Je straalt helemaal. Die echtgenoot van je is een gelukkig mens.' Hij zette zich af tegen de deurpost en deed de hordeur open. De kat schoot naar buiten en Blue glimlachte terwijl hij wachtte tot Fleur zich bij hem op de veranda zou voegen. 'Ik heb nooit met katten kunnen opschieten,' zei hij zacht. 'Kom even hier zitten. Het is hierbuiten koeler en ik kijk graag naar de hemel als het donker wordt.'

'Hoe zit het met jou, Blue? Heb jij een vrouw, een gezin?'

Hij dacht een tijdje na over die vraag voor hij antwoord gaf. 'Ik heb een vrouw,' zei hij ten slotte. 'Ze is de liefde van mijn leven. Dat weet ze en ze denkt er net zo over.'

'Wat heerlijk,' verzuchtte ze. 'Maar het moet vreselijk zijn om steeds hiernaartoe en naar Birdsong te gaan en haar achter te moeten laten.'

'Ze is altijd bij me,' zei hij zacht. 'Ik heb haar altijd in mijn hart. En het is net alsof ze me bij elke hartslag eraan herinnert dat ze er is.'

Fleur was ontroerd. 'Je had dichter moeten worden,' zei ze. 'Je weet het allemaal zo mooi te zeggen.' Ze besefte dat haar emoties haar weer parten begonnen te spelen en ze vroeg zich af of ze net zo maf als Sal begon te worden. 'Wat doe je precies voor de kost, Blue?'

Hij keek haar aan van onder de rand van zijn hoed en zijn heldere ogen glansden ondeugend. 'Ik ben een vrije geest, Fleur. Ik doe wat gedaan moet worden. Ik ga waar ik nodig ben.'

Fleur begreep dat hij het haar niet zou vertellen en gaf het op. 'Blijf je lang? Mijn man komt morgen en ik zou graag willen dat jullie elkaar leren kennen.'

Hij trok aan de rand van zijn hoed en staarde door het vliegengaas naar de wildernis in de verte. 'Morgen ben ik vertrokken,' zei hij. 'Daarom kom ik afscheid nemen.'

'O.' Fleur was verbaasd over het feit dat ze zo teleurgesteld was. 'Maar je komt toch wel terug, hè?'

Hij schudde langzaam zijn hoofd. 'Mijn werk hier zit erop,' zei hij, 'en bij Birdsong ook, denk ik. Je hebt me niet meer nodig.'

'Maar wie zal er dan een oogje voor me in het zeil houden?' riep ze uit. 'Alsjeblieft, Blue, denk er nog eens over na.'

Zijn blauwe ogen keken haar tussen de dikke wimpers door aan en zijn glimlach deed zijn knappe gezicht oplichten. 'Er zijn er genoeg die dat kunnen doen,' zei hij. 'Ik heb mijn meisje nu lang genoeg laten wachten. Het is tijd om naar haar terug te gaan.'

Hij tikte tegen zijn hoed en duwde de hordeur open. Hij draaide zich op de drempel om, lachte haar voor de laatste keer toe en liep de invallende duisternis in.

Ze bleef er nog lang nadat hij was vertrokken zitten. De vrouw van Blue was een gelukkig mens en Fleur bad dat Greg met dezelfde eerlijkheid en kracht van háár hield.

Het was al halverwege de ochtend toen ze wakker werd en de kat was nog steeds nergens te bekennen. Ze bleef even genieten van het heerlijke bed en het gevoel van welbehagen. Greg zou vandaag komen en ze voelde zich als een schoolmeisje dat op het punt staat haar eerste afspraakje te beleven. Ze was opgewonden, zenuwachtig, bijna bang dat ze te veel verwachtte van zijn komst, dat ze veel te veel belang hechtte aan het feit dat hij zo'n lange reis maakte. Maar, hield ze zichzelf voor, hij zou die reis niet hebben ondernomen als hij niet wilde dat ze weer bij elkaar zouden komen. En Sal had gezegd dat alles op zijn pootjes terecht zou komen en ze had ook gelijk gehad dat hij zou komen... dus...

Geërgerd over haar eigen domme gedachten ging ze onder de douche en kleedde zich aan. Na een bijzonder laat ontbijt ging ze nog eens met bezem en stofdoek door het huis: er leek voortdurend een rode waas over alles te komen liggen. Ze gaf het op toen ze besefte dat ze deze strijd niet kon winnen en besloot naar het erf te lopen om de Spitfire nogmaals te bekijken.

De hitte was moordend toen ze voor de enorme schuur stond en naar de nieuwe ketting en dito hangslot staarde. 'Waarom zou iemand dat hebben gedaan?' vroeg ze zich af.

Ze kon Sal of Djati nergens vinden om haar een verklaring te geven en diep in gedachten liep ze terug naar de boerderij.

Ze had geen rust en schoot elke keer dat ze de motor van een pickup hoorde naar buiten. Ze pakte het laatste van Annies dagboeken mee naar de veranda. Ze vertelden haar niet veel meer dan ze al wist en toen ze de laatste pagina van het laatste dagboek had gelezen, sloeg ze het met een diepe zucht dicht en borg ze allemaal zorgvuldig weg.

Het was inmiddels laat in de middag en ze begon zich ongerust te maken. Hoelang zou het nog duren voor hij kwam? Ze ging naar de veranda, maar kon niet stil blijven zitten. De kat had haar in de steek gelaten, Sal en Djati waren nergens te bekennen en Blue was naar zijn vrouw. Ze had niemand om mee te praten, alleen zichzelf; het was een saai en onsamenhangend gesprek en sloeg nergens op. Ze gaf de planten in de potten en hangmanden water, verschoof de stoelen en zette ze weer terug, schudde de kussens nog eens op en schonk zichzelf een glas sap in.

Toen hoorde ze het knerpen van voetstappen op het grind van het pad en ze rende naar buiten. 'Greg,' zei ze ademloos. 'O, Greg, eindelijk.'

Hij smeet de hordeur open en nam haar in zijn armen. 'Mijn lieve, lieve schat. Het spijt me heel erg dat je zo hebt geleden. En ik beloof je dat ik je nooit, maar dan ook nooit meer in de steek zal laten. Vergeef me alsjeblieft, Fleur. Alsjeblieft. Ik heb nooit een verhouding gehad, ik heb je nooit bedrogen of tegen je gelogen. Ik hou van je, ik hou van je, ik hou van je.'

Fleur smolt toen zijn hete, dwingende mond haar lippen in bezit nam en zijn handen haar tegen hem aan drukten. Hun kussen werden gretiger en hun handen probeerden elkaar nog dichter tegen zich aan te trekken. 'Greg, Greg,' wist ze tussen de zoenen door uit te brengen. 'Ik hou ook van jou. Het spijt me dat ik aan je heb getwijfeld.'

En toen rukten ze elkaar de kleren van het lijf, zodat de knopen in het rond vlogen, ze worstelden met riemen en ritsen en laarzen en hun adem vermengde zich terwijl ze doorgingen met elkaar zoenen en strelen en kreunen van begeerte.

Zijn handen lagen op de band van haar spijkerbroek en hij probeerde die ongeduldig omlaag te duwen terwijl zij hetzelfde bij hem deed. Eindelijk konden ze aan de kant worden geschopt en Greg tilde haar op en droeg haar het huis binnen. Hij verspilde geen tijd aan het zoeken naar de slaapkamer. De bank was dichterbij.

Haar lichaam kwam hem tegemoet, verlangend, heet en meegaand toen hij snel bij haar binnendrong. Ze trok haar knieën op en sloeg haar benen om zijn middel om hem nog dieper binnen te laten. Ze wilde hem in zich voelen, bezeten worden; ze wilde met hem versmelten tot ze één lichaam, één hartslag waren.

Hun verhitte lichamen werden glibberig van het zweet en ze gleden over elkaar heen. Hem in zich voelen bewegen deed haar hartstocht hoog oplaaien. Terwijl ze zich aan elkaar vastklampten en het punt bereikten waarop er geen weg terug meer was, voelde ze het vuur branden, de kolkende, hypnotiserende golven van genot hoger en hoger worden tot ze een allesvernietigende stortvloed van bevrediging vormden. Met een kreet van verrukking en triomf kwamen ze tegelijk klaar.

Ze bleven liggen, hun lichamen nat van het zweet. Hun hart ging tekeer en ze raakten elkaar aan, onder de indruk van de intense emoties die ze hadden gevoeld.

Greg duwde zijn hoofd op het kussen naar achteren, zodat hij haar kon aankijken. 'Ik moet je iets vertellen wat echt, echt belangrijk is.' Hij gaf haar een kus op haar neus, terwijl de uitdrukking op zijn gezicht plotseling ernstig werd. Zijn ogen waren zo groen als het gras in het voorjaar terwijl hij teder de haren uit haar gezicht streek en haar kin in zijn hand nam. 'Ik wilde alleen maar zeggen dat ik van je hou, dat ik altijd van je heb gehouden. Ik ben je nooit ontrouw geweest en dat dinertje met Carla was om haar te bedanken voor alles wat ze voor me heeft gedaan om me te doen inzien wat voor een enorm stomme vent ik ben geweest.'

'Ik hou ook van jou,' zuchtte ze, 'en het spijt me dat ik aan je heb getwijfeld.' Ze kuste hem zachtjes. 'Betekent dit dat we opnieuw kunnen beginnen?' vroeg ze op haar hoede. 'Dat je erover wilt nadenken om samen kinderen te krijgen?'

Hij trok haar langzaam naar zich toe, terwijl zijn handen oneindig teder haar lichaam streelden. 'Ik denk dat dat het beste idee is dat je vandaag hebt gehad,' mompelde hij in haar hals. 'Zullen we nu met de eerste beginnen? Ik ben er klaar voor als jij dat ook bent.'

Ze vrijden en doezelden en praatten de hele nacht. Ze wikkelden zich in dekens en hielden een picknick op de vloer voor het hoog oplaaiende vuur in de open haard. Fleur liet hem de dagboeken zien en het album dat John had samengesteld en vertelde hem over haar moeder en haar pas ontdekte oom en tante.

Uiteindelijk waren ze onder de douche gegaan en hadden zich aangekleed. Nu zaten ze op de veranda bij het licht van een lantaarn warme chocolademelk te drinken en de foto's te bekijken. Het zou al snel licht worden; de donkere hemel begon al een beetje te kleuren en de eerste vogels roerden zich.

'Het is zo jammer dat een heleboel van deze foto's verknoeid zijn,' zei Greg. 'De meeste gezichten zijn wazig en er zitten zo veel vochtplekken op dat het moeilijk te zeggen valt wat er precies op staat.' Hij haalde er een uit de stapel. 'Ik zou zweren dat dit een Spitfire is,' mompelde hij, 'maar wie is dat die bij Annie staat? Kan Sam dat zijn, denk je?'

Fleur stond op het punt om antwoord te geven toen er een luid geklingel klonk en ze sprongen overeind. 'Wat is dat in hemelsnaam?'

Bang dat Savannah Winds in brand stond, barstten ze door de hordeur en renden de trap af. De hordeur bleef openstaan omdat de deurkruk vastzat in het gaas.

De bel werd zo hard geluid dat ze niet konden verstaan wat Sal riep, maar ze volgden haar wijzende vinger en keken omhoog.

De hemel schitterde roze en blauw en grijs. De enorme, witte, glinsterende wolk kwam aangerold en strekte zich uit van horizon tot horizon. 'Het is de Morning Glory,' zei Fleur ademloos, niet in staat om haar blik ervan los te maken. 'Kijk, Greg, kijk.'

Ze zagen hoe hij krulde, brak en zich opnieuw vormde – een perfecte golf. Hij bleef in al zijn glinsterende, magische schoonheid boven hen hangen, koning van de hemel en heerser over alles wat hij overzag.

'O, mijn god, kijk!'

Fleur volgde zijn wijzende vinger en haar hart sloeg over. Iemand surfte op de Morning Glory. Het was geen ultralicht vliegtuig of een Cessna. Het was een oude Spitfire.

Door haar tranen heen zag ze hoe hij de golf bereed, dook en draaide als een vogel, vrij van alle aardse beslommeringen. Ze snakte naar adem toen hij in de dikke, witte, rollende wolk verdween en lachte toen hij weer tevoorschijn kwam.

'Ik zou zweren dat het een oude Spitfire is,' zei Greg in zichzelf.

'Dat is het ook,' antwoordde ze zacht. 'Ik weet niet hoe het kan, maar het is wel zo.' Ze wist dat het niet erg zinnig klonk, maar ze was te veel gefocust op de Spitfire om het uit te leggen.

Het vliegtuig dook uit de hemel omlaag en kwam met brullende motor op hen af. Hij cirkelde twee keer boven Savannah Winds, scheerde over de boerderij en cirkelde nog eens. De wind die hierdoor werd veroorzaakt deed de luiken rammelen en blies de foto's van de tafel op de veranda.

Fleur huilde, maar ze veegde haar tranen niet weg. Ze wist wat er op het punt stond te gebeuren en ze wilde dit laatste, wonderbaarlijke moment niet missen.

De Spitfire kwam nog één keer over en terwijl hij met de vleugels wiebelde, ging hij opnieuw naar de wolk en verdween in de kolkende, zilveren omhelzing.

Ze wachtten tot hij weer zou opduiken, maar Fleur wist dat hij aan zijn laatste vlucht was begonnen. Ze sloeg een arm om Greg heen en terwijl de Morning Glory fonkelde en oploste in het niets, liepen ze verbijsterd in stilte terug naar de bungalow.

Er dwarrelde iets over het pad en ze raapte het op. Het was de oude foto van Annie en Sam die arm in arm lachend naast de Spitfire stonden. Sams gezicht was niet langer verborgen door het vuil van de tijd. Hij keek haar vanuit de zwart-witfoto recht in de ogen en ze wist dat Sam 'Blue' Somerville zijn taak hier op aarde inderdaad had volbracht en dat hij in de wetenschap dat Greg en zij vrede hadden gesloten, eindelijk naar huis kon gaan naar zijn Annie – zijn enige, ware liefde.

Epiloog

Samuel Daley Mackenzie werd geboren in de droge, stoffige hitte van een zomer op de Savannah. En terwijl hij opgroeide en gezelschap kreeg van broers en zussen, kreeg hij het verhaal te horen van Savannah Winds en de mensen die er ooit hadden gewoond.

Als jongeman was hij er getuige van hoe de Morning Glory tegelijk met de dageraad arriveerde en soms meende hij in de wolken de schaduw te zien van een klein vliegtuig. Eenmaal volwassen, kwam hij nooit in de verleiding om het nader te onderzoeken. Er waren dingen die niet konden worden verklaard – zelfs niet door zijn wijze oude tante Sal.

Lees ook van Tamara McKinley:

Het land achter de horizon

In *Het land achter de horizon* schrijft Tamara McKinley voor het eerst over de families Cadwallader en Penhalligan.

1768. Al duizenden jaren leven de Aboriginals, de tot dan toe enige bewoners van Australië, in harmonie met het land. Maar in de achttiende eeuw verandert alles: grote boten met witte 'geestmensen' verschijnen aan de horizon en de kust wordt op brute wijze veroverd.
Een van de opvarenden aan boord van de *Endeavour* is de rijke avonturier Jonathan Cadwallader. Hij kan zijn geluk niet op dat hij op ontdekkingsreis is, weg van het saaie leven in Cornwall. Zijn achtergebleven geliefde, Susan Penhalligan, is ontroostbaar, nog onwetend dat ook haar lot zal liggen in het land achter de horizon.
Voor Billy Penhalligan ligt het anders. Als veroordeelde is hij op transport gezet naar Australië en het enige dat hem op de been houdt, is de vage belofte van een nieuw begin.
Maar voor alle drie zal het nog lang duren voor ze hun geluk kunnen beproeven...

'Een aanrader voor iedereen die geïnteresseerd is in de geschiedenis van Australië, romantiek en ontdekkingsreizen, of eigenlijk: iedereen die een goed boek wil lezen!' *Lezersreactie* *****

Paperback, 400 blz.
ISBN 978 90 325 1352 8

Lees ook van Tamara McKinley:

De verre kolonie

In de roman *De verre kolonie* volgt Tamara McKinley de families Cadwallader en Penhalligan, waarover ze eerder schreef in *Het land achter de horizon*.

Wanneer George Collinson de intrigerende Eloise in Sydney ontmoet, is het liefde op het eerste gezicht. Maar Eloise is getrouwd met Edward Cadwallader, in alles de tegenpool van George en in staat tot gruwelijke daden. Edward zou nooit toestaan dat Eloise hem zou verlaten. Terwijl hun echtgenoten boezemvrienden zijn, zijn Nell Penhalligan en Alice Quince elkaars tegenpolen. Maar wanneer het erop aankomt, moeten ze hun vijandschap overwinnen om samen de schapenboerderij, waarvan ze beiden afhankelijk zijn, te leiden; alleen dan kunnen ze overleven.
Kilometers verderop staat de jonge Mandawuy, de laatst overgeblevene van zijn Aboriginalstam, voor een beslissing die zijn leven zal bepalen: voegt hij zich bij de blanken of sluit hij zich aan bij Aboriginalstrijders, die een oorlog tegen de blanken voorbereiden?

'Deze aangrijpende roman volgt het leven van pioniers, Aboriginalstrijders, families en geliefden tegen de rijke achtergrond van het Australië van de 19e eeuw. Schitterend!' *Daily Telegraph ANZ*

Paperback, 400 blz.
ISBN 978 90 325 1353 5

Lees ook van Tamara McKinley:

De erfgenamen van het land

Met deze roman volgt Tamara McKinley voor de laatste keer de families Cadwallader en Penhalligan waarover ze eerder schreef in *Het land achter de horizon* en *De verre kolonie.*

Ruby treedt in de voetsporen van haar grootouders wanneer ze samen met haar man James de ruige, onontgonnen Australische outback in trekt. Een reis die gepaard gaat met gevaren, maar het echte gevaar komt uit een onverwachte hoek wanneer James gegrepen wordt door de goudkoorts.
Ruby wordt op zichzelf teruggeworpen en de enige manier waarop ze kan overleven is door toenadering te zoeken tot Kumali, een Aboriginalmeisje.
Intussen arriveren aan de Australische kust een Tahitiaanse man met een mysterieus verleden, een jonge schooljuffrouw en een jongeman van adel. Allen zijn nog onwetend dat hun levens met elkaar vervlochten zullen worden in een land waarnaar ze met zo veel verwachtingen zijn afgereisd.

'In de sfeerbeschrijvingen van de Australische outback is McKinley op haar best.' *NBD/Biblion*

Paperback, 432 blz.
ISBN 978 90 325 1354 2